CODE OBÉSITÉ

Du même auteur

The Complete Guide to Fasting. Healing Your Body Through Intermittent, Alternate-Day, and Extended Fasting (avec Jimmy Moore), Victory Belt/Simon & Schuster, 2016.

JASON FUNG M.D.

CODE OBÉSITÉ

Tout ce que vous savez sur la perte de poids est FAUX

Traduit de l'anglais (Canada)
par Virginie Dansereau

Catalogage avant publication de Bibliothèque et Archives nationales du Québec et Bibliothèque et Archives Canada

Fung, Jason
[Obesity code. Français]
Code obésité : tout ce que vous savez sur la perte de poids est faux
Traduction de : The obesity code.
Comprend des références bibliographiques et un index.
ISBN 978-2-89568-707-8
1. Perte de poids. I. Titre. II. Titre : Obesity code. Français.
RM222.2.F8514 2017 613.2'5 C2016-942056-6

Traduction : Virginie Dansereau
Édition : Miléna Stojanac
Révision et correction : Marie Pigeon Labrecque, Maryem Panaitescot-Taje
Couverture, illustrations et mise en pages : Axel Pérez de León
Photo de l'auteur : Macdonell Photography

Remerciements
Nous remercions la Société de développement des entreprises culturelles du Québec (SODEC) du soutien accordé à notre programme de publication.
Gouvernement du Québec – Programme de crédit d'impôt pour l'édition de livres – gestion SODEC.

Financé par le gouvernement du Canada | Canada

Titre original : *The Obesity Code*
Édition originale publiée par Greystone Books Ltd.
343, rue Railway, bureau 201
Vancouver (Colombie-Britannique) V6A 1A4

Les Éditions du Trécarré
Groupe Librex inc.
Une société de Québecor Média
La Tourelle
1055, boul. René-Lévesque Est
Bureau 300
Montréal (Québec) H2L 4S5
Tél. : 514 849-5259
Téléc. : 514 849-1388
www.edtrecarre.com

Dépôt légal – Bibliothèque et Archives nationales du Québec et Bibliothèque et Archives Canada, 2017

ISBN : 978-2-89568-707-8

Distribution au Canada
Messageries ADP inc.
2315, rue de la Province
Longueuil (Québec) J4G 1G4
Tél. : 450 640-1234
Sans frais : 1 800 771-3022
www.messageries-adp.com

Ce livre est dédié à ma belle femme, Mina.
Merci de l'amour et de la force que tu me donnes.
Je ne pourrais faire ce que je fais sans toi,
ni ne le voudrais jamais.

SOMMAIRE

PRÉFACE

Le Dr Jason Fung est un médecin de Toronto spécialisé en néphrologie. Sa principale responsabilité est de superviser la gestion des patients atteints de maladies rénales au stade terminal qui nécessitent une dialyse rénale.

Ses qualifications n'expliquent pas de façon évidente pourquoi il a écrit un livre intitulé *Code Obésité* ou pourquoi il blogue sur le traitement diététique intensif de l'obésité et du diabète de type 2. Afin de comprendre cette apparente anomalie, nous devons tout d'abord apprendre à connaître cet homme et ce qui le rend si spécial.

En traitant des patients atteints de maladies rénales au stade terminal, le Dr Fung a retenu deux importantes leçons. Premièrement, le diabète de type 2 est la cause la plus courante de l'insuffisance rénale. Deuxièmement, la dialyse rénale, malgré sa sophistication et le fait qu'elle prolonge la vie, ne traite que les symptômes ultimes d'une maladie sous-jacente, une maladie présente depuis vingt, trente, quarante ou même cinquante ans. Peu à peu, le Dr Fung s'est rendu compte qu'il pratiquait la médecine exactement comme on la lui avait enseignée : en traitant de façon réactive des symptômes de maladies complexes sans avoir d'abord tenté d'en comprendre ou d'en corriger les causes.

Il a compris que, pour changer les choses dans la vie de ses patients, il devait commencer par reconnaître une vérité amère : notre vénérée profession ne s'intéresse plus aux causes des maladies ; elle perd plutôt son temps et ses ressources à tenter d'en traiter des symptômes.

Il a décidé de réellement changer les choses pour ses patients (et pour sa profession) en s'efforçant de comprendre les vraies causes de la maladie.

Avant décembre 2014, j'ignorais l'existence du Dr Fung. Puis, un jour, j'ai découvert par hasard ses deux conférences, intitulées *Les deux grands mensonges sur le diabète de type 2* et *Comment renverser naturellement le diabète de type 2*, sur YouTube. Ayant un intérêt particulier pour le diabète, ne fût-ce que parce que j'en suis moi-même atteint, j'ai immédiatement été intrigué, je me suis demandé qui était ce brillant jeune homme. D'où lui venait la certitude que le diabète de type 2 peut être renversé « naturellement » ? Comment pouvait-il être assez courageux pour accuser sa noble profession de mentir ? Il me semblait qu'il allait devoir présenter des arguments forts.

Il ne m'a fallu que quelques minutes pour m'apercevoir que l'argument du Dr Fung était fondé et qu'il était largement capable de se défendre dans une bagarre médicale. L'argument qu'il avançait me trottait dans la tête, irrésolu, depuis au moins trois ans. Mais je n'avais jamais été capable de le voir avec la même clarté ou de l'expliquer avec la même simplicité catégorique que le Dr Fung. Au terme des deux conférences, je savais que j'avais vu un jeune maître à l'œuvre. Finalement, je comprenais ce que j'avais manqué.

Durant ces deux conférences, le Dr Fung a réussi à démolir le modèle courant de la gestion du diabète de type 2, soit le modèle imposé par toutes les associations du diabète au monde. Pire encore, il a expliqué pourquoi ce modèle de traitement erroné nuit inévitablement à la santé des patients qui, par malheur, le reçoivent.

Selon Jason Fung, le premier grand mensonge dans la gestion du diabète de type 2 est l'affirmation selon laquelle il s'agit d'une maladie chronique progressive qui s'aggrave avec le temps, même chez les patients qui suivent les meilleurs traitements que la médecine moderne puisse offrir. Le Dr Fung soutient que c'est tout simplement faux. La moitié des patients qui suivent le programme intensif, qui combine une restriction des glucides alimentaires et le jeûne, peuvent arrêter de prendre de l'insuline après quelques mois.

Pourquoi sommes-nous donc incapables de reconnaître la vérité? La réponse du Dr Fung est simple: nous, les médecins, nous mentons à nous-mêmes. Si le diabète de type 2 est une maladie guérissable, mais que l'état de tous nos patients se détériore malgré les traitements que nous prescrivons, nous devons être de mauvais médecins. Et puisque nous n'avons pas étudié aussi longtemps et à si grands frais pour devenir de mauvais médecins, nous ne pouvons être responsables de cet échec. Nous devons plutôt croire que nous travaillons du mieux que nous le pouvons pour nos patients, qui doivent malheureusement souffrir d'une maladie chronique progressive et incurable. Il ne s'agit pas d'un mensonge délibéré, conclut le Dr Fung, mais d'une dissonance cognitive, c'est-à-dire l'incapacité d'accepter une vérité pourtant criante parce que l'accepter serait dévastateur sur le plan émotionnel.

Le second mensonge, selon le Dr Fung, est notre croyance que le diabète de type 2 est une maladie qui consiste en un taux anormal de glucose sanguin et dont le seul traitement approprié est d'augmenter progressivement les doses d'insuline. Il soutient plutôt que le diabète de type 2 est une maladie qui provoque une résistance à l'insuline, accompagnée d'une sécrétion excessive d'insuline, contrairement au diabète de type 1, qui est un véritable manque d'insuline. Il est illogique de traiter les deux maladies de la même manière, soit en injectant de l'insuline. Pourquoi traiter le surplus d'insuline avec plus d'insuline? demande-t-il. L'équivalent serait de prescrire de l'alcool pour le traitement de l'alcoolisme.

La contribution inédite du Dr Fung est la perspective selon laquelle le traitement du diabète de type 2 se focalise sur le symptôme de la maladie, la concentration élevée de glucose dans le sang, plutôt que sur la cause principale: la résistance à l'insuline. Et le traitement initial pour la résistance à l'insuline est de limiter l'apport en glucides. En comprenant ce simple principe biologique, on peut expliquer pourquoi cette maladie peut être réversible dans certains cas et, inversement, pourquoi le traitement moderne du diabète de type 2, qui ne limite pas l'apport en glucides, aggrave la situation.

Mais comment le Dr Fung est-il arrivé à ces conclusions incroyables? Et comment ces dernières ont-elles mené à l'écriture de ce livre?

En plus de la prise de conscience, décrite plus haut, de la nature à long terme de la maladie et de l'illogisme de traiter les symptômes plutôt que d'éliminer les causes, il a découvert, presque par chance, au début des années 2000, une littérature florissante sur les bienfaits des régimes à faible teneur en glucides pour les gens souffrant d'obésité ou d'autres formes de résistance à l'insuline. On lui avait appris à penser qu'une alimentation à faible teneur en glucides et riche en matières grasses tue. Il était donc surpris de découvrir tout le contraire: ce choix alimentaire produit une variété de résultats métaboliques très positifs, surtout chez ceux qui souffrent de la pire forme de résistance à l'insuline.

Et finalement est venue la cerise sur le sundae: une légion d'études cachées qui démontraient que, dans le cadre de la diminution du poids corporel chez les individus obèses (et résistants à l'insuline), ce régime alimentaire riche en matières grasses était aussi efficace, et habituellement beaucoup plus efficace, que les autres régimes conventionnels.

Il ne pouvait plus le supporter. Si tout le monde sait (mais n'admet pas) qu'une alimentation pauvre en matières grasses et en calories est totalement inefficace pour contrôler le poids ou traiter l'obésité, le moment est venu de dévoiler la vérité : la meilleure façon de traiter et de prévenir l'obésité, une maladie qui cause une résistance à l'insuline et une production excessive d'insuline, est nécessairement le régime alimentaire faible en glucides et riche en matières grasses utilisé pour la gestion de la maladie de résistance à l'insuline par excellence, le diabète de type 2. C'est ainsi que ce livre a vu le jour.

Avec *Code obésité*, le Dr Jason Fung a conçu le livre sur l'obésité destiné au grand public le plus important à ce jour.

La force de cet ouvrage est qu'il se base sur des principes biologiques irréfutables, dont la preuve documentaire est d'ailleurs soigneusement répertoriée. Écrit avec l'aisance et la confiance d'un communicateur hors pair, ce livre est accessible et présenté dans un ordre raisonné de sorte que les chapitres lèvent le voile, couche par couche, sur un modèle biologique basé sur des données probantes tout à fait sensé, simple et logique. Il inclut juste assez de science pour convaincre les scientifiques sceptiques, tout en restant compréhensible pour ceux qui n'ont pas une connaissance approfondie de la biologie. Cet exploit est une réussite dont peu de rédacteurs scientifiques peuvent se vanter.

À la fin de ce livre, le lecteur attentif comprendra les causes de l'épidémie d'obésité, pourquoi nos tentatives de prévenir à la fois les épidémies d'obésité et de diabète étaient vouées à l'échec, mais plus important encore, il comprendra les étapes simples que les personnes présentant des problèmes de poids doivent suivre pour renverser leur obésité.

La solution est celle du Dr Fung : « L'obésité est... une maladie multifactorielle. Ce dont nous avons besoin, c'est d'un cadre, d'une structure, d'une théorie cohérente pour comprendre de quelle façon tous ces facteurs s'imbriquent.

Trop souvent, notre modèle actuel de compréhension de l'obésité présume qu'il n'y a qu'une seule vraie cause et que toutes les autres sont des prétendantes au trône. Des débats sans fin s'ensuivent… Toutes les hypothèses sont partiellement correctes. »

En fournissant un cadre cohérent qui tient compte de la majorité des connaissances actuelles sur les causes réelles de l'obésité, le Dr Fung apporte une contribution encore plus importante.

Il fournit un plan pour renverser les plus graves épidémies médicales de notre ère : des épidémies qui, comme il le démontre, sont tout à fait évitables et potentiellement réversibles, mais seulement si nous comprenons vraiment leurs causes biologiques, pas seulement les symptômes.

La vérité qu'il exprime sera un jour reconnue comme une évidence.

Le plus tôt sera le mieux… pour nous tous.

Timothy Noakes, OMS, MBChB, M.D., D. Sc., Ph. D. (HC), FACSM, (hon) FFSEM (UK), (hon) FSEM (Ire)
Professeur émérite
Université de Cape Town,
Cape Town, Afrique du Sud

INTRODUCTION

L'art de la médecine est assez curieux. De temps à autre, des traitements médicaux deviennent la norme, mais ne fonctionnent pas vraiment. Par pure inertie, ces traitements sont transmis de génération en génération de médecins et survivent sur une période étonnamment longue malgré leur manque d'efficacité. Pensons à l'utilisation de sangsues (saignement) ou l'amygdalectomie de routine.

Malheureusement, le traitement de l'obésité fait partie de ces exemples. L'obésité est définie en termes d'indice de masse corporelle, calculé en divisant le poids d'une personne en kilogrammes par le carré de sa taille en mètres. Une personne dont l'indice de masse corporelle est supérieur à 30 est considérée comme obèse. Pendant plus de trente ans, les médecins ont recommandé un régime pauvre en graisses et en calories comme traitement de choix pour l'obésité. Pourtant, l'épidémie d'obésité s'accélère. Entre 1985 et 2011, la prévalence de l'obésité au Canada a triplé, passant de 6 % à 18 %[1]. Ce phénomène n'est pas propre à l'Amérique du Nord; il concerne la plupart des pays du monde.

Pratiquement chaque personne ayant utilisé la réduction de l'apport calorique comme méthode de perte de poids a échoué. Et soyons honnêtes, qui n'a pas essayé? Selon toute mesure objective, ce traitement est totalement inefficace. Pourtant, il demeure le traitement de choix et il est vigoureusement défendu par les autorités dans le domaine de la nutrition.

En tant que néphrologue, je me spécialise dans le traitement des maladies des reins, dont la cause la plus fréquente est le diabète de type 2, associé à l'obésité. J'ai souvent vu des patients commencer un traitement à l'insuline pour contrôler leur diabète tout en sachant que la plupart d'entre eux allaient prendre du poids. Les patients sont inquiets, à juste titre. « Docteur, disent-ils, vous m'avez toujours dit de perdre du poids. Mais l'insuline que vous me donnez me fait prendre tellement de poids... Comment est-ce utile ? » Longtemps, je n'ai pas eu de réponse à leur offrir.

Cette inquiétude tenace grandissait. Comme beaucoup de médecins, je croyais qu'un gain de poids était dû à un déséquilibre calorique : manger trop et bouger peu. Mais si tel était le cas, pourquoi la prise du médicament que je prescrivais, l'insuline, entraînait-elle un gain de poids continuel ?

Tout le monde, professionnels de la santé et patients inclus, comprenait que la principale cause du diabète de type 2 était le gain de poids. Il y avait de rares cas où les patients étaient très motivés et parvenaient à perdre une quantité importante de poids. Leur diabète de type 2 faisait également marche arrière. En toute logique, puisque le poids était le problème de fond, il méritait une attention particulière. Pourtant, il semblait que la profession de la santé n'était pas intéressée le moins du monde par le traitement de ce problème. J'étais coupable sur toute la ligne. Même si j'avais travaillé plus de vingt ans en médecine, mes connaissances dans le domaine de la nutrition étaient plutôt rudimentaires.

Le traitement de cette terrible maladie, l'obésité, était l'affaire de grandes sociétés comme Weight Watchers ainsi que de profiteurs et de charlatans, surtout soucieux de vendre le dernier « miracle » en matière de perte de poids. Les médecins ne s'intéressaient pas le moins du monde à la nutrition. La profession médicale s'évertuait plutôt à trouver et à prescrire le prochain nouveau médicament.

- Vous avez le diabète de type 2 ? Tenez, voici un comprimé.
- Vous souffrez d'hypertension artérielle ? Tenez, voici un comprimé.
- Votre taux de cholestérol est élevé ? Tenez, voici un comprimé.
- Vous souffrez d'une maladie des reins ? Tenez, voici un comprimé.

Mais pendant tout ce temps, *nous devions traiter l'obésité.* Nous tentions de traiter les problèmes causés par l'obésité plutôt que l'obésité elle-même. En essayant de comprendre les causes fondamentales de l'obésité, j'ai fondé l'Intensive Dietary Management Clinic à Toronto, en Ontario.

Le point de vue conventionnel selon lequel l'obésité est un déséquilibre calorique était insensé. La réduction de l'apport calorique avait été prescrite au cours des cinquante dernières années avec une inefficacité alarmante.

Lire des livres sur la nutrition n'a pas aidé. Chacun ajoutait sa voix au chapitre et beaucoup citaient des médecins « qui font autorité ». Par exemple, le Dr Dean Ornish affirme que les graisses alimentaires sont néfastes et que les glucides sont bénéfiques. Il s'agit d'un médecin respecté, nous devrions donc l'écouter. Mais le Dr Robert Atkins, lui, soutenait que les graisses alimentaires sont bénéfiques et que les glucides sont néfastes. Il était également un médecin respecté, nous devrions donc l'écouter. Qui a raison ? Qui a tort ? En science de la nutrition, il y a rarement consensus sur quoi que ce soit.

- Les graisses alimentaires sont néfastes. Non, les graisses alimentaires sont bénéfiques. Il existe de bons et de mauvais gras.

- Les glucides sont néfastes. Non, les glucides sont bénéfiques. Il existe de bons et de mauvais glucides.
- Vous devriez manger plus de repas par jour. Non, vous devriez manger moins de repas par jour.
- Comptez les calories. Non, les calories ne comptent pas.
- Le lait est bon pour vous. Non, le lait est mauvais pour vous.
- La viande est bonne pour vous. Non, la viande est mauvaise pour vous.

Pour découvrir les réponses, nous devons nous tourner vers la médecine factuelle plutôt que de vagues opinions.

Il existe littéralement des milliers de livres sur les régimes et la perte de poids, habituellement écrits par des médecins, des nutritionnistes, des entraîneurs personnels et autres «experts de la santé». En revanche, à quelques exceptions près, on ne fait qu'effleurer les véritables causes de l'obésité. Qu'est-ce qui nous fait prendre du poids? Pourquoi devenons-nous gros?

Le problème fondamental est l'absence de cadre théorique pour comprendre l'obésité. Les théories actuelles sont ridiculement simplistes et ne prennent en considération qu'un seul facteur.

- Les calories excédentaires causent l'obésité.
- Les glucides excédentaires causent l'obésité.
- La consommation excessive de viande cause l'obésité.
- L'excès de graisses alimentaires cause l'obésité.
- Le manque d'exercice cause l'obésité.

Mais toutes les maladies chroniques sont multifactorielles, et ces facteurs ne sont pas mutuellement exclusifs. Ils peuvent tous contribuer à divers degrés à des problèmes de santé. Par exemple, de nombreux facteurs peuvent contribuer à une maladie du cœur: l'historique familial, le sexe, le tabagisme, le diabète, un taux élevé de cholestérol, l'hypertension artérielle et le manque d'activité physique en sont quelques exemples. Ce fait est bien accepté, mais ce n'est pas le cas dans les recherches sur l'obésité.

L'autre obstacle est l'accent mis sur les études à court terme. L'obésité peut prendre des décennies avant de se développer complètement. Pourtant, on se fie à des études d'une durée de quelques semaines seulement. Si nous étudions comment la rouille se développe, nous devons observer du métal pendant des semaines, des mois et non des heures. De la même manière, l'obésité est une maladie de longue durée. Les études à court terme ne sont pas instructives.

Je comprends que la recherche ne soit pas toujours concluante ; j'espère néanmoins que ce livre, qui met à contribution les connaissances que j'ai acquises dans les vingt dernières années passées à aider des patients atteints de diabète de type 2 à perdre du poids de façon permanente pour gérer leur maladie, fournira une structure sur laquelle s'appuyer.

La médecine factuelle ne signifie pas de prendre toutes les preuves de piètre qualité comme argent comptant. Je lis souvent des affirmations telles que : « Prouvé : un régime faible en gras fait régresser complètement les maladies du cœur. » La référence est une étude menée sur cinq rats. On ne peut guère considérer cela comme une preuve. Je ne ferai référence qu'à des études menées sur des humains et surtout des études qui sont parues dans des publications de bonne qualité, révisées par les pairs. Il ne sera question d'aucune étude sur les animaux dans ce livre. La raison de cette décision peut être illustrée par la « parabole de la vache ».

Deux vaches discutaient des dernières recherches dans le domaine de la nutrition, qui avaient été menées sur des lions. Une vache dit à l'autre : « Savais-tu qu'on a tort depuis deux cents ans ? Les dernières recherches démontrent que manger de l'herbe est néfaste, tandis que manger de la viande est bénéfique. » Les deux vaches commencèrent donc à manger de la viande. Peu après, elles tombèrent malades et moururent.

Un an plus tard, deux lions discutaient des dernières recherches dans le domaine de la nutrition, qui avaient été menées sur des vaches. Un lion dit à l'autre que les recherches démontraient que manger de la viande tue, alors que manger de l'herbe est bénéfique. Les deux lions commencèrent alors à manger de l'herbe, puis ils moururent.

La morale de cette histoire ? Nous ne sommes pas des souris. Nous ne sommes pas des rats. Nous ne sommes pas des chimpanzés ou des singes-araignées. Nous sommes des êtres humains. Par conséquent, nous devons seulement prendre en compte les recherches sur les humains. Je m'intéresse à l'obésité chez l'humain et non chez les souris. Autant que possible, j'essaie de me concentrer sur les facteurs déterminants et non sur des études d'association. Il est dangereux de présumer qu'il existe un lien de causalité parce que deux facteurs sont associés. Prenez par exemple le désastre causé par le traitement hormonal de substitution chez les femmes postménopausées. On associait le traitement hormonal de substitution à une diminution des maladies du cœur, mais cela ne signifiait pas qu'il s'agissait de la *cause* de la diminution des maladies du cœur. Néanmoins, dans le domaine de la recherche nutritionnelle, il n'est pas toujours possible d'éviter les études d'association puisqu'elles offrent souvent les meilleures données probantes disponibles.

La première partie de ce livre, « L'épidémie », examine la chronologie de l'épidémie d'obésité et le rôle des antécédents familiaux afin de démontrer comment ces deux facteurs peuvent faire la lumière sur les causes fondamentales de l'obésité.

La deuxième partie, « La supercherie des calories », examine en profondeur la théorie des calories, y compris les études sur l'activité physique et la suralimentation. L'accent est mis sur les lacunes de la compréhension actuelle de l'obésité.

La troisième partie, « Un nouveau modèle pour comprendre l'obésité », aborde la théorie hormonale, une solide explication de l'obésité comme problème médical. Ces chapitres expliquent le rôle crucial de l'insuline dans la régulation du poids et décrivent le rôle fondamental de la résistance à l'insuline.

La quatrième partie, « L'obésité : un phénomène social », examine comment la théorie hormonale explique certains facteurs associés à l'obésité. Pourquoi l'obésité est-elle associée à la pauvreté ? Que pouvons-nous faire pour contrer l'obésité infantile ?

La cinquième partie, « Qu'est-ce qui cloche dans notre alimentation ? », examine le rôle des lipides, des protéines et des glucides, les trois macronutriments, dans le gain de poids. En outre, nous étudierons le fructose, l'un des principaux coupables du gain de poids, et les effets des édulcorants artificiels.

La sixième partie, « La solution », fournit un guide pour le traitement permanent de l'obésité en abordant le déséquilibre hormonal qu'est le taux élevé d'insuline dans le sang. Les recommandations alimentaires pour réduire le taux d'insuline comprennent une réduction du sucre ajouté et des grains raffinés, une consommation de protéines modérée et l'ajout de bons gras et de fibres. Le jeûne intermittent est un moyen efficace de traiter la résistance à l'insuline sans encourir les conséquences négatives des régimes alimentaires à calories réduites. Une bonne gestion du stress et une amélioration du sommeil peuvent réduire le taux de cortisol et contrôler l'insuline.

Code obésité présente un cadre pour comprendre la maladie qu'est l'obésité chez les humains. Bien qu'il existe des différences et des ressemblances entre l'obésité et le diabète de type 2, ce livre se concentre essentiellement sur l'obésité.

Défier les dogmes actuels dans le domaine de la nutrition est parfois déconcertant, mais les conséquences sur la santé sont trop importantes pour ne pas en tenir compte. Qu'est-ce qui cause le gain de poids et que pouvons-nous faire ? Ces questions sont le thème général de ce livre. Un cadre original pour comprendre et traiter l'obésité représente un nouvel espoir pour un avenir plus sain.

Jason Fung, M.D.

PREMIÈRE PARTIE

L'ÉPIDÉMIE

1. COMMENT L'OBÉSITÉ EST DEVENUE UNE ÉPIDÉMIE

De toutes les infirmités auxquelles l'espèce humaine est sujette, je n'en connais pas ni ne peux en imaginer de plus affligeante que l'obésité.
William Banting

Voici la question qui m'a toujours embêté : pourquoi y a-t-il des médecins qui font de l'embonpoint ? Faisant autorité dans le domaine de la physiologie humaine, les médecins devraient être les vrais experts du traitement de l'obésité. La plupart d'entre eux travaillent dur et font preuve d'autodiscipline. Puisque personne ne veut être en surpoids, les médecins en particulier devraient avoir les connaissances et le dévouement pour demeurer minces et en bonne santé.

Alors pourquoi y a-t-il des médecins qui font de l'embonpoint ?

La prescription classique pour la perte de poids se formule ainsi : « Mangez moins, bougez plus. » Cela *semble* parfaitement raisonnable. Alors pourquoi cette recette ne fonctionne-t-elle pas ? Peut-être que les personnes qui veulent perdre du poids ne suivent pas ce conseil. L'esprit est ardent, mais la chair est faible. Pourtant, réfléchissez à l'autodiscipline et au dévouement nécessaires pour terminer un grade de premier cycle, l'école de médecine, l'internat, la résidence et les formations complémentaires. Il est difficilement concevable que les médecins en surpoids n'aient pas la volonté de suivre leurs propres conseils.

Il reste la possibilité que les conseils conventionnels soient erronés. Et si tel est le cas, notre façon de comprendre l'obésité est fondamentalement imparfaite. Étant donné la présente épidémie d'obésité, je soupçonne qu'il s'agit du scénario le plus probable. Nous devons donc commencer par le début, en nous basant sur une compréhension approfondie de la maladie qu'est l'obésité chez les humains.

Nous devons commencer par la question la plus importante à propos de l'obésité, ou toute autre maladie: «Quelle en est la cause?» Nous ne prenons pas le temps d'examiner cette question primordiale parce que nous croyons déjà connaître la réponse. Cela paraît si évident: c'est une question de calories consommées et de calories dépensées.

Une calorie est une unité d'énergie provenant des aliments et qui est utilisée par le corps pour diverses fonctions comme respirer, construire de nouveaux tissus musculaires et des os, pomper le sang et autres fonctions métaboliques.

Quand le nombre de calories que nous consommons excède le nombre de calories que nous dépensons, il en découle un gain de poids, dit-on. Manger trop et bouger peu causent un gain de poids, dit-on. Consommer trop de calories cause un gain de poids, dit-on. Ces «vérités» semblent tellement aller de soi qu'on ne demande pas si elles sont vraies. Mais le sont-elles?

CAUSE IMMÉDIATE *VERSUS* CAUSE ULTIME

Un excès de calories peut certainement être la cause *immédiate* du gain de poids, mais il ne s'agit pas de la cause *ultime*. Quelle est la différence entre immédiate et ultime? La cause immédiate est immédiatement responsable tandis que la cause ultime est ce qui est à la base d'une série d'événements.

Prenez l'alcoolisme, par exemple. Qu'est-ce qui cause l'alcoolisme? La cause immédiate est une consommation soutenue et trop importante d'alcool, ce qui est indéniable, mais pas particulièrement utile. Dans ce cas, la question et la cause se confondent puisque « alcoolisme » signifie boire trop d'alcool. Le conseil de traitement pour contrer la cause immédiate, soit cesser de boire trop d'alcool, est inutile.

Or, la question cruciale, celle à laquelle on s'intéresse rarement, est plutôt celle-ci : quelle est la cause ultime de l'alcoolisme et pourquoi le phénomène de l'alcoolisme se produit-il? La cause ultime comprend :

- la nature addictive de l'alcool;
- des antécédents familiaux d'alcoolisme;
- un stress excessif à la maison et (ou);
- une propension à la dépendance.

Voilà donc la vraie maladie. Le traitement doit s'attaquer aux causes ultimes plutôt qu'aux causes immédiates. Une bonne compréhension de la cause ultime mène à des traitements efficaces comme (dans ce cas) la réadaptation et un réseau social de soutien.

Prenons un autre exemple. Pourquoi un avion s'écrase-t-il? La cause immédiate est qu'il n'y avait pas assez de portance pour vaincre la gravité. Encore une fois, cette affirmation est vraie, mais inutile. La cause ultime peut être :

- l'erreur humaine;
- une défaillance mécanique et (ou);
- des intempéries.

Le fait de comprendre la cause ultime mène à des solutions, comme une meilleure formation des pilotes ou un horaire d'entretien plus serré. Le conseil de « générer plus de portance » (ailes plus larges, moteurs plus puissants) ne réduira pas le nombre d'écrasements.

Cette façon de voir les choses s'applique à tout. Par exemple, pourquoi fait-il aussi chaud dans cette pièce?

Cause immédiate: l'énergie thermique qui entre dans la pièce est plus grande que l'énergie thermique qui en sort.

Solution: allumer les ventilateurs pour augmenter la quantité d'énergie thermique qui sort de la pièce.

Cause ultime: la température sélectionnée sur le thermostat est trop élevée.

Solution: baisser la température du thermostat.

Pourquoi le bateau coule-t-il?

Cause immédiate: la gravité est plus forte que la flottabilité.

Solution: réduire la gravité en allégeant le bateau.

Cause ultime: il y a un gros trou dans la coque du bateau.

Solution: colmater le trou.

Dans chaque cas, la solution à la cause immédiate du problème n'est ni durable ni significative. En revanche, le traitement de la cause ultime est beaucoup plus efficace.

Il en est de même pour l'obésité: qu'est-ce qui cause le gain de poids?

Cause immédiate: consommer plus de calories qu'on en dépense.

Si la cause immédiate est le fait de consommer plus de calories qu'on en dépense, la réponse non formulée est que la cause ultime est le choix personnel. Nous choisissons de manger des frites plutôt que du brocoli. Nous choisissons de regarder la télévision plutôt que de faire de l'exercice. D'après ce raisonnement, l'obésité, loin d'être une maladie qu'il faut étudier et comprendre, se réduit plutôt à une faiblesse personnelle, à un défaut de caractère. Plutôt que de chercher la cause ultime de l'obésité, nous tombons rapidement dans les explications suivantes:

- avoir trop mangé (gloutonnerie) et (ou);
- avoir fait trop peu d'exercice physique (paresse).

La gloutonnerie et la paresse sont deux des sept péchés capitaux. Nous disons donc des personnes obèses qu'elles sont les seules responsables. *Elles se sont laissées aller.* Cela nous donne l'illusion de comprendre la cause ultime du problème. En 2012, un sondage en ligne[1] a révélé que 61 % des adultes aux États-Unis croyaient que « des choix personnels sur le plan de l'alimentation et de l'exercice physique » étaient responsables de l'épidémie d'obésité. Nous faisons de la discrimination à l'égard des personnes atteintes d'obésité. Nous les prenons en pitié et nous les avons en horreur.

Néanmoins, après réflexion, on constate que cette idée ne peut tout simplement pas être vraie. Avant la puberté, les garçons et les filles ont en moyenne le même taux de graisse corporelle. Après la puberté, les femmes ont en moyenne un taux de graisse corporelle de près de 50 % plus élevé que les hommes. Ce changement survient malgré le fait que les hommes consomment en moyenne plus de calories que les femmes. Mais pourquoi cela est-il vrai ?

Quelle est la cause ultime ? Elle n'a rien à voir avec les choix personnels. Il ne s'agit pas d'un défaut de caractère. Les femmes ne sont pas plus gloutonnes ni plus paresseuses que les hommes. Le cocktail hormonal qui différencie les hommes des femmes contribue à une plus grande possibilité que les femmes accumulent les calories excédentaires sous forme de gras plutôt que de les brûler.

Une grossesse provoque également un gain de poids significatif. Quelle est la cause ultime de ce gain de poids ? Encore une fois, il est clair que ce sont plutôt les changements hormonaux causés par la grossesse, et non des choix personnels, qui provoquent la prise de poids.

Ayant failli à comprendre les causes immédiates et ultimes, nous croyons que la solution à l'obésité est de consommer moins de calories.

Toutes les « autorités » sont d'accord. Les *Dietary Guidelines for Americans* du Department of Agriculture des

États-Unis, mis à jour en 2010, proclament avec force leur recommandation clé: «Limiter l'apport calorique total pour gérer le poids.» Les Centers for Disease Control[2] exhortent les patients à équilibrer leur apport en calories. Le conseil apparaissant dans la brochure des National Institutes of Health pour «viser un poids santé» est de «réduire le nombre de calories consommées dans les aliments et les boissons et augmenter l'activité physique[3]».

Tous ces conseils reviennent au fameux «Mangez moins, bougez plus», adulé par les «experts» de l'obésité. Mais voici une idée singulière: si nous comprenons déjà les causes de l'obésité, comment la traiter, et que nous avons dépensé des millions de dollars en programmes éducatifs, pourquoi engraissons-nous encore?

ANATOMIE D'UNE ÉPIDÉMIE

Nous n'avons pas toujours été aussi obsédés par les calories. Au fil de l'histoire de l'humanité, l'obésité a été rare. Les individus vivant dans des sociétés traditionnelles et suivant une alimentation traditionnelle étaient rarement obèses, même quand la nourriture était abondante. Avec le développement des civilisations est venue l'obésité. En spéculant sur sa cause, beaucoup ont accusé les glucides raffinés provenant du sucre et des produits d'amidon. Parfois considéré comme le père des régimes faibles en glucides, le Français Jean Anthelme Brillat-Savarin (1755-1826) a publié en 1825 sa *Physiologie du goût.* Il y écrit: «La seconde des principales causes de l'obésité est dans les farines et fécules dont l'homme fait la base de sa nourriture journalière. Nous l'avons déjà dit, tous les animaux qui vivent de farineux s'engraissent de gré ou de force; l'homme suit la loi commune[4].»

Tous les aliments peuvent être divisés en trois groupes de macronutriments: les lipides, les protéines et les glucides.

Le préfixe « macro » dans « macronutriments » renvoie au fait que la majorité des aliments que nous mangeons est formé de ces trois groupes. Les micronutriments, qui ne sont qu'une petite proportion des aliments, comprennent des vitamines et des minéraux comme les vitamines A, B, C, D, E et K, ainsi que des minéraux comme le fer et le calcium. Les féculents et les sucres sont tous des glucides.

Plusieurs décennies plus tard, William Banting (1796-1878), un thanatologue anglais, a redécouvert les propriétés des glucides raffinés qui causent un gain de poids. En 1863, il a publié un pamphlet, *Letter on Corpulence, Addressed to the Public* (« Lettre sur la corpulence, visant le public »), qui est souvent considéré comme le premier livre sur les régimes. L'histoire de Banting est plutôt ordinaire. Enfant, il n'était pas obèse et il n'y avait pas d'antécédents familiaux d'obésité. Au milieu de la trentaine, néanmoins, il a commencé à prendre du poids. Pas beaucoup, peut-être une livre ou deux par année. À l'âge de soixante-deux ans, il mesurait 5 pieds 5 pouces (1,65 m) et pesait 202 livres (92 kg). Il s'agit là d'un gabarit peut-être ordinaire au regard des normes modernes, mais à l'époque il était considéré comme assez corpulent. Ébranlé, il est allé demander des conseils sur la perte de poids à ses médecins.

Il a d'abord tenté de manger moins, avec pour seul résultat qu'il était affamé. Pire, il n'a pas réussi à perdre du poids. Ensuite, il a augmenté son niveau d'activité physique en faisant de l'aviron sur la Tamise, près de son domicile londonien. Alors que sa forme physique s'améliorait, il a développé « un appétit prodigieux qu['il] étai[t] contraint d'assouvir[5] ». Encore une fois, il a échoué dans sa perte de poids.

Finalement, sur les conseils de son chirurgien, Banting a essayé une nouvelle approche. En tenant compte de l'idée que les aliments sucrés et les féculents provoquent un gain de poids, il a rigoureusement évité tous les pains, le lait, la bière, les sucreries et les pommes de terre, qui constituaient une grande partie de son alimentation. (De nos jours, on dirait que ce régime est pauvre en glucides raffinés.) Non seulement William Banting a perdu du poids sans le reprendre, mais il se sentait si bien qu'il s'est cru contraint d'écrire son fameux pamphlet. Le gain de poids, croyait-il, était dû à une trop grande consommation de «glucides qui font grossir».

Durant presque tout le siècle suivant, un régime pauvre en glucides raffinés était reconnu comme le traitement standard de l'obésité. Dans les années 1950 encore, ce conseil était relativement courant. Si vous demandiez à vos grands-parents ce qui cause l'obésité, ils ne parlaient pas de calories. Ils vous disaient plutôt d'éviter les aliments sucrés et les féculents. Le bon sens et l'observation empirique ont permis de confirmer la vérité. Pas besoin de l'opinion des «experts» de la nutrition ou du gouvernement.

Le décompte des calories avait commencé au début des années 1900 avec le livre *Eat Your Way to Health*, écrit par le Dr Robert Hugh Rose comme «système scientifique de contrôle du poids». Celui-ci a été suivi en 1918 du best-seller *Diet and Health, with Key to the Calories*, écrit par la Dre Lulu Hunt Peters, une médecin et chroniqueuse américaine. Le futur président Herbert Hoover, qui était alors à la tête de la Food Administration des États-Unis, s'est converti au décompte des calories. La Dre Peters conseillait à ses patients de commencer par un jeûne, une ou deux journées sans manger de nourriture, et de s'en tenir par la suite à 1 200 calories par jour. Si la recommandation sur le jeûne est rapidement tombée dans l'oubli, les programmes modernes de décompte des calories ne sont pas très différents de ce que proposait la Dre Peters.

Dans les années 1950, un phénomène perçu comme une «importante épidémie» de maladies du cœur est devenu une préoccupation publique grandissante. Des Américains apparemment en bonne santé étaient terrassés par des crises cardiaques de plus en plus régulièrement. Rétrospectivement, il aurait dû être évident qu'il n'y avait pas de telle épidémie.

La découverte des vaccins et des antibiotiques, combinée à une amélioration de l'hygiène publique, avait remodelé le paysage médical. Des infections autrefois mortelles, comme la pneumonie, la tuberculose ou des infections gastro-intestinales, pouvaient maintenant être guéries. Les maladies du cœur et le cancer représentaient un pourcentage relativement supérieur de décès, ce qui a engendré une fausse perception du public quant à une épidémie (voir la figure 1.1[6]).

Figure 1.1 Causes des décès aux États-Unis en 1900 et en 1960

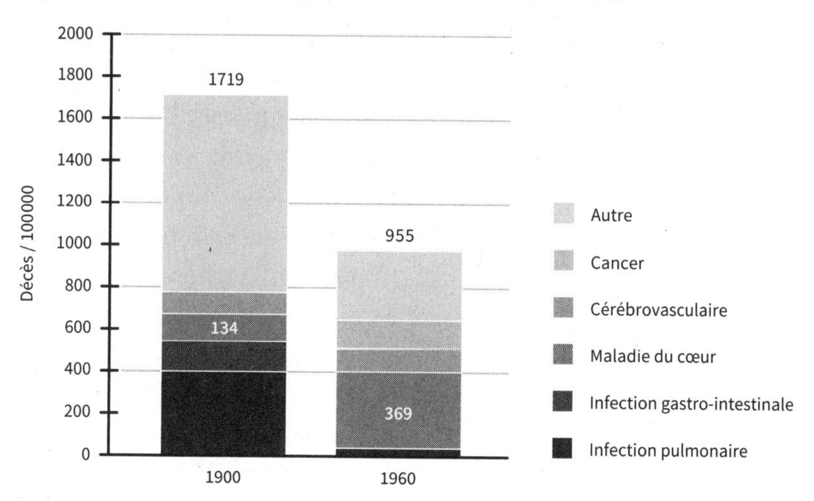

L'augmentation de l'espérance de vie entre 1900 et 1950 a renforcé la perception qu'il y avait une épidémie de maladies coronariennes. Pour un homme blanc, l'espérance de vie en 1900 était de cinquante ans[7]. En 1950, elle avait atteint soixante-six ans, et en 1970, presque soixante-huit ans. Si les gens ne mouraient pas de la tuberculose, ils vivaient assez longtemps pour subir une crise cardiaque. En ce moment, l'âge moyen lors de la première crise cardiaque est soixante-six ans[8]. Le risque de crise cardiaque est nettement inférieur chez un homme de cinquante ans que chez un homme de soixante-huit ans. La conséquence logique d'une espérance de vie plus longue est un taux accru de maladies coronariennes.

Mais toutes les grandes histoires ont besoin d'un méchant et la graisse alimentaire a hérité de ce rôle. On pensait que la graisse alimentaire faisait augmenter le cholestérol, un corps gras contribuant supposément aux maladies du cœur, dans le sang. Bientôt, les médecins ont commencé à recommander un régime alimentaire moins gras. Avec de l'enthousiasme et des théories scientifiques chancelantes, la diabolisation de la graisse alimentaire a alors véritablement commencé.

Il y avait pourtant un problème que nous n'avions pas vu à l'époque. Les trois macronutriments sont les lipides, les protéines et les glucides : substituer les graisses alimentaires signifiait les remplacer par des protéines ou des glucides. Puisque beaucoup d'aliments riches en protéines, comme la viande et les produits laitiers, sont riches en matières grasses, il est difficile de réduire les matières grasses sans réduire du même coup l'apport en protéines.

Donc, si l'on restreint la consommation de matières grasses, on doit augmenter la consommation de glucides et vice versa. Dans les pays développés, ces glucides ont tendance à être très raffinés.

Faible en gras = riche en glucides.

Ce dilemme a créé une importante dissonance cognitive. Les glucides raffinés ne peuvent être à la fois bons (parce qu'ils sont faibles en gras) et mauvais (parce qu'ils font prendre du poids). La solution adoptée par la plupart des experts dans le domaine de la nutrition a été de suggérer que les glucides ne provoquaient plus un gain de poids. Ce serait plutôt les calories. Sans preuve, sans précédent historique, il a été décidé de façon arbitraire qu'un excès de calories, et non des aliments spécifiques, cause un gain de poids. Le gras, le méchant, était maintenant considéré comme un élément qui fait prendre du poids; un concept jusque-là inconnu. Le modèle calories absorbées/calories dépensées a commencé à supplanter le modèle dominant selon lequel les glucides sont responsables de la prise de poids.

Mais ce modèle ne faisait pas l'unanimité. L'un des dissidents les plus connus était le nutritionniste anglais John Yudkin (1910-1995). En examinant l'alimentation et les maladies du cœur, il n'a pu établir aucun lien entre la graisse alimentaire et ces maladies. Il croyait que le principal responsable de l'obésité et des maladies du cœur était le sucre[9, 10]. Publié en 1972, son livre, *Pure, White and Deadly: How Sugar is Killing Us,* était sinistrement visionnaire (et devrait certainement gagner le prix du meilleur titre de tous les temps). Le débat scientifique faisait rage; le coupable était-il le gras ou le sucre?

LES RECOMMANDATIONS ALIMENTAIRES

La question a finalement été réglée en 1977, pas dans le cadre d'un débat scientifique et de découvertes, mais par décret gouvernemental. George McGovern, alors président du United States Senate Select Committee on Nutrition and Human Needs, a convoqué le tribunal, et après plusieurs jours de délibérations, les graisses alimentaires ont été reconnues coupables de toutes les charges retenues contre elles.

La déclaration subséquente est devenue le *Dietary Goals for the United States.* Tout un pays, et bientôt le monde entier, devait maintenant suivre les conseils alimentaires d'un politicien. Il s'agissait là d'une rupture avec la tradition. Pour la première fois, le gouvernement s'invitait dans les cuisines. Maman avait l'habitude de nous dire quoi manger. Mais dorénavant, ce serait la responsabilité de « Big Brother ». Et celui-ci nous disait : « Mangez moins de gras et plus de glucides. »

Des objectifs alimentaires spécifiques ont été établis, dont :

- augmenter la consommation de glucides pour qu'ils constituent entre 55 % et 60 % des calories, et
- diminuer la consommation de matières grasses de 40 % des calories à 30 %. Pas plus d'un tiers de la consommation de matières grasses devrait provenir des graisses saturées.

Sans preuve scientifique, on a fait subir aux glucides, autrefois « engraissants », une stupéfiante transformation. Tandis que les recommandations reconnaissaient que le sucre était néfaste, les grains raffinés étaient innocents telle une colombe. Leurs péchés alimentaires ont été pardonnés et ils étaient maintenant ressuscités et baptisés grains entiers sains.

Existait-il des preuves ? Peu importe. Les objectifs constituaient l'orthodoxie alimentaire. Tout le reste, c'était de l'hérésie. Ceux qui ne rentraient pas dans le rang étaient ridiculisés. Paru en 1980 dans un objectif de diffusion publique, le rapport *Dietary Guidelines for Americans* suivait étroitement les recommandations formulées dans le rapport McGovern. Le contexte alimentaire du monde entier a alors changé à jamais.

Les *Dietary Guidelines for Americans*, maintenant mis à jour tous les cinq ans, ont donné naissance à l'infâme pyramide alimentaire, dans toute sa splendeur contrefactuelle. Les aliments qui forment la base de la pyramide, ceux que nous devrions consommer tous les jours, étaient des pains, des pâtes alimentaires et des pommes de terre. Il s'agissait des aliments que nous avions jusque-là évités pour rester minces. Par exemple, dans une brochure de l'American Heart Association de 1995, *The American Heart Association*

Diet: An Eating Plan for Healthy Americans, on déclarait que nous devrions consommer au moins six portions de « pains, céréales, pâtes alimentaires et légumes farineux faibles en gras et en cholestérol ». À boire, « optez pour des punchs aux fruits, des boissons gazeuses ». Ahhh. Du pain blanc et des boissons gazeuses : le repas des champions. Merci, American Heart Association (AHA).

Dans ce splendide nouveau monde, les Américains tentaient de se conformer aux instructions des autorités de l'époque et ont fait un effort conscient pour manger moins de gras, moins de viandes rouges, moins d'œufs et plus de glucides. Quand les médecins ont conseillé aux gens d'arrêter de fumer, les taux de tabagisme ont chuté de 33 % en 1979 à 25 % en 1994. Quand les médecins ont dit qu'il fallait contrôler la pression artérielle et le cholestérol, il y a eu une chute de 40 % de l'hypertension et 28 % moins de cas de cholestérol élevé. Quand l'AHA nous a conseillé de manger plus de pain et de boire plus de jus, nous avons mangé plus de pain et bu plus de jus.

Immanquablement, la consommation de sucre a augmenté. De 1820 à 1920, de nouvelles plantations sucrières dans les Caraïbes et dans le sud des États-Unis ont accru la disponibilité du sucre aux États-Unis. La consommation de sucre a atteint un sommet de 1920 à 1977. Même si le fait « d'éviter de consommer trop de sucre » était un objectif explicite du *Dietary Guidelines for Americans* de 1977, sa consommation a continué d'augmenter jusqu'en 2000. En prêtant autant attention au gras, nous avons détourné les yeux de la balle. Tout était « faible en gras » ou « faible en cholestérol », et personne ne prêtait attention au sucre. Se rendant compte de cette situation, les entreprises de transformation d'aliments ont augmenté la quantité de sucre ajouté dans les aliments transformés pour ajouter de la saveur.

La consommation de grains raffinés s'est accrue de près de 45 %. Puisqu'en Amérique du Nord les glucides ont tendance à être raffinés, nous mangions de plus en plus de pain et de pâtes alimentaires faibles en gras et non du chou-fleur et du chou kale[11].

Succès! Entre 1976 et 1996, l'apport quotidien moyen en matières grasses est passé de 45 % des calories à 35 %. La consommation de beurre a chuté de 38 %. La consommation d'aliments riches en protéines animales a diminué de 13 %. La consommation d'œufs a diminué de 18 %. La consommation de grains et de sucres a augmenté.

Jusqu'alors, l'adoption généralisée d'un régime alimentaire faible en gras était inéprouvée. Nous n'avions aucune idée des effets que ce régime allait avoir sur la santé. Mais nous avions la vaniteuse idée que nous étions plus intelligents que deux cent mille ans de dame nature. Tournant le dos aux matières grasses naturelles, nous avons adopté les glucides raffinés faibles en gras comme le pain et les pâtes alimentaires. Paradoxalement, l'American Heart Association, même jusqu'en 2000, jugeait que les régimes alimentaires faibles en glucides étaient une mode dangereuse, malgré le fait que ces régimes avaient été utilisés de manière presque continuelle depuis 1863.

Quel a donc été le résultat? L'incidence des maladies du cœur n'a certainement pas diminué comme on s'y attendait. Mais il y avait sans aucun doute une conséquence à cette manipulation, bien qu'elle n'ait pas été intentionnelle. Les taux d'obésité, c'est-à-dire le nombre de gens dont l'indice de masse corporelle est supérieur à 30, ont énormément augmenté, et ce, à partir d'environ 1977, comme l'illustre la figure 1.2[12].

L'augmentation soudaine du taux d'obésité a commencé au moment exact où l'on a officiellement approuvé le passage à un régime faible en gras et riche en glucides. Simple coïncidence? Peut-être était-ce plutôt la faute de notre constitution génétique.

Figure 1.2 Augmentation du nombre d'adultes américains obèses et extrêmement obèses âgés de 20 à 74 ans

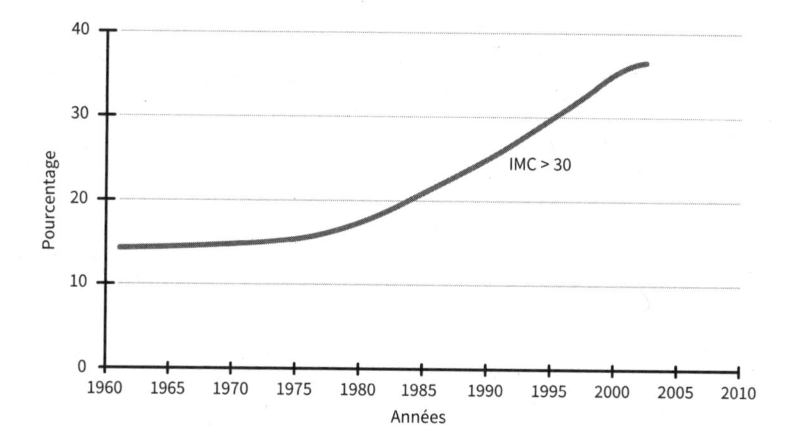

2. L'OBÉSITÉ EN HÉRITAGE

Il semble assez évident que l'obésité est une affaire de famille[1]. Les enfants obèses ont souvent des frères et sœurs obèses. Les enfants obèses deviennent des adultes obèses[2]. Les adultes obèses ont ensuite des enfants obèses. L'obésité infantile est associée à un risque de 200 % à 400 % d'obésité adulte. C'est là un fait indéniable. La controverse tourne autour de la question de l'origine de cette tendance: s'agit-il d'un problème génétique ou environnemental? Le débat classique sur le rôle de la nature et de la culture...

Les familles partagent des caractéristiques génétiques qui peuvent mener à l'obésité. En revanche, l'obésité est rampante seulement depuis les années 1970. Nos gènes ne peuvent avoir changé en si peu de temps. La génétique peut expliquer le risque interindividuel d'obésité, mais pas pourquoi des populations entières deviennent obèses.

Néanmoins, les familles vivent dans le même environnement, mangent des aliments similaires à des moments similaires et ont des attitudes similaires. Les membres d'une famille partagent souvent des voitures, vivent dans le même espace physique et seront exposés aux mêmes produits chimiques, les prétendus produits chimiques obésogènes.

Pour ces raisons, de nombreuses personnes considèrent l'environnement actuel comme étant une cause importante de l'obésité.

Les théories conventionnelles de l'obésité basées sur l'apport calorique montrent du doigt uniquement cet environnement « toxique » qui nous encourage à manger et décourage l'activité physique. Les habitudes de vie et les habitudes alimentaires ont changé considérablement depuis les années 1970, en voici des exemples :

- l'adoption d'un régime alimentaire faible en gras, riche en glucides ;
- une augmentation des occasions de manger par jour ;
- une augmentation des repas mangés à l'extérieur ;
- une augmentation du nombre d'établissements de restauration rapide ;
- une augmentation du temps passé dans les voitures et dans d'autres véhicules ;
- une augmentation de la popularité des jeux vidéo ;
- une augmentation de l'utilisation de l'ordinateur ;
- une augmentation des sucres alimentaires ;
- une augmentation de l'utilisation du sirop de maïs à haute teneur en fructose ;
- une augmentation de la taille des portions.

L'un ou l'autre ou l'ensemble de ces facteurs contribue à rendre l'environnement obésogène. Par conséquent, les théories modernes de l'obésité ignorent l'importance des facteurs génétiques, croyant plutôt que la consommation excessive de calories mène à l'obésité. Manger et bouger sont des comportements volontaires, après tout, et n'ont que peu d'implications génétiques.

Quel est donc le rôle exact de la génétique dans l'obésité chez les humains ?

NATURE *VERSUS* CULTURE

La méthode classique pour déterminer l'effet relatif des facteurs génétiques par rapport aux facteurs environnementaux est d'étudier les familles adoptives, supprimant ainsi la génétique de l'équation. En comparant les enfants adoptés à leurs parents biologiques et à leurs parents adoptifs, on peut isoler les facteurs environnementaux. Le Dr Albert J. Stunkard a mené certaines des études classiques sur la génétique et l'obésité[3]. Les données sur les parents biologiques sont souvent incomplètes, confidentielles et difficilement accessibles aux chercheurs. Heureusement, le Danemark tient un registre relativement complet des adoptions qui contient des renseignements sur les deux couples de parents.

Le Dr Stunkard a étudié un échantillon de 540 adultes danois adoptés et les a comparés à leurs parents adoptifs et à leurs parents biologiques. Si les facteurs environnementaux étaient plus importants, les personnes adoptées devraient ressembler à leurs parents adoptifs. Si les facteurs génétiques étaient plus importants, les personnes adoptées devraient ressembler à leurs parents biologiques.

Aucun lien n'a été établi entre le poids des parents adoptifs et celui des personnes adoptées. Le fait que les parents adoptifs soient minces ou gros ne changeait rien au poids de la personne adoptée. L'environnement créé par les parents adoptifs était sans importance.

Cette découverte constituait une surprise considérable. Les théories basées sur l'apport calorique jettent le blâme sur des facteurs environnementaux et humains pour expliquer l'obésité. On croyait que des indices environnementaux comme les habitudes alimentaires, la nourriture rapide, la malbouffe, la consommation de bonbons, le manque d'exercice, le nombre de voitures et le manque de terrains de jeux et de sports organisés jouaient un rôle crucial dans le développement de l'obésité. Mais ils n'ont pratiquement aucune importance. En réalité, les personnes adoptées qui faisaient le plus d'embonpoint avaient les parents adoptifs les plus minces.

La comparaison entre les personnes adoptées et leurs parents biologiques a donné des résultats considérablement différents. Il y avait une corrélation forte et constante entre leurs poids. Les parents biologiques avaient très peu ou rien à voir avec l'éducation de ces enfants ou avec l'enseignement des valeurs nutritionnelles ou l'attitude envers l'activité physique. Pourtant, la tendance à l'obésité les suivait comme des canetons suivent leur mère. Quand on retirait un enfant à ses parents obèses et qu'on le plaçait dans une famille mince, l'enfant devenait quand même obèse.

Que se passait-il ?

Étudier des jumeaux identiques élevés dans des milieux différents est une autre stratégie classique pour distinguer les facteurs environnementaux des facteurs génétiques. Les vrais jumeaux partagent le même matériel génétique et les faux jumeaux partagent 25 % de leurs gènes. En 1991, le Dr Stunkard a étudié des paires de vrais et de faux jumeaux, certains séparés à la naissance et d'autres ayant grandi ensemble[4]. La comparaison de leurs poids pourrait déterminer les effets des différents environnements. Les résultats ont provoqué une véritable onde de choc dans le milieu de la recherche sur l'obésité : environ 70 % de la variance serait d'origine familiale.

Soixante-dix pour cent.

Notre tendance à prendre du poids est déterminée à 70 % par notre ascendance. L'obésité est majoritairement héritée.

Cependant, on voit d'emblée que le patrimoine génétique ne peut être le seul facteur menant à l'épidémie d'obésité. L'incidence de l'obésité a été relativement stable à travers les décennies. L'essentiel de l'épidémie d'obésité s'est matérialisé en une génération. Nos gènes n'ont pas changé pendant cette période. Comment expliquer cette apparente contradiction ?

L'HYPOTHÈSE DU GÉNOTYPE VIGOUREUX

La première tentative pour expliquer le fondement génétique de l'obésité était l'hypothèse du génotype vigoureux, qui est devenue populaire dans les années 1970. Cette hypothèse tient comme prémisse que tous les humains sont prédisposés par l'évolution à prendre du poids comme mécanisme de survie.

L'argument est le suivant : à l'époque paléolithique, la nourriture était rare et difficile à obtenir. La faim est l'un des plus puissants et fondamentaux des instincts humains. Le génotype vigoureux nous contraint à manger le plus possible, et cette prédisposition génétique à prendre du poids est un avantage sur le plan de la survie. L'augmentation de la réserve d'aliments (graisse) permettait de survivre plus longtemps lorsque la nourriture était rare ou en période de famine. Ceux qui avaient tendance à brûler les calories plutôt que de les emmagasiner étaient décimés de manière sélective. Le génotype vigoureux est cependant mal adapté aux réalités modernes « buffet à volonté » puisqu'il mène à un gain de poids et à l'obésité. Mais nous ne faisons que succomber à un besoin génétique de prendre du poids.

Cette hypothèse semble raisonnable à première vue. Mais approfondissez un peu et vous constaterez qu'elle ne tient pas la route. D'ailleurs, elle n'est plus prise au sérieux depuis longtemps. Mais comme on la cite toujours dans les médias, cela vaut la peine d'en examiner les failles. Tout d'abord, il faut noter que la survie dans la nature ne dépend ni du fait d'être maigre ni de celui d'être en surpoids. Un animal en surpoids est plus lent et moins agile que ses camarades plus minces. De préférence, les prédateurs vont manger les proies plus grosses plutôt que les proies plus minces, difficiles à attraper. De la même manière, il est plus difficile pour les prédateurs en surpoids d'attraper des proies minces et rapides. La masse grasse n'est pas toujours un avantage sur le plan de la survie, il s'agit plutôt d'un désavantage significatif. Combien de fois avez-vous vu un zèbre ou une gazelle en surpoids sur la chaîne National Geographic ? Qu'en est-il des lions ou des tigres obèses ?

Il est faux de supposer que les humains sont génétiquement prédisposés à la suralimentation. Tout comme il existe des signaux hormonaux pour la faim, il existe plusieurs hormones qui nous disent que nous sommes « pleins » et qui nous empêchent de trop manger. Prenez par exemple les buffets à volonté. Il est impossible de simplement manger sans s'arrêter ; nous arrêtons de manger parce que nous sommes « pleins ». Si nous continuons de manger, nous devenons malades et nous vomissons. Il n'existe aucune prédisposition génétique pour la suralimentation. Il existe par contre une puissante protection intégrée *contre* la suralimentation.

L'hypothèse du génotype vigoureux suppose que les pénuries alimentaires chroniques préviennent l'obésité. Cependant, un bon nombre de sociétés traditionnelles avaient de la nourriture en abondance toute l'année. Par exemple, les Tokelau, une tribu isolée du Pacifique Sud, vivaient de noix de coco, de fruits d'arbre à pain et de poissons, qui étaient disponibles à l'année. Quoi qu'il en soit, l'obésité leur était inconnue jusqu'à l'industrialisation et l'occidentalisation de leur alimentation traditionnelle. Même de nos jours en Amérique du Nord, la famine généralisée a été rare depuis la grande dépression. Pourtant, la progression de l'obésité ne s'est produite qu'à partir des années 1970.

Chez les animaux sauvages, l'obésité morbide est rare, même avec l'abondance de nourriture, sauf quand il s'agit d'une partie normale du cycle de vie, comme chez les animaux qui hibernent. Une abondance de nourriture mène à une augmentation du nombre d'animaux et non à une énorme augmentation de leur taille. Pensez par exemple aux rats ou aux coquerelles. Quand la nourriture est rare, les populations de rats sont peu élevées. Quand la nourriture abonde, les populations de rats explosent. Il y a beaucoup plus de rats de taille normale et non le même nombre de rats présentant une obésité morbide.

Un pourcentage élevé de graisse corporelle ne procure aucun avantage sur le plan de la survie. Un marathonien peut avoir de 5 % à 11 % de graisse corporelle. Cette quantité de graisse corporelle fournit assez d'énergie pour survivre plus d'un mois sans manger. Certains animaux engraissent régulièrement. Par exemple, les ours prennent systématiquement du poids avant d'hiberner, et ils le font sans être malades. Mais les humains n'hibernent pas. Il existe une différence importante entre le fait d'être en surpoids et le fait d'être obèse. L'obésité est le fait d'avoir un surpoids qui a des conséquences négatives sur la santé. Les ours, ainsi que les baleines, les morses et autres gros animaux sont en surpoids, mais ils ne sont pas obèses puisqu'il n'y a pas de conséquences sur le plan de leur santé. En fait, ils sont génétiquement programmés pour prendre du poids. Nous ne le sommes pas. Chez les humains, l'évolution n'a pas favorisé l'obésité, mais la minceur.

L'hypothèse du génotype vigoureux n'explique pas l'obésité. Qu'est-ce qui l'explique ? Comme nous le verrons dans la troisième partie de ce livre, « Un nouveau modèle pour comprendre l'obésité », la cause de l'obésité est un complexe déséquilibre hormonal dont le taux d'insuline élevé dans le sang est l'élément central. Le profil hormonal d'un bébé est influencé par l'environnement dans le corps de la mère avant la naissance, ce qui met en place une tendance à avoir un taux d'insuline élevé et est associé à l'obésité plus tard dans la vie. Le fait de présenter l'obésité comme étant un déséquilibre calorique ne peut expliquer les effets majoritairement génétiques, puisque manger et faire de l'exercice sont des comportements volontaires. L'obésité comme déséquilibre hormonal explique de manière plus efficace l'effet de la génétique.

Mais les facteurs hérités comptent pour seulement 70 % de la tendance à l'obésité que nous observons. Nous contrôlons l'autre 30 % des facteurs. Mais comment tirer le maximum des facteurs que nous contrôlons ? Les régimes et l'exercice sont-ils la réponse ?

DEUXIÈME PARTIE

LA SUPERCHERIE DES CALORIES

3. LA RÉDUCTION CALORIQUE : UNE ERREUR

Traditionnellement, l'obésité a été perçue comme le résultat de la manière dont les gens transforment les calories, c'est-à-dire que le poids pourrait être prédit par une simple équation :

Calories absorbées – calories dépensées = graisse corporelle.

Cette équation clé perpétue ce que j'appelle la supercherie des calories. Elle est dangereuse précisément parce qu'elle semble si simple et intuitive. Mais il faut comprendre que cette équation repose sur de fausses suppositions.

Supposition 1 : les calories absorbées et les calories dépensées sont indépendantes les unes des autres

Cette supposition est une erreur cruciale. Comme nous le verrons plus loin dans ce chapitre, les tests et l'expérience ont prouvé que cette hypothèse était fausse. L'apport calorique et la dépense calorique sont des variables intimement liées. Une diminution des calories absorbées provoque une diminution des calories dépensées. Une diminution de 30 % de l'apport calorique signifie une réduction de 30 % des dépenses caloriques. Le résultat est une perte de poids minime.

Supposition 2 : le métabolisme de base est stable

Nous sommes obsédés par l'apport calorique et ne pensons qu'à peine à la dépense calorique, sauf en ce qui concerne l'exercice physique. Mesurer l'apport calorique est simple, mais mesurer la dépense énergétique totale du corps est complexe. Par conséquent, on formule l'hypothèse simple mais complètement fausse que la dépense énergétique demeure constante, sauf pour l'exercice physique. La dépense d'énergie totale est la somme du métabolisme de base, de l'effet thermogénique des aliments, de la thermogenèse d'origine autre que l'activité physique, de l'excès de consommation d'oxygène post-exercice et de l'exercice. La dépense d'énergie totale peut augmenter ou diminuer jusqu'à 50 %, selon l'apport calorique ainsi que d'autres facteurs.

Supposition 3 : nous exerçons un contrôle conscient sur les calories absorbées

Manger est un acte délibéré. Nous présumons donc que manger est une décision consciente et que la faim ne joue qu'un rôle mineur. Mais de nombreux systèmes hormonaux se chevauchent et influencent la décision de quand manger et quand arrêter. Nous décidons délibérément de manger en réponse à des signaux de faim qui sont modulés en grande partie par les hormones. Nous arrêtons consciemment de manger quand notre corps nous envoie un signal de satiété qui est transmis en grande partie par les hormones.

Par exemple, l'odeur d'aliments que l'on fait frire vous donne faim à l'heure du dîner. Cependant, si vous venez de terminer un gros repas, cette même odeur peut vous rendre nauséeux. Les odeurs sont les mêmes. La décision de manger ou non est principalement hormonale.

Notre corps possède un système complexe qui nous conduit à manger ou non. La régulation de la graisse corporelle est contrôlée automatiquement, comme la respiration. Nous n'avons pas besoin de nous rappeler de respirer ou de faire battre notre cœur. Le seul moyen d'arriver à un tel contrôle est d'avoir des mécanismes homéostatiques. Puisque les hormones contrôlent à la fois les calories absorbées et les calories dépensées, l'obésité est un trouble hormonal et non calorique.

Supposition 4 : les réserves de graisse ne sont pas régulées

Tous les systèmes du corps sont régulés. La croissance est régulée par l'hormone de croissance. La glycémie est régulée par les hormones insuline et glucagon, entre autres. La maturation sexuelle est régulée par la testostérone et l'œstrogène. La température corporelle est régulée par la thyréostimuline et la thyroxine libre. La liste est longue.

On nous demande néanmoins de croire que la croissance des cellules graisseuses n'est pas régulée. Le simple fait de manger, sans interférence des hormones, entraîne une croissance des cellules graisseuses. Les calories en trop se déversent dans les cellules graisseuses comme on se débarrasse d'un poids mort.

Cette hypothèse s'est révélée fausse. On ne cesse de découvrir de nouvelles voies hormonales pour la régulation de la croissance de la graisse. La leptine est une des hormones les plus connues qui régule la croissance de la graisse. Mais l'adiponectine, la lipase hormono-sensible, la lipoprotéine lipase et l'adipose triglycéride lipase pourraient jouer un rôle important. Si les hormones régulent la croissance de la graisse, c'est donc dire que l'obésité est un trouble hormonal et non calorique.

Supposition 5 : une calorie est une calorie

Cette supposition est la plus dangereuse de toutes. C'est évidemment vrai. Tout comme un chien est un chien et un bureau est un bureau. Il existe plusieurs sortes de chiens et de bureaux, mais la simple affirmation qu'un chien est un chien est vraie. Cependant, le véritable problème est le suivant : est-ce que toutes les calories sont également susceptibles de causer un gain de poids ?

« Une calorie est une calorie » implique que la seule variable importante dans le gain de poids est l'apport calorique total et que tous les aliments peuvent donc être réduits à leur énergie calorique. Mais est-ce qu'une calorie provenant de l'huile d'olive cause la même réponse métabolique qu'une calorie provenant du sucre ? Évidemment, la réponse est non. Il existe un bon nombre de différences mesurables entre ces deux aliments. Le sucre fera augmenter la glycémie et provoquera une réponse insulinique du pancréas. Pas l'huile d'olive. Quand l'huile d'olive est absorbée par l'intestin grêle et transportée vers le foie, il n'y a pas d'augmentation significative de la glycémie ou de l'insuline. Deux aliments différents suscitent des réponses métaboliques et hormonales tout à fait différentes.

Ces cinq suppositions, hypothèses clés dans la théorie de la réduction calorique dans le cadre de la perte de poids, se sont toutes révélées fausses. Toutes les calories ne sont pas susceptibles d'entraîner un gain de poids. L'obsession des calories est une impasse depuis cinquante ans.

Nous devons tout reprendre depuis le début. Qu'est-ce qui cause le gain de poids ?

COMMENT TRANSFORMONS-NOUS LES ALIMENTS ?

Qu'est-ce qu'une calorie ? Une calorie est simplement une unité d'énergie. Différents aliments sont brûlés en laboratoire, et la quantité de chaleur qu'ils produisent est mesurée pour déterminer leur valeur calorique.

Tous les aliments que nous mangeons contiennent des calories. Les aliments pénètrent d'abord dans l'estomac, où ils sont mélangés à de l'acide gastrique. Puis, ils sont relâchés dans l'intestin grêle. Les nutriments sont extraits des aliments lors de leur passage dans l'intestin grêle et dans le gros intestin. Ce qui reste est excrété dans les selles.

Les protéines sont décomposées en acides aminés. Les acides aminés sont utilisés pour construire et réparer les tissus de l'organisme ; l'excédent est stocké. Les lipides sont absorbés directement par le corps. Les glucides sont décomposés en sucres. Les protéines, les lipides et les glucides fournissent tous de l'énergie calorique au corps, mais leur traitement métabolique diffère beaucoup. Cela entraîne différents stimuli hormonaux.

LA RÉDUCTION CALORIQUE N'EST PAS LE FACTEUR ESSENTIEL DE LA PERTE DE POIDS

Pourquoi prenons-nous du poids ? La réponse la plus courante est qu'un apport calorique trop élevé cause l'obésité. Même si l'augmentation du taux d'obésité aux États-Unis de 1971 à 2000 était associée à une hausse de la consommation quotidienne de 200 à 300 calories[1], il est important de se rappeler que la corrélation ne correspond pas à un lien de causalité.

En outre, la corrélation entre le gain de poids et l'augmentation de la consommation de calories a récemment été démantelée[2]. Les données du *National Health and Nutrition Examination Survey* (*NHANES*), mené aux États-Unis de 1990 à 2010, n'a démontré aucun lien entre la hausse de la consommation de calories et le gain de poids. Tandis que l'obésité a augmenté à un taux de 0,37 % par année, l'apport calorique est demeuré pratiquement stable. Les femmes ont augmenté leur apport calorique quotidien de 1 761 à 1 782 calories alors que les hommes ont diminué le leur de 2 616 à 2 511 calories.

L'épidémie d'obésité en Grande-Bretagne s'est déroulée en grande partie de façon parallèle à celle de l'Amérique du Nord. Mais encore une fois, le lien entre le gain de poids et la hausse de la consommation calorique ne tient pas la route[3]. Dans l'expérience britannique, ni la hausse de l'apport calorique ni la graisse alimentaire n'avaient de corrélation avec l'obésité, ce qui n'appuie pas l'existence d'une relation de causalité. En réalité, le nombre de calories ingérées a légèrement baissé, même si les taux d'obésité ont augmenté. D'autres facteurs, y compris la nature de ces calories, avaient changé.

Nous pouvons imaginer que nous sommes une balance qui pèse les calories et qu'un déséquilibre calorique mène au fil du temps à une accumulation de graisse.

Calories absorbées – calories dépensées = graisse corporelle.

Si la quantité de calories dépensées reste stable au fil du temps, la réduction des calories absorbées devrait mener à une perte de poids. Le premier principe de la thermodynamique stipule que l'énergie ne peut ni se créer ni se détruire dans un système isolé. On invoque souvent cette loi pour soutenir le modèle calories absorbées/calories dépensées. Cité en 2012 dans un article du *New York Times*, le Dr Jules Hirsch, un chercheur réputé dans le domaine de l'obésité, explique cette idée :

« Il existe une loi inflexible de la physique – l'énergie absorbée doit être exactement égale au nombre de calories qui quittent l'organisme quand le stockage des graisses reste inchangé. Les calories quittent l'organisme quand les aliments sont utilisés pour faire fonctionner le corps. Pour réduire la teneur en graisse, c'est-à-dire réduire l'obésité, nous devons réduire la quantité de calories absorbées ou augmenter l'élimination des calories en faisant plus d'exercice physique, ou les deux. Cela est valable que les calories proviennent de citrouilles, d'arachides ou de foie gras[4]. »

Mais la thermodynamique, une branche de la physique, est peu pertinente dans le cas de la biologie humaine pour la simple raison que le corps n'est pas un système isolé. L'énergie entre et sort constamment. En réalité, l'action qui nous préoccupe le plus, manger, fait entrer de l'énergie dans le système. L'énergie alimentaire est aussi excrétée du système sous forme de selles. Ayant étudié la thermodynamique une année complète à l'université, je peux vous garantir qu'il n'a pas été question une seule fois de calories ou de gain de poids.

Si nous mangeons 200 calories de plus aujourd'hui, rien n'empêche le corps de brûler cet excédent pour produire de la chaleur. Ou peut-être que ces 200 calories sont excrétées dans les selles. Ou peut-être que le foie les utilise. Nous sommes obsédés par l'apport calorique, mais l'énergie dépensée est beaucoup plus importante.

Qu'est-ce qui détermine la quantité d'énergie utilisée par l'organisme ? Supposons que nous consommions 2 000 calories d'énergie chimique (aliments) en une journée. Quel est leur sort métabolique ? Les possibilités de les utiliser comprennent :

- la production de chaleur ;
- la production de nouvelles protéines ;
- la production de nouveaux os ;
- la production de nouveaux muscles ;
- la cognition (cerveau) ;
- l'accélération du rythme cardiaque ;
- l'augmentation du débit systolique (cœur) ;
- l'exercice/l'effort physique ;
- la détoxification (foie) ;
- la détoxification (reins) ;
- la digestion (pancréas et intestin) ;
- la respiration (poumons) ;
- l'excrétion (intestins et côlon) ;
- la production de graisse.

Que l'énergie soit utilisée pour produire de la chaleur ou de nouvelles protéines nous importe peu, mais cela nous dérange si elle est emmagasinée sous forme de graisse. Il existe un nombre incalculable de façons pour l'organisme de se débarrasser de l'énergie excédentaire plutôt que de l'emmagasiner.

Avec le modèle de l'équilibre calorique, nous présumons que l'apport ou la perte de gras ne sont pas régulés, et que le gain et la perte de poids se font selon un contrôle conscient. Mais aucun système de notre corps n'est exempt de régulation. Les hormones contrôlent rigoureusement chacune des fonctions corporelles. Les systèmes thyroïdien, parathyroïdien, sympathique, parasympathique, respiratoire, circulatoire, hépatique, rénal, gastro-intestinal et surrénal sont tous contrôlés par les hormones. La graisse corporelle aussi. Le corps a en fait une multitude de systèmes pour contrôler le poids.

Le problème d'accumulation de gras est en réalité un problème de distribution d'énergie. Trop d'énergie est détournée et utilisée pour la production de gras plutôt que d'être utilisée pour augmenter la température du corps, par exemple. La grande majorité de cette dépense d'énergie est contrôlée automatiquement, l'exercice étant le seul facteur que nous contrôlons de façon consciente. Par exemple, nous ne pouvons pas décider combien d'énergie dépenser sur l'accumulation de graisse par rapport à celle consommée pour la formation de tissus osseux. Puisqu'il est pratiquement impossible de mesurer ces processus métaboliques, on suppose qu'ils restent relativement stables. En particulier, on présume que les calories dépensées ne changent pas en fonction des calories absorbées. Nous supposons que ce sont des variables indépendantes.

Faisons une analogie. Prenez l'argent que vous gagnez en une année (revenus) et l'argent que vous dépensez (dépenses). Supposons que vous gagniez et dépensiez normalement

100 000 $ par année. Si le revenu était réduit à 25 000 $ par année, qu'arriverait-il du côté des dépenses ? Continueriez-vous à dépenser 100 000 $ par année ? Vous n'êtes probablement pas aussi stupide étant donné que vous feriez rapidement faillite. Vous réduiriez plutôt vos dépenses à 25 000 $ par année pour équilibrer votre budget. Les revenus et les dépenses sont des variables dépendantes puisqu'une diminution de l'un cause directement une diminution de l'autre.

Appliquons ce raisonnement à l'obésité. Réduire les calories absorbées ne fonctionne que si les calories dépensées restent stables. Ce qui se produit en fait est qu'une réduction soudaine des calories absorbées cause une diminution similaire des calories dépensées et il n'y a aucune perte de poids puisque le corps tente d'équilibrer son budget énergétique. C'est ce qu'ont démontré des expériences historiques de réduction des calories.

RÉDUCTION DES CALORIES : EXPÉRIENCES EXTRÊMES ET RÉSULTATS INATTENDUS

Sur le plan expérimental, il est facile d'étudier la réduction des calories. Prenez des individus, donnez-leur moins d'aliments à manger et observez-les perdre du poids et vivre heureux à jamais. Et hop. L'affaire est classée. Appelez le Comité du prix Nobel : manger moins et bouger plus est le remède contre l'obésité, et la réduction calorique est vraiment la meilleure façon de perdre du poids.

Heureusement pour nous, de telles études ont déjà été menées.

Une étude détaillée de la dépense énergétique totale dans un contexte de réduction de l'apport calorique a été menée en 1919[5]. Les volontaires suivaient un régime de « semi-famine » de 1 400 à 2 100 calories par jour, une quantité calculée pour être 30 % moindre que leur apport habituel. (Il s'agit de la même cible d'apport calorique qu'un bon nombre de régimes amincissants.) La question était de savoir si la dépense énergétique totale (calories dépensées) diminuait en réponse à une diminution de l'apport calorique (calories absorbées). Que s'est-il passé ?

Les participants ont vu leur dépense énergétique totale baisser d'un énorme 30 %, passant d'une dépense énergétique initiale d'environ 3 000 calories à environ 1 950 calories. Même il y a presque cent ans, il était clair que les calories dépensées dépendaient fortement des calories absorbées. Une réduction de 30 % de l'apport calorique entraînait une diminution presque identique de 30 % de la dépense calorique. Le budget énergétique est balancé. Le premier principe de la thermodynamique est respecté.

Plusieurs décennies plus tard, en 1944 et 1945, le Dr Ancel Keys a mené l'étude la plus complète sur la famine jamais entreprise, la *Minnesota Starvation Experiment*, dont les détails ont été publiés dans un ouvrage en deux volumes intitulé *The Biology of Human Starvation*[6]. À l'issue de la Seconde Guerre mondiale, des millions de personnes étaient menacées par la famine. Mais les effets physiologiques de celle-ci étaient pratiquement inconnus puisqu'ils n'avaient jamais fait l'objet de recherches scientifiques. L'étude du Dr Keys était une tentative de comprendre à la fois la phase de réduction des calories et la phase de rétablissement. Une meilleure compréhension allait pouvoir aider l'Europe à se rétablir. En effet, à la suite de cette étude, un manuel pratique pour les travailleurs humanitaires a été écrit et décrivait les aspects psychologiques de la famine[7].

Un groupe de trente-six jeunes hommes en bonne santé a été constitué. Ils mesuraient en moyenne 5 pieds et 10 pouces (1,78 m) et pesaient en moyenne 153 livres (69,3 kg). Pendant les trois premiers mois, ils ont suivi un régime alimentaire normal de 3 200 calories par jour. Dans les six mois suivants, ils ont suivi un régime alimentaire correspondant à une semi-famine, soit un apport quotidien de 1 570 calories. Cependant, l'apport calorique était continuellement ajusté pour atteindre une cible de perte de poids de 24 % (par rapport au point de comparaison) et une moyenne de 2,5 livres (1,1 kg) par semaine. Certains hommes ont fini par recevoir moins de 1 000 calories par jour. Les aliments qu'ils consommaient étaient riches en glucides, comme ceux qui étaient disponibles en Europe en temps de guerre : des pommes de terre, des navets, du pain et du macaroni. La viande et les produits laitiers étaient rares. De surcroît, ils marchaient 22 milles (35 km) par semaine à titre d'exercice. À la suite de cette phase de réduction des calories, leur apport calorique a été graduellement augmenté sur une période de trois mois de réadaptation. La dépense énergétique prévue était de 3 009 calories par jour[8].

Le Dr Keys était lui-même stupéfait de la difficulté de l'expérience. Les hommes ont subi de profonds changements physiques et psychologiques. Une observation fréquente était l'impression constante de froid vécue par les participants. Comme l'un d'entre eux l'a expliqué : « J'ai froid. En juillet, je marche au centre-ville par une journée ensoleillée avec un chandail et un pull pour me garder au chaud. La nuit, mon colocataire, qui mange bien, qui ne fait pas partie de l'expérience, dort par-dessus ses draps alors que je dois me blottir sous deux couvertures[9]. »

Le taux métabolique au repos a baissé de 40 %. Il est intéressant de noter que ce phénomène est similaire à celui qui s'était produit dans l'étude précédente, qui avait permis d'observer une chute de 30 %. La mesure de la force physique des participants a révélé une baisse de 21 %. Le rythme cardiaque a ralenti considérablement, d'une moyenne de 55 battements par minute à seulement 35. Le volume systolique a baissé de 20 %. La température corporelle a baissé à 35,4 °C (95,8 °F) en moyenne[10]. L'endurance physique a baissé de moitié. La pression artérielle a chuté. Les hommes sont devenus extrêmement fatigués et étourdis. Ils ont perdu leurs cheveux et leurs ongles étaient cassants.

Sur le plan psychologique, les effets étaient aussi dévastateurs. Les hommes ont ressenti un désintérêt envers tout, sauf la nourriture, qui est devenue pour eux un objet de fascination intense. Certains accumulaient les livres de recettes et les ustensiles. Ils étaient en proie à une faim constante et inflexible. D'autres étaient incapables de se concentrer et plusieurs ont cessé leurs études universitaires. Il y a eu plusieurs cas de comportements franchement névrotiques.

Essayons de comprendre ce qui se passait. Avant l'étude, les sujets consommaient et dépensaient environ 3 000 calories par jour. Puis, soudainement, leur apport calorique a été réduit à 1 500 par jour. Toutes les fonctions corporelles qui ont besoin d'énergie ont subi une réduction immédiate générale de 30 % à 40 %, ce qui a semé le chaos. Prenons en considération ce qui suit.

- Le corps a besoin de calories pour produire de la chaleur. Moins de calories étaient disponibles, donc la température corporelle a diminué. Résultat : impression constante de froid.
- Le corps a besoin de calories pour pomper le sang. Moins de calories étaient disponibles, donc le cœur s'est mis à moins pomper. Résultat : le rythme cardiaque et le débit systolique ont diminué.
- Le corps a besoin de calories pour maintenir la pression artérielle. Moins de calories étaient disponibles, donc le corps a réduit la pression. Résultat : la pression artérielle a diminué.
- Le corps a besoin de calories pour les fonctions cérébrales puisque le cerveau est très actif sur le plan métabolique. Moins de calories étaient disponibles, donc la capacité cognitive a été réduite. Résultat : une léthargie et une incapacité à se concentrer.

- Le corps a besoin de calories pour bouger. Moins de calories étaient disponibles, donc le mouvement a été réduit. Résultat : faiblesse lors des activités physiques.
- Le corps a besoin de calories pour remplacer les cheveux et les ongles. Moins de calories étaient disponibles, donc les cheveux et les ongles n'étaient pas remplacés. Résultat : des ongles cassants et une perte de cheveux.

Le corps réagit de cette façon, en réduisant la dépense d'énergie, parce qu'il est intelligent et ne veut pas mourir. Qu'arriverait-il si le corps continuait de dépenser 3 000 calories par jour en ne recevant que 1 500 calories ? Les réserves de graisses seraient brûlées, puis les réserves de protéines, et vous mourriez. Charmant. La façon intelligente de procéder pour le corps est de réduire immédiatement les dépenses caloriques à 1 500 calories par jour pour rétablir l'équilibre. La dépense calorique peut même être ajustée à la baisse (à 1 400 calories par jour, par exemple) pour avoir une marge de sécurité. C'est exactement ce que fait le corps.

En d'autres termes, le corps s'éteint. Afin de se préserver, il met en pratique une réduction générale de la dépense d'énergie. L'élément principal dont il faut se souvenir, c'est qu'en procédant de cette manière, le corps assure la survie de l'individu dans des moments de stress extrême. Oui, vous vous sentirez moche, mais vous vivrez pour le raconter. Réduire la dépense d'énergie est la chose intelligente à faire pour le corps. Brûler de l'énergie dont le corps ne dispose pas mènerait rapidement à la mort. Le budget énergétique doit être équilibré.

Les calories absorbées et les calories dépensées sont des variables fortement dépendantes.

En y réfléchissant bien, on devrait immédiatement se rendre à l'évidence que les dépenses caloriques *doivent* diminuer. Si nous réduisons l'apport calorique quotidien de 500 calories, nous supposons que nous perdrons une livre (0,45 kg) de gras par semaine. Cela signifie-t-il qu'en 200 semaines nous perdrons 200 livres (91 kg) et pèserons 0 livre ? Bien sûr que non. Le corps doit, à un certain moment, réduire ses dépenses énergétiques pour tenir compte de la diminution de l'apport calorique. Il se trouve que cette adaptation se produit immédiatement et persiste à long terme. Les hommes qui ont participé à la *Minnesota Starvation Experiment* auraient dû perdre 78 livres (35,3 kg), mais la perte de poids n'a été que de 37 livres (16,8 kg), soit moins de la moitié de ce à quoi on s'attendait. De plus en plus de restrictions caloriques étaient nécessaires pour qu'ils continuent à perdre du poids. Avez-vous l'impression d'avoir déjà entendu cette rengaine ?

Que s'est-il passé avec leur poids après la période de semi-famine ?

Pendant la période de semi-famine, la graisse corporelle a diminué beaucoup plus rapidement que le poids corporel total puisque les réserves de graisse sont utilisées de préférence pour activer le corps. Une fois que les participants ont commencé la phase de réadaptation, ils ont repris du poids assez rapidement, en environ douze semaines. Mais cela ne s'est pas arrêté là. Leur poids a continué d'augmenter jusqu'à ce qu'il soit supérieur à celui d'avant l'expérience.

Le corps réagit rapidement à la réduction calorique en ralentissant son métabolisme (dépense d'énergie totale), mais combien de temps cette adaptation dure-t-elle ? Si on lui donne suffisamment de temps, le corps augmente-t-il ses dépenses d'énergie au niveau d'avant la réduction calorique, même si cette dernière est maintenue ? La réponse courte est non[11]. Dans une étude menée en 2008, les participants ont perdu 10 % de leur poids corporel et, comme on s'y attendait, la dépense totale d'énergie a diminué. Mais pendant combien de temps ? Elle est demeurée au même niveau pour toute la durée de l'étude, une année complète. Même après un an au nouveau poids plus bas, leur dépense d'énergie totale était toujours réduite d'environ 500 calories en moyenne par jour. En réponse à la réduction des calories, le métabolisme diminue presque immédiatement, et cette diminution persiste plus ou moins indéfiniment.

La pertinence de ces découvertes quant aux régimes basés sur la réduction des calories est évidente. Supposons qu'avant de suivre un régime une femme consomme et brûle 2 000 calories par jour. Sur ordre du médecin, elle suit un régime alimentaire à teneur réduite en calories, à portions contrôlées et faible en gras, donc elle réduit son apport calorique de 500 calories par jour. Rapidement, sa dépense d'énergie totale chute de 500 calories par jour, si ce n'est un peu plus. Elle se sent moche, fatiguée, elle a froid, faim, elle est irritable et déprimée, mais continue de suivre ce régime, pensant que les choses vont s'améliorer un jour. Au départ, elle perd du poids, mais à mesure que les dépenses caloriques baissent pour s'ajuster à la diminution de l'apport calorique, son poids se stabilise. Elle suit son régime alimentaire, mais un an plus tard, les choses ne se sont pas améliorées. Son poids commence à augmenter tranquillement, même si elle consomme le même nombre de calories. Fatiguée de se sentir moche, elle abandonne et recommence à consommer 2 000 calories par jour. Puisque son métabolisme avait ralenti pour s'ajuster à une dépense de 1 500 calories par jour, tout le poids perdu revient, sous forme de gras. Son entourage l'accuse de manquer de volonté. Cela vous dit quelque chose ? Mais son regain de poids n'est pas sa faute. Il fallait plutôt s'y attendre. Tout ce que nous venons de décrire a été bien documenté au cours des cent dernières années !

UNE HYPOTHÈSE ERRONÉE

Prenons une analogie. Supposons que nous gérions une centrale thermique alimentée au charbon. Chaque jour, pour générer de l'énergie, nous recevons et brûlons 2 000 tonnes de charbon. Nous gardons également une réserve dans un hangar, au cas où il en manquerait.

Soudainement, nous ne recevons que 1 500 tonnes de charbon par jour. Devrions-nous continuer de brûler 2 000 tonnes de charbon par jour ? Nous épuiserions bientôt nos réserves de charbon et notre centrale devrait fermer. La ville serait aux prises avec de graves pannes d'électricité. L'anarchie et le pillage commenceraient. Notre patron nous dirait que nous sommes tout à fait stupides et crierait : « Vous êtes congédiés ! » Malheureusement pour nous, il aurait tout à fait raison.

En réalité, nous gérerions la situation différemment. Dès que nous nous serions aperçus que nous n'avions reçu que 1 500 tonnes de charbon, nous aurions immédiatement réduit notre production d'énergie pour ne brûler que 1 500 tonnes. En fait, nous n'aurions peut-être brûlé que 1 400 tonnes, au cas où il y aurait de nouvelles réductions. Dans la ville, quelques lumières s'obscurciraient, mais il n'y aurait pas de panne généralisée. L'anarchie et le pillage seraient évités. Le patron dirait : « Bon travail. Vous n'êtes pas aussi stupides que vous en avez l'air. Augmentation de salaire pour tout le monde. » Nous maintiendrions la production d'énergie à 1 500 tonnes aussi longtemps que nécessaire.

L'hypothèse clé de la théorie voulant qu'une réduction de l'apport calorique entraîne une perte de poids est fausse puisqu'une diminution de l'apport calorique mène inévitablement à une diminution des dépenses caloriques. Cet enchaînement a été prouvé à maintes reprises. Nous ne faisons qu'espérer que cette fois, d'une manière ou d'une autre, cette stratégie fonctionnera. Elle ne fonctionnera pas. Regardez les choses en face. Au plus profond de notre cœur, nous savons déjà que c'est la vérité. La réduction des calories et le contrôle des portions ne vous rend que fatigué et affamé. Pire encore, vous reprenez tout le poids que vous avez perdu. Je le sais. Vous le savez.

Nous oublions ce fait gênant parce que nos médecins, nos diététistes, notre gouvernement, nos scientifiques, nos politiciens et nos médias nous crient à la figure depuis des décennies que la perte de poids est une question de calories absorbées et de calories dépensées. « La réduction des calories est essentielle. » « Mangez moins, bougez plus. » Nous l'avons entendu si souvent que nous ne nous demandons pas si c'est la vérité.

Nous croyons plutôt que c'est notre faute. Nous avons l'impression d'avoir échoué. Certaines personnes nous critiquent silencieusement pour ne pas avoir suivi notre régime. D'autres pensent que nous n'avons pas de volonté et autres platitudes insignifiantes.

Avez-vous l'impression d'avoir déjà entendu cette rengaine ?

Ce n'est pas notre faute. Il est pratiquement garanti qu'un régime basé sur la réduction des calories et le contrôle des portions va échouer. Manger moins n'entraîne pas une perte de poids durable.

MANGER N'EST PAS UNE QUESTION DE CONTRÔLE CONSCIENT

Dans les années 1990, la lutte contre la surcharge pondérale n'allait pas très bien. L'épidémie d'obésité était sur sa lancée et le diabète de type 2 suivait de près. La campagne pour les aliments faibles en gras déclinait puisque les retombées promises n'étaient pas au rendez-vous. Même si nous mangions des poitrines de poulet désossées sèches, sans la peau, et des galettes de riz, nous engraissions et devenions plus malades. À la recherche de réponses, les National Institutes of Health ont recruté près de 50 000 femmes ménopausées pour la plus importante, dispendieuse, ambitieuse et impressionnante étude alimentaire jamais menée. Publié en 2006, cet essai clinique randomisé était appelé le Women's Health Initiative Dietary Modification Trial[12]. Il est permis de croire qu'il s'agit de la plus importante étude alimentaire jamais entreprise.

Environ le tiers de ces femmes a reçu une série de dix-huit séances de formation, des activités de groupe, des messages de campagne de communication ciblée et des rétroactions personnalisées sur une période d'un an. Leur intervention diététique avait pour but de réduire la graisse alimentaire, qui était coupée à 20 % de l'apport calorique quotidien. Elles ont également augmenté leur consommation de fruits et de légumes à cinq portions par jour et leur consommation de grains à six portions par jour. On les a aussi encouragées à faire plus d'exercice physique. Le groupe témoin a reçu la directive de manger comme à leur habitude. Les participantes de ce groupe ont reçu un exemplaire des *Dietary Guidelines for Americans*, mais n'ont pas reçu plus d'aide. Le but de l'essai clinique était de confirmer les bienfaits d'une alimentation faible en gras sur le plan de la santé cardiovasculaire et de la perte de poids.

Le poids moyen des participantes au début de l'étude était de 169 livres (76,8 kg). L'indice de masse corporelle moyen était de 29,1, ce qui plaçait les participantes dans la catégorie « surpoids » (indice de masse corporelle entre 25 et 29,9), mais proche de l'obésité (indice de masse corporelle de plus de 30). Elles ont été suivies sept ans et demi pour voir si le régime alimentaire recommandé par les médecins réduisait l'obésité, les maladies du cœur et le cancer autant que prévu.

Le groupe qui avait reçu des conseils en matière de diététique a réussi. L'apport calorique quotidien a chuté de 1 788 à 1 446 calories par jour – une diminution de 342 calories par jour pendant sept ans. Le pourcentage de calories que représentaient les matières grasses a baissé de 38,8 à 29,8 %, et les glucides ont augmenté, passant de 44,5 à 52,7 %. Les femmes ont augmenté leur activité physique quotidienne de 14 %. Le groupe témoin a continué à suivre le régime alimentaire auquel il était habitué, avec un apport plus élevé en calories et en matières grasses.

Les résultats étaient révélateurs. Le groupe « Mangez moins, bougez plus » a commencé de façon spectaculaire avec une perte de poids moyenne de 4 livres (1,8 kg) la première année. La deuxième année, les membres de ce groupe ont commencé à reprendre du poids, et à la fin de l'étude il n'y avait pas de différence significative entre les deux groupes.

Ces femmes avaient peut-être remplacé une partie de leur graisse par des muscles ? Malheureusement, le tour de taille moyen a augmenté d'environ 0,39 pouce (0,6 cm), et le rapport taille-hanches a augmenté de 0,82 à 0,83 pouce (2,1 cm), ce qui indique que les femmes étaient plus grosses qu'avant. Sur sept ans et demi, la perte de poids du groupe qui avait suivi la stratégie « Mangez moins, bougez plus » était de moins d'un kilogramme (2,2 lb).

Cette étude n'était que la dernière dans une suite ininterrompue d'expériences ratées. La réduction des calories comme principal moyen de perdre du poids a déçu de façon répétée. La revue de la littérature sur ce sujet par le Department of Agriculture des États-Unis[13] a souligné cet échec. Bien sûr, toutes ces études ne font que confirmer ce que nous savions déjà. La réduction des calories ne cause pas une perte de poids permanente. Quiconque a déjà essayé peut le confirmer.

Bien des gens me disent : « Je ne comprends pas. Je mange moins, je fais plus d'exercice. Mais je ne parviens pas à perdre du poids. » Je comprends parfaitement : parce qu'il a été prouvé que cette méthode *ne fonctionne pas.* Les régimes alimentaires à calories réduites fonctionnent-ils ? Non. Le *Women's Health Initiative Dietary Modification Trial* fut l'étude la plus importante, la plus impressionnante et la plus audacieuse jamais entreprise autour de la stratégie « Mangez moins, bougez plus » ; et il constituait un rejet retentissant de cette stratégie.

Qu'arrive-t-il quand nous essayons de réduire notre apport en calories et ne parvenons pas à perdre du poids ? Une partie du problème réside dans la baisse du métabolisme qui accompagne la perte de poids. Mais ce n'est que le début.

LE « JEU DE LA FAIM »

La stratégie « calories absorbées, calories dépensées » pour la perte de poids présume que nous exerçons un contrôle conscient sur ce que nous mangeons. Mais cette croyance ne tient pas compte de l'effet extrêmement puissant de l'état hormonal de notre corps. La caractéristique fondamentale du corps humain est l'homéostasie, ou adaptation au changement. Notre corps doit faire face à un environnement en constante évolution. En réponse, le corps fait des ajustements pour minimiser les effets de ces changements et revenir à son état initial. Il en va de même quand le corps commence à perdre du poids.

La réduction des calories entraîne deux adaptations majeures. Le premier changement, comme nous l'avons expliqué, est une réduction spectaculaire de la dépense énergétique totale. Le second changement clé est une augmentation des signaux hormonaux qui causent la faim. Notre corps nous supplie de manger pour regagner le poids perdu.

Cet effet a été démontré en 2011 dans une excellente étude sur l'adaptation hormonale à la perte de poids[14]. Les sujets ont suivi un régime de 500 calories par jour, ce qui a mené à une perte de poids moyenne de 29,7 livres (13,5 kg). Par la suite, on leur a prescrit un régime à faible indice glycémique et à faible teneur en gras pour le maintien du poids et on les a encouragés à faire trente minutes d'exercice physique par jour. Malgré les bonnes intentions des sujets, presque la moitié du poids a été reprise.

Plusieurs niveaux hormonaux, y compris la ghréline, une hormone qui, essentiellement, nous donne faim, ont été analysés. La perte de poids causait une hausse significative du taux de ghréline chez les sujets de l'étude comparativement aux valeurs de base habituelles, même plus d'un an après.

Qu'est-ce que cela signifie ? Cela signifie que les sujets étaient plus affamés et ont continué de se sentir ainsi jusqu'à la fin de l'étude.

Dans le cadre de l'étude, on a également mesuré plusieurs hormones de la satiété, y compris le peptide YY, l'amyline et la cholécystokinine, qui sont toutes sécrétées en réponse aux protéines et aux matières grasses dans notre alimentation et servent à nous faire sentir rassasiés. Cette réponse, à son tour, produit l'effet désiré, c'est-à-dire qu'elle nous empêche de nous suralimenter. Plus d'un an après la perte de poids initiale, les taux de toutes les hormones de la satiété étaient considérablement plus bas qu'auparavant.

Qu'est-ce que cela signifie ? Cela signifie que les sujets se sentaient moins rassasiés.

Avec l'augmentation de la faim et une diminution de la satiété vient l'envie de manger. En outre, ces changements hormonaux se produisent presque immédiatement et persistent presque indéfiniment. Les gens qui suivent un régime ont tendance à avoir plus d'appétit, et cet effet n'est pas dû à une sorte de vaudou psychologique ou à une perte de volonté. Une augmentation de la faim est une réponse hormonale normale et prévisible à la perte de poids.

La *Minnesota Starvation Experiment* du Dr Keys a été la première expérience à documenter les effets de la névrose due à la semi-famine. Les gens qui perdent du poids rêvent de nourriture. Ils sont obsédés par la nourriture. Ils ne peuvent penser qu'à la nourriture. Leur intérêt pour autre chose diminue. Ce comportement n'est pas une affliction propre aux gens obèses. En fait, il est entièrement dicté par les hormones et il est normal. Le corps, en signalant la faim et la satiété, nous contraint à obtenir plus de nourriture.

La perte de poids provoque deux réactions importantes. Premièrement, la dépense d'énergie totale est immédiatement et indéfiniment réduite afin de conserver l'énergie disponible. Deuxièmement, les signaux hormonaux de la faim sont immédiatement et indéfiniment amplifiés pour tenter d'obtenir plus de nourriture. Une perte de poids entraîne une augmentation du sentiment de faim et une baisse du métabolisme. Ce mécanisme de survie a un seul but: nous faire reprendre le poids perdu.

Des études à l'aide d'imagerie par résonance magnétique fonctionnelle montrent que les zones du cerveau qui contrôlent les émotions et la cognition s'éclairent en réaction aux stimuli alimentaires. On peut voir une diminution de l'activité dans les zones du cortex préfrontal qui sont responsables de la maîtrise de soi. En d'autres termes, il est plus difficile pour les gens qui ont perdu du poids de résister à la nourriture[15].

Cela n'a rien à voir avec un manque de volonté ou une défaite morale. Il s'agit d'un fait hormonal normal. Nous avons faim, froid, sommes fatigués et déprimés. Ce sont tous des effets physiques mesurables de la restriction des calories. La réduction du métabolisme et l'augmentation de la faim ne sont pas les causes de l'obésité, elles en sont plutôt les résultats. Une perte de poids cause une diminution du métabolisme et une augmentation de l'appétit et non le contraire. On ne décide pas de manger plus par simple choix personnel. Un des grands piliers de la théorie de l'obésité reposant sur la réduction des calories – cette hypothèse selon laquelle nous mangeons trop parce que nous choisissons de le faire – est tout simplement faux. Nous ne mangeons pas par choix ou parce que la nourriture est succulente ou à cause du sel, du sucre et du gras. Nous mangeons trop parce que notre propre cerveau nous oblige à le faire.

LE CYCLE VICIEUX DE LA SOUS-ALIMENTATION

Commence alors le cycle vicieux de la sous-alimentation. Nous commençons par manger moins et nous perdons du poids. Par conséquent, notre métabolisme ralentit et la faim augmente. Nous commençons à reprendre du poids. Nous redoublons d'efforts et mangeons encore moins. Nous perdons encore un peu de poids, mais une fois de plus, la dépense d'énergie totale diminue et la faim augmente. Nous commençons à reprendre du poids. Nous redoublons d'efforts et mangeons encore moins. Ce cycle continue jusqu'à ce qu'il devienne intolérable. Nous avons froid, nous sommes fatigués, nous avons faim et nous sommes obsédés par les calories. Pire encore, le poids que nous avons perdu revient toujours.

À un certain moment, nous revenons à notre ancienne manière de manger. Puisque le métabolisme a tellement ralenti, même le fait de revenir à notre ancienne alimentation cause un gain de poids rapide, et nous revenons au même poids, ou à un poids encore plus élevé. Nous faisons exactement ce que nos hormones veulent que nous fassions. Mais nos amis, notre famille et les professionnels de la santé blâment silencieusement la victime et pensent que c'est « notre faute ». Et nous-mêmes pensons que nous sommes des ratés.

Avez-vous l'impression d'avoir déjà entendu cette rengaine ?

Toutes les personnes qui suivent un régime partagent cette triste histoire de perte et de regain de poids. C'est pratiquement une garantie. Ce cycle a été scientifiquement établi. Les échecs de milliers de personnes qui ont suivi ce genre de régime le prouvent. Pourtant, les autorités dans le domaine de l'alimentation continuent de prêcher qu'une diminution des calories mènera au nirvana de la perte de poids permanente. Dans quel univers vivent-ils ?

UNE PLAISANTERIE CRUELLE

La réduction calorique est une déception amère et dure. Néanmoins, tous les « experts » s'entendent toujours pour dire qu'il s'agit de la clé pour une perte de poids durable. Quand vous ne perdez pas de poids, ils disent : « C'est votre faute. Vous étiez glouton. Vous étiez paresseux. Vous n'avez pas fourni un effort suffisant. Vous ne le vouliez pas suffisamment. » Il y a un petit secret que personne ne veut dévoiler : il a été *prouvé* que le régime faible en gras et en calories est un échec. Voilà la cruelle plaisanterie. Manger moins ne mène pas à une perte de poids durable. Ça. Ne. Fonctionne. Tout. Simplement. Pas.

C'est cruel parce que beaucoup d'entre nous y ont cru. C'est cruel parce que toutes les « sources médicales de confiance » nous disent que c'est vrai. C'est cruel parce que, quand cette méthode échoue, nous nous blâmons. Permettez-moi de m'exprimer aussi clairement que possible : « manger moins » ne fonctionne pas. C'est un fait. Acceptez-le.

Les méthodes pharmaceutiques de réduction des calories accentuent le spectaculaire échec de ce paradigme. L'orlistat, commercialisé aux États-Unis sous le nom Alli, a été conçu pour bloquer l'absorption des graisses alimentaires. L'orlistat est l'équivalent médicamenteux du régime faible en gras et en calories.

Parmi ses nombreux effets secondaires, les plus gênants étaient appelés par euphémisme l'incontinence fécale et les taches huileuses. Les graisses alimentaires non absorbées ressortaient à l'autre bout et tachaient souvent les sous-vêtements. Les forums sur la perte de poids s'en sont mêlés en proposant des conseils pour les « taches huileuses orange ». Ne portez jamais de pantalons blancs. Ne supposez jamais que ce n'est qu'une flatulence. En 2007, Alli a gagné le « Bitter Pill Award » pour le pire médicament, remis par le groupe de défense des consommateurs américain Prescription Access Litigation. Il y avait de sérieuses inquiétudes à propos de ce médicament comme la toxicité hépatique, la carence vitaminique et des calculs biliaires. Cependant, le problème insurmontable de l'orlistat était qu'il ne fonctionnait pas vraiment[16].

Dans une étude randomisée à double insu contrôlée, la prise de ce médicament sur une période de quatre ans, trois fois par jour, a eu comme résultat une perte de poids de 6 livres (2,8 kg)[17]. Mais 91 % des patients se sont plaints des effets secondaires. Ça ne semblait pas valoir la peine. Les ventes ont atteint 600 millions de dollars en 2001. Même s'il était en vente libre, en 2013, les ventes ont chuté à 100 millions de dollars.

Le substitut de graisse Olestra était également une notion mal conçue, issue de la théorie de la réduction calorique. Lancé en grande pompe il y a plusieurs années, l'Olestra n'était pas absorbé par le corps et n'avait donc aucun impact sur le plan calorique. Les ventes ont commencé à chuter deux ans après son lancement[18]. Le problème ? Le médicament ne provoquait pas de perte de poids significative. En 2010, il s'est retrouvé sur la liste des cinquante pires inventions du magazine *Time*, tout juste derrière l'amiante[19].

4. LE MYTHE DE L'EXERCICE

Le Dr Peter Attia est le cofondateur de la Nutrition Science Initiative (NuSi), un organisme consacré à l'amélioration de la qualité de la recherche dans le domaine de la nutrition et de l'obésité. Il y a quelques années, il était un nageur de longue distance d'élite, l'un de ceux, parmi une douzaine de personnes seulement, ayant réussi à nager de Los Angeles à l'île de Catalina. Lui-même médecin, il a suivi le régime riche en glucides traditionnellement prescrit et s'est entraîné minutieusement de trois à quatre heures par jour. De son propre aveu, il était également en surplus de poids d'environ 40 livres (18 kg), avait un indice de masse corporelle de 29 et un taux de graisse corporelle de 25 %.

Mais la clé pour la perte de poids n'est-elle pas de faire plus d'exercice ?

Un déséquilibre calorique, soit une hausse de l'apport calorique combinée à une baisse de la dépense calorique, est considéré comme la recette de l'obésité. Jusqu'à présent, nous avons supposé que l'exercice était d'une importance vitale pour perdre du poids, qu'en faisant plus d'activité physique, nous pouvions brûler les calories excédentaires que nous consommions.

LES LIMITES DE L'EXERCICE : UNE DURE RÉALITÉ

Il est certain que l'exercice a des bienfaits sur la santé. Hippocrate, médecin de la Grèce antique considéré comme le père de la médecine, a dit: «Si nous pouvions donner à chaque individu la bonne quantité de nourriture et d'exercice, nous aurions trouvé la voie la plus sûre pour être en bonne santé.» Dans les années 1950, en même temps que la préoccupation relative aux maladies du cœur, l'intérêt pour l'activité physique et l'exercice a commencé à croître. En 1955, le président américain Dwight Eisenhower a mis en place le President's Council on Youth Fitness. En 1966, le Public Health Service des États-Unis a commencé à militer en faveur d'une augmentation de l'activité physique comme étant l'un des meilleurs moyens de perdre du poids. Les studios d'aérobique ont commencé à pousser comme des champignons après la pluie.

L'ouvrage *Jogging: courir à son rythme pour vivre vieux*, de Jim Fixx, est devenu un succès de librairie en 1977. Le fait que l'auteur soit décédé à l'âge de cinquante-deux ans d'une crise cardiaque foudroyante n'a été qu'un léger recul pour la cause. Le livre du Dr Kenneth Cooper, *The New Aerobics*, constituait une lecture obligatoire dans les années 1980 quand j'étais à l'école secondaire. De plus en plus de gens ont commencé à intégrer des activités physiques à leurs temps de loisirs.

Il semblait raisonnable de s'attendre à ce que les taux d'obésité chutent en même temps que les taux d'exercice physique augmentaient. Après tout, les gouvernements du monde entier avaient investi des millions de dollars pour promouvoir l'exercice physique afin de favoriser la perte de poids, et ils avaient réussi à faire bouger leurs citoyens. Au Royaume-Uni, entre 1997 et 2008, la pratique régulière d'activités physiques a augmenté de 32 % à 39 % chez les hommes et de 21 % à 29 % chez les femmes[1].

Il y a cependant un problème. Toute cette activité physique n'avait aucun effet sur l'obésité. L'obésité a augmenté sans cesse, même si nous suions à grosses gouttes. Il suffit d'étudier la figure 4.1[2], ci-dessous.

Figure 4.1 L'augmentation de la prévalence de l'obésité dans le monde

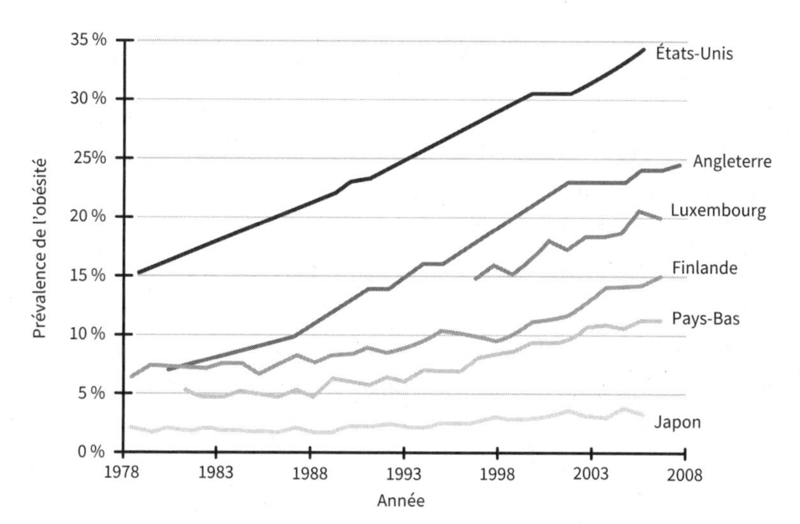

Le phénomène est mondial. Une enquête récente menée dans 8 pays a révélé que les Américains font le plus d'exercice, 135 jours par année, comparativement à une moyenne mondiale de 112 jours. Les Néerlandais viennent en dernier avec 93 jours[3]. Dans tous les pays, la perte de poids était la motivation principale pour faire de l'exercice. Tout cet exercice se traduisait-il par des taux d'obésité plus faibles ?

Je suis heureux que vous posiez la question. Les Néerlandais et les Italiens, malgré leurs faibles taux d'activité physique, avaient un taux d'obésité de moins du tiers de celui de ces culturistes d'Américains.

Le problème était évident dans les données du NHANES américain également. De 2001 à 2011, il y a eu une hausse générale de l'activité physique[4]. Dans certaines régions (Kentucky, Virginie, Floride, les Carolines), l'exercice physique a augmenté de façon herculéenne. Mais voici la triste vérité : il n'y a pratiquement pas de lien avec la prévalence de l'obésité, que l'activité physique augmente ou diminue. Augmenter l'activité physique ne réduit pas l'obésité. Ce n'était pas pertinent. Dans certains États, on faisait plus d'exercice, dans d'autres, moins. Le taux d'obésité a augmenté malgré tout.

L'exercice physique est-il important pour réduire l'obésité infantile ? La réponse courte est non. Un article paru en 2013 comparait l'activité physique (mesurée par accélérométrie) des enfants de trois à cinq ans à leur poids[5]. Les auteurs ont conclu qu'il n'y avait aucun lien entre l'activité physique et l'obésité.

Que s'est-il passé ?

Un principe inhérent à la théorie des « calories absorbées, calories dépensées » veut qu'une diminution de l'activité physique joue un rôle clé dans l'épidémie d'obésité : nous avions l'habitude de marcher pour nous déplacer, mais maintenant nous utilisons la voiture. Avec la multiplication des appareils remplaçant le travail de l'homme, comme les voitures, l'exercice physique a diminué, ce qui a comme résultat l'obésité. On estime aussi que la prolifération des jeux vidéo, de la télévision et des ordinateurs contribue à un mode de vie sédentaire. Comme toute supercherie, ces idées semblent raisonnables au premier coup d'œil. Il y a cependant un petit problème : elles ne sont pas vraies.

Le chercheur Herman Pontzer a étudié une société de chasseurs et de cueilleurs qui vivent selon un mode de vie primitif dans les temps modernes. Les Hazda, en Tanzanie, parcourent souvent de 15 à 20 milles (de 24 à 32 km) par jour pour récolter de la nourriture. On pourrait supposer que leur dépense d'énergie quotidienne est beaucoup plus importante que celle d'un employé de bureau. Le Dr Pontzer traite des résultats surprenants dans un article publié dans le *New York Times* : « Nous avons découvert que malgré toute cette activité physique, le nombre de calories que les Hazda dépensaient par jour était identique à celui dépensé par un adulte normal en Europe ou aux États-Unis[6]. »

Même si l'on compare les taux d'activité relativement récents à ceux des années 1980, avant que l'épidémie d'obésité ne batte son plein, les taux n'ont pas diminué de manière appréciable[7]. Dans une population de l'Europe du Nord, la dépense d'énergie causée par l'activité physique a été calculée à partir des années 1980 jusqu'au milieu des années 2000. La surprenante conclusion était que l'activité physique a en fait augmenté depuis les années 1980. Mais les auteurs de cette étude sont allés encore plus loin. Ils ont calculé les dépenses d'énergie prévues pour des mammifères sauvages, qui sont essentiellement déterminées par la masse corporelle et la température ambiante. Si on le compare à ses cousins sauvages comme les vigoureux couguars, renards et caribous, l'*Homo obesus* 2017 n'est pas moins actif physiquement.

L'activité physique n'a pas diminué depuis l'époque où nous vivions dans une société de chasseurs et de cueilleurs, ou même depuis les années 1980, alors que l'épidémie d'obésité accélérait à plein régime. Il est très improbable qu'une diminution de l'activité physique ait joué un rôle dans les causes de l'obésité.

Si le manque d'exercice n'était pas la cause de l'épidémie d'obésité, l'exercice ne la renversera probablement pas.

LES CALORIES DÉPENSÉES

Le nombre de calories que nous utilisons par jour (calories dépensées) est plus justement désigné « dépense d'énergie totale ». La dépense d'énergie totale est la somme du métabolisme de base (défini plus bas), de l'effet thermogénique des aliments, de la thermogenèse d'origine autre que l'activité physique, de l'excès de consommation d'oxygène post-exercice et, bien sûr, de l'exercice.

Dépense d'énergie totale = métabolisme de base + effet thermogénique des aliments + thermogenèse d'origine autre que l'activité physique + excès de consommation d'oxygène post-exercice + exercice.

Le plus important ici est de comprendre que la dépense d'énergie totale n'équivaut pas à l'exercice. La grande majorité de la dépense d'énergie totale n'est pas due à l'exercice, mais au métabolisme de base : des tâches métaboliques comme respirer, maintenir la température corporelle, faire battre le cœur, maintenir les organes vitaux, la fonction cérébrale, la fonction hépatique, la fonction rénale, etc.

Prenons un exemple. Le taux métabolique de base pour un homme moyen légèrement actif est d'environ 2 500 calories par jour. Marcher à un rythme modéré (3 km/h) quarante-cinq minutes par jour brûlerait environ 104 calories. En d'autres termes, il ne brûlera même pas 5 % de la dépense d'énergie totale. La grande majorité (95 %) des calories sont utilisées pour le métabolisme de base.

Le taux métabolique de base dépend de beaucoup de facteurs, y compris :

- la génétique ;
- le sexe (le taux métabolique de base est généralement plus élevé chez les hommes) ;
- l'âge (le taux métabolique de base chute généralement avec l'âge) ;
- le poids (le taux métabolique de base augmente généralement avec la masse musculaire) ;
- la taille (le taux métabolique de base augmente avec la taille) ;
- l'alimentation (suralimentation ou sous-alimentation) ;
- la température corporelle ;
- la température externe (réchauffe ou refroidit le corps) ;
- le fonctionnement des organes.

La thermogenèse d'origine autre que l'activité physique est l'énergie utilisée pour les activités autres que dormir, manger ou faire de l'exercice; par exemple, marcher, jardiner, cuisiner, faire du ménage ou magasiner. L'effet thermogénique des aliments est l'énergie utilisée pour la digestion et l'absorption de l'énergie alimentaire. Certains aliments, comme les graisses alimentaires, sont facilement absorbés et nécessitent peu d'énergie pour être métabolisés. Les protéines sont plus difficiles à transformer et nécessitent plus d'énergie. L'effet thermogénique des aliments varie selon la portion, la fréquence des repas et la composition des macronutriments. L'excès de consommation d'oxygène post-exercice (aussi appelé l'« *afterburn effect* ») est l'énergie utilisée pour la réparation cellulaire, le réapprovisionnement et autres besoins de récupération après une activité physique.

Puisqu'il est complexe de mesurer le taux métabolique de base, la thermogenèse d'origine autre que l'activité physique, l'effet thermogénique des aliments et l'excès de consommation d'oxygène post-exercice, nous postulons que tous ces facteurs sont constants dans le temps, ce qui est erroné. Ce postulat mène à la conclusion faussée que l'exercice est la seule variable dans la dépense totale d'énergie. Par conséquent, on associe l'augmentation des calories dépensées à plus d'exercice physique. L'un des gros problèmes est que le taux métabolique de base n'est pas constant. Une diminution de l'apport calorique peut faire diminuer le taux métabolique de base de 40 %. On constatera qu'une augmentation de l'apport calorique peut faire augmenter le taux métabolique de base de 50 %.

L'EXERCICE PHYSIQUE ET LA PERTE DE POIDS

Généralement, on prescrit un régime alimentaire et de l'exercice physique pour traiter l'obésité, comme s'ils étaient également importants. Mais le régime et l'exercice ne sont pas des partenaires égaux, comme le macaroni et le fromage.

Le régime alimentaire est Batman, et l'exercice, Robin. L'alimentation accomplit 95 % du travail et mérite toute notre attention. Logiquement, il serait raisonnable de se concentrer sur l'alimentation. L'exercice physique est toujours sain et important, mais pas aussi important. Il a beaucoup de bienfaits, mais la perte de poids n'en fait pas partie. L'exercice, c'est comme se brosser les dents. C'est bon pour vous et vous devriez le faire tous les jours. Mais ne vous attendez pas à perdre du poids.

Prenons l'analogie du baseball. L'amorti est une technique importante, mais ne compte que pour peut-être 5 % du jeu. Les 95 % restants tournent autour des balles frappées, lancées et attrapées. Il serait donc ridicule de passer 50 % de son temps à pratiquer l'amorti. Ou si nous devions passer un test qui porte à 95 % sur les mathématiques et 5 % sur l'orthographe ? Passerions-nous 50 % de notre temps à étudier les règles d'orthographe ?

Le fait que l'exercice produit toujours une perte de poids inférieure aux attentes a été bien documenté dans les études médicales. Des études menées sur plus de vingt-cinq semaines ont prouvé que la perte de poids était de 30 % inférieure aux attentes[8, 9]. Dans une étude récente menée dans des conditions contrôlées, les participants ont augmenté leur activité physique à cinq fois par semaine, brûlant ainsi 600 calories par session. Après dix mois, ceux qui avaient fait de l'exercice avaient perdu 10 livres (4,5 kg)[10] de plus. Cependant, on s'attendait à une perte de poids de 35 livres (16 kg).

Beaucoup d'autres études randomisées à plus long terme ont montré que l'exercice a un effet minime ou nul sur la perte de poids[11]. Une étude randomisée effectuée en 2007, qui se penchait sur des participants ayant fait de l'aérobie six fois par semaine sur une période d'un an, a révélé que le poids des femmes avait diminué en moyenne de 3 livres (environ 1,4 kg), et le poids des hommes, de 4 livres (1,8 kg)[12]. Une équipe de recherche danoise a entraîné un groupe précédemment sédentaire pour courir un marathon[13]. La perte de poids moyenne chez les hommes était de 5 livres (environ 2,3 kg) de graisse corporelle. La perte de poids moyenne chez les femmes était de… zéro. Quand il s'agit de perdre du poids, l'exercice physique n'a que peu d'effets. Dans ces cas, on a également remarqué que le taux de graisse corporelle n'avait pas beaucoup changé.

La *Women's Health Study*, l'étude sur l'alimentation la plus ambitieuse, dispendieuse et détaillée jamais entreprise, s'est également penchée sur l'exercice physique[14]. Les 39 876 femmes ont été divisées en trois groupes qui représentaient un niveau élevé (plus d'une heure par jour), moyen et faible d'exercice physique par semaine. Au cours des dix années suivantes, le groupe ayant un niveau élevé d'exercice n'a pas perdu de poids supplémentaire. En outre, les auteurs de l'étude notaient que « aucun changement n'a été observé sur le plan de la composition corporelle », ce qui veut dire que les muscles ne remplaçaient pas la graisse.

LA COMPENSATION : LE COUPABLE CACHÉ

Pourquoi la perte de poids est-elle si inférieure aux prévisions ? Le coupable est un phénomène connu sous le nom de « compensation », il en existe deux mécanismes majeurs.

Premièrement, l'apport calorique augmente en réponse à l'exercice ; nous mangeons plus à la suite d'un entraînement vigoureux. Une étude de cohorte prospective réalisée par la Harvard School of Public Health[15] auprès de 538 élèves a révélé que « bien que l'activité physique soit considérée comme une activité qui cause un déficit énergétique, nos estimations ne soutiennent pas cette hypothèse ». Pour chaque heure supplémentaire d'activité physique, les enfants consommaient 292 calories de plus. L'apport et la dépense caloriques sont intimement liés : l'augmentation de l'une cause une augmentation de l'autre. Il s'agit du principe biologique de l'homéostasie. Le corps tente de maintenir un état stable. Une réduction des calories absorbées cause une réduction des calories dépensées. Une augmentation des calories dépensées cause une augmentation des calories absorbées.

Le second mécanisme de compensation a trait à une diminution des activités autres que l'exercice physique. Si vous faites des efforts toute la journée, vous serez moins enclin à faire de l'exercice physique dans vos temps libres. Les Hazda, qui marchaient toute la journée, réduisaient leur activité physique quand ils le pouvaient. Par contre, les Nord-Américains qui passent la journée assis augmentent probablement leur activité physique quand ils en ont l'occasion.

Ce principe est également vrai chez les enfants. Des élèves de sept et huit ans qui recevaient des cours d'éducation physique à l'école ont été comparés à ceux qui n'en recevaient pas[16]. Un groupe faisait en moyenne 9,2 heures d'activité physique par semaine à l'école tandis que l'autre n'en faisait pas du tout.

L'activité physique totale, mesurée à l'aide d'accéléromètres, a révélé qu'il n'y avait pas de différence entre les deux groupes sur le plan de l'activité totale par semaine. Pourquoi ? Le groupe qui recevait des cours d'éducation physique compensait en faisant moins d'exercice à la maison. Le groupe qui ne recevait pas de cours d'éducation physique à l'école compensait en faisant plus d'activité physique à la maison. En fin de compte, le résultat était le même.

En outre, les bienfaits de l'exercice ont une limite naturelle. Vous ne pouvez pas compenser un excès alimentaire en augmentant l'exercice physique. Vous ne pouvez échapper à une mauvaise alimentation. Par ailleurs, plus d'exercice n'est pas toujours mieux. L'exercice est un stress imposé à l'organisme. De petites quantités sont bénéfiques, mais des quantités excessives sont néfastes[17].

L'exercice n'est tout simplement pas si efficace dans le traitement de l'obésité ; et les conséquences en sont énormes. Des montants astronomiques sont dépensés pour promouvoir l'éducation physique dans les écoles : l'amélioration de l'accès aux installations sportives, l'amélioration des terrains de jeux pour les enfants, l'initiative *Let's Move!* créée par la Première Dame américaine Michelle Obama... Le tout basé sur la conception erronée que l'exercice joue un rôle clé dans le combat contre l'obésité.

Si nous voulons réduire l'obésité, nous devons nous concentrer sur ce qui nous rend obèse. Si nous dépensons tout notre argent, nos recherches, notre temps et notre énergie mentale dans l'exercice, nous n'aurons plus de ressources pour réellement combattre l'obésité.

Nous passons un examen appelé « Obésité 101 ». L'alimentation compte pour 95 % de la note, et l'exercice, pour seulement 5 %. Pourtant, nous consacrons 50 % de notre temps et de notre énergie à étudier l'exercice. Il n'est pas étonnant que notre note actuelle soit E. E pour échec.

POST-SCRIPTUM

Le Dr Peter Attia, reconnaissant finalement qu'il était légèrement « pas très mince », s'est lancé dans une introspection détaillée sur les causes de l'obésité. Ignorant les conseils nutritionnels conventionnels et remaniant complètement son alimentation, il a été capable de perdre l'excès de graisse qui l'avait toujours tracassé. Cette expérience l'a tellement touché qu'il a entièrement dévoué sa carrière au champ de mines qu'est la recherche sur l'obésité.

5. LE PARADOXE DE LA SURALIMENTATION

Sam Feltham, un entraîneur personnel hautement qualifié, a travaillé pendant plus d'une décennie dans le domaine de la santé et du conditionnement physique au Royaume-Uni. N'acceptant pas la théorie de la réduction des calories, il a entrepris de prouver qu'elle était fausse en utilisant la noble tradition scientifique de l'expérimentation sur soi. Ajoutant une touche de modernité aux expériences classiques sur la suralimentation, Feltham a décidé qu'il mangerait 5 794 calories par jour et qu'il documenterait sa prise de poids. Mais il n'avait pas choisi n'importe quel régime alimentaire. Il a suivi pendant vingt et un jours un régime faible en glucides et riche en gras composé d'aliments naturels. Feltham croyait, en se basant sur l'expérience clinique, que les glucides raffinés, et non les calories totales, causaient l'obésité. La répartition des macronutriments était de 10 % de glucides, 53 % de lipides et 37 % de protéines. Selon le calcul des calories, il était prévu qu'il allait prendre environ 16 livres (7,3 kg). Cependant, son gain de poids n'a été que de 2,8 livres (1,3 kg). Il est encore plus intéressant de constater qu'il a perdu plus d'un pouce (2,5 cm) de tour de taille. Il avait pris du poids, mais il s'agissait de masse maigre.

Peut-être que Feltham était un de ces chanceux qui ont gagné à la loterie génétique et qui peuvent manger n'importe quoi sans prendre de poids. Donc, dans le cadre de son expérience suivante, Feltham a abandonné son régime faible en glucides et riche en matières grasses. Il a plutôt suivi un régime alimentaire américain typique de 5 793 calories incluant beaucoup de «faux» aliments hautement transformés. La répartition des macronutriments dans son nouveau régime était de 64 % de glucides, 22 % de lipides et 14 % de protéines, ce qui est remarquablement similaire aux *U.S. Dietary Guidelines*. Cette fois, sa prise de poids a reflété presque exactement ce qui était prévu selon la formule calorique: 15,6 livres (7,1 kg). Son tour de taille a véritablement gonflé de 3,6 pouces (9,4 cm). Après seulement trois semaines, il avait des poignées d'amour.

Chez le même individu et avec un apport calorique pratiquement identique, les deux régimes avaient produit des résultats étonnamment différents. De toute évidence, les calories ne sont pas les seules responsables puisque la composition du régime joue un rôle important. Le paradoxe de la suralimentation est qu'un excès de calories n'est pas suffisant pour provoquer un gain de poids, ce qui contredit la théorie de la réduction des calories.

LES EXPÉRIENCES SUR LA SURALIMENTATION : DES RÉSULTATS INATTENDUS

On peut facilement tester l'hypothèse selon laquelle manger trop cause l'obésité. Vous prenez tout simplement un groupe de volontaires, vous les suralimentez délibérément et vous observez ce qui se produit. Si l'hypothèse est valide, le résultat devrait être l'obésité.

Heureusement pour nous, de telles expériences ont déjà été réalisées. Le Dr Ethan Sims a mené l'étude la plus célèbre vers la fin des années 1960[1,2]. Il a tenté de faire prendre du poids à des souris. En dépit d'une nourriture abondante, les souris ne mangeaient que suffisamment pour être rassasiées. Par la suite, aucun incitatif ne pouvait les faire manger. Elles ne devenaient pas obèses. Les alimenter de force augmentait leur métabolisme, et encore une fois elles ne prenaient pas de poids. Sims a posé une question épouvantablement géniale : est-ce qu'il pourrait délibérément faire prendre du poids à des humains ? Cette question, en apparence simple, n'avait jamais été expérimentalement vérifiée. Après tout, nous connaissions déjà la réponse. Bien sûr que la suralimentation mène à l'obésité.

Mais est-ce vraiment le cas ? Sims a recruté des étudiants minces à l'Université du Vermont, non loin, et les a encouragés à manger tout ce qu'ils voulaient afin de prendre du poids. Mais contrairement à leurs attentes, les étudiants ne devenaient pas obèses. À son grand étonnement, Sims découvrait qu'il n'était pas si facile de faire prendre du poids aux gens.

Même si cette nouvelle semble étrange, pensez à la dernière fois que vous avez mangé dans un buffet à volonté. Vous avez mangé comme un ogre et vous étiez rassasié. Auriez-vous pu imaginer dévorer deux autres côtelettes de porc ? Pas si facile. Par ailleurs, avez-vous déjà essayé de nourrir un bébé qui refuse obstinément de manger ? Il crie au meurtre. Il est presque impossible de le suralimenter. Convaincre les gens de se suralimenter n'est pas une tâche aussi facile qu'il n'y paraît.

Le Dr Sims a changé de cap. Peut-être que la difficulté ici était que les étudiants augmentaient leur activité physique, éliminant ainsi le poids gagné, ce qui pourrait expliquer leur échec. La prochaine étape était donc de suralimenter tout en limitant l'activité physique. Pour cette expérience, il a recruté des détenus de la prison d'État du Vermont. Des préposés étaient présents à tous les repas pour vérifier que les calories, 4000 par jour, étaient consommées. L'activité physique était strictement contrôlée.

Une chose curieuse s'est produite. Initialement, le poids des détenus a augmenté, mais il s'est stabilisé par la suite. Si au début ils étaient contents d'augmenter leur apport calorique, à mesure que leur poids augmentait, ils trouvaient de plus en plus difficile de se suralimenter et certains ont abandonné l'expérience[3].

Mais on a convaincu certains prisonniers de consommer jusqu'à 10000 calories par jour! Dans les quatre à six mois suivants, les prisonniers restants ont pris de 20 % à 25 % de leur poids initial, en réalité moins que ce que prévoyait la théorie des calories. Le gain de poids variait beaucoup selon les individus. Quelque chose contribuait à faire en sorte qu'il y avait une telle différence sur le plan du gain de poids, mais ce n'était ni l'apport calorique ni l'exercice.

La clé était le métabolisme. La dépense d'énergie totale avait *augmenté* de 50 %. Au départ, la dépense d'énergie totale était de 1 800 calories par jour. Elle avait grimpé à 2 700 calories par jour. Leur corps essayait de brûler les calories excédentaires afin de revenir à son poids initial. La dépense d'énergie totale, comprenant principalement le taux métabolique de base, n'est pas stable, mais varie considérablement en réaction à l'apport calorique. Après l'expérience, le poids corporel est revenu à la normale rapidement et sans effort. La plupart des participants n'ont pas conservé le poids qu'ils avaient pris. En réalité, la suralimentation ne mène pas à un gain de poids durable. De la même manière, la sous-alimentation ne mène pas à une perte de poids durable.

Dans une autre étude, le Dr Sims a comparé deux groupes de patients. Il a suralimenté un groupe de patients minces jusqu'à ce qu'ils deviennent obèses. Le second groupe était composé de patients en obésité morbide qui ont suivi un régime jusqu'à ce qu'ils soient seulement obèses, mais dont le poids était le même que celui des patients du premier groupe[4]. Au terme de l'expérience, les deux groupes de patients, dont l'un était mince au début de l'expérience tandis que l'autre était très obèse, avaient le même poids. Quelle était la différence entre les deux groupes sur le plan de la dépense d'énergie totale? Les patients qui étaient initialement très obèses ne brûlaient que la moitié des calories brûlées par les patients initialement minces. Leur corps essayait de revenir à son poids d'origine en *réduisant* le métabolisme. En revanche, le corps des patients initialement minces tentait de revenir à son poids d'origine en *augmentant* le métabolisme.

Revenons à notre analogie de la centrale thermique. Supposons que nous recevions 2000 tonnes de charbon par jour et en brûlions également 2000 tonnes. Tout à coup, nous commençons à recevoir 4000 tonnes par jour. Que devrions-nous faire? Disons que nous continuons à brûler 2000 tonnes par jour. Le charbon s'accumulerait jusqu'à ce que tout l'espace soit utilisé. Notre patron s'écrierait: «Pourquoi empilez-vous votre charbon sale dans mon bureau? Vous êtes congédiés!» Nous ferions plutôt le choix le plus judicieux: nous brûlerions 4000 tonnes de charbon par jour. Plus d'énergie serait générée et le charbon ne s'accumulerait pas. Notre patron nous dirait: «Vous faites du bon travail. Nous venons de battre le record de production d'énergie. Augmentation de salaire pour tout le monde.»

Notre corps, intelligemment, réagit de la même manière. Il répond à une augmentation de l'apport calorique par une augmentation de la dépense calorique. Avec l'augmentation de la dépense d'énergie totale, nous avons plus d'énergie, plus de chaleur corporelle et nous nous sentons bien. Après la période de suralimentation forcée, l'augmentation du métabolisme fait rapidement perdre les livres en trop. L'augmentation de la thermogenèse d'origine autre que l'activité physique pourrait représenter jusqu'à 70 % de l'augmentation de la dépense d'énergie[5].

Les résultats décrits plus haut ne sont en aucun cas des découvertes isolées. Pratiquement toutes les études sur la suralimentation ont produit les mêmes résultats[6]. Dans une étude menée en 1992, les sujets consommaient 50 % plus de calories sur une période de plus de six semaines. Le poids corporel et la masse grasse ont augmenté de façon passagère. La moyenne de la dépense totale d'énergie a augmenté de plus de 10 %, dans un effort pour brûler les calories excédentaires. À la suite de la période de suralimentation forcée, le poids corporel est revenu à la normale et la dépense d'énergie totale a diminué pour revenir au même point.

L'article concluait que « des éléments indiquent qu'un capteur physiologique était sensible au fait que le poids corporel avait été perturbé et tentait de le faire revenir à la normale ».

Plus récemment, le Dr Fredrik Nystrom a mené une expérience sur la suralimentation ; les sujets ont consommé le double de leur apport calorique quotidien habituel en suivant un régime d'alimentation rapide[7]. En moyenne, le poids et l'indice de masse corporelle ont augmenté de 9 % et la graisse corporelle a augmenté de 18 %, ce qui n'est pas surprenant en soi. Mais que s'est-il passé avec la dépense d'énergie totale ? Les calories dépensées quotidiennement ont augmenté de 12 %. Même si nous mangeons les aliments les plus engraissants du monde, le corps réagit toujours à une augmentation de l'apport calorique en tentant de s'en débarrasser.

La théorie de l'obésité qui a dominé ces cinquante dernières années, selon laquelle un excès de calories mène inévitablement à l'obésité, la théorie, donc, que nous pensions irréfutable était tout simplement fausse. Rien de tout cela n'était vrai.

Et si la surconsommation de calories ne cause pas un gain de poids, alors une réduction des calories ne causera pas une perte de poids.

LE POIDS DE CONSIGNE

Vous pouvez temporairement forcer votre poids corporel à être plus élevé que celui que votre corps veut en consommant un excès de calories. Au fil du temps, l'accélération de votre métabolisme va réduire votre poids pour le ramener à la normale. De la même manière, vous pouvez temporairement forcer votre poids à être moins élevé que celui que votre corps veut en réduisant les calories consommées. Avec le temps, la baisse du métabolisme fera augmenter votre poids et il reviendra à la normale.

Puisqu'une perte de poids réduit la dépense d'énergie totale, un bon nombre de personnes obèses supposent que leur métabolisme est lent, mais le contraire s'est révélé vrai[8]. En moyenne, la dépense d'énergie totale des sujets minces était de 2 404 calories, tandis que la moyenne pour les sujets obèses était de 3 244 calories, malgré le fait qu'ils passaient moins de temps à faire de l'exercice. Le corps obèse n'essayait pas de prendre du poids. Il essayait d'en perdre en brûlant l'énergie excédentaire. Dans ce cas, pourquoi les gens obèses sont-ils… obèses ?

Il s'agit ici du principe biologique fondamental de l'homéostasie. Il semble exister une « valeur de consigne » pour le poids corporel et la grosseur, comme l'ont proposé pour la première fois Keesey et Corbett en 1984[9]. Les mécanismes de l'homéostasie défendent ce poids de consigne contre les changements, qu'ils soient à la hausse ou à la baisse. Si le poids descend sous le poids de consigne, des mécanismes de régulation s'activent afin de le faire remonter. Si le poids monte plus haut que le poids de consigne, des mécanismes de régulation s'activent afin de le faire redescendre.

Le problème, c'est que dans les cas d'obésité le poids de consigne est trop élevé.

Prenons un exemple. Supposons que notre poids de consigne soit de 200 livres (environ 90 kg). En limitant les calories, nous allons brièvement perdre du poids ; disons qu'il descendra à 180 livres (environ 81 kg). Si le poids de consigne demeure à 200 livres, le corps essaiera de regagner les livres perdues en stimulant l'appétit. La ghréline augmente et les hormones de la satiété (amyline, peptide YY et cholécystokinine) sont réprimées. En même temps, le corps diminuera sa dépense d'énergie totale. Le métabolisme commence à ne plus fonctionner. La température corporelle chute, le rythme cardiaque chute, la pression artérielle chute et le volume cardiaque diminue, le tout dans un effort désespéré pour conserver l'énergie. Nous avons faim, nous avons froid et sommes fatigués : un scénario connu de tous ceux qui suivent un régime.

Malheureusement, le résultat est un regain de poids. Le corps retourne à son poids de consigne, soit 200 livres. Ce résultat aussi est connu de ceux qui suivent un régime. Manger plus n'est pas la *cause* du gain de poids, mais plutôt la *conséquence.* Manger plus ne nous rend pas gros ; le fait d'engraisser nous fait manger plus. La suralimentation n'est pas un choix personnel. Il s'agit d'un comportement d'origine hormonale, soit une conséquence naturelle de l'augmentation des hormones de la faim. La question est donc de savoir ce qui nous fait grossir en premier lieu. Autrement dit, pourquoi le poids de consigne est-il si élevé ?

Le poids de consigne fonctionne aussi en sens inverse. Si nous mangeons trop, nous allons brièvement prendre du poids : mettons que nous engraissions jusqu'à peser 220 livres (environ 100 kg). Si le poids déterminé est de 200 livres, alors le corps active des mécanismes pour perdre du poids. L'appétit diminue. Le métabolisme augmente pour essayer de brûler les calories excédentaires. Le résultat est une perte de poids.

Notre corps n'est pas une simple balance qui compte les calories absorbées et les calories dépensées. Notre corps est plutôt un thermostat. Le point de contrôle pour le poids, c'est-à-dire le poids de consigne, est vigoureusement défendu contre les hausses et les baisses. Le Dr Rudolph Leibel a élégamment prouvé ce concept en 1995[10]. Des sujets étaient délibérément suralimentés ou sous-alimentés afin d'atteindre le gain ou la perte de poids désirés. Les sujets ont d'abord été suralimentés afin de prendre 10 % de leur poids. Puis, leur alimentation a été ajustée pour qu'ils reviennent à leur poids initial et, par la suite, ils ont perdu de 10 % à 20 % de leur poids. La dépense d'énergie a été mesurée dans toutes les conditions.

Alors que le poids des sujets a augmenté de 10 %, leur dépense d'énergie quotidienne a augmenté de près de 500 calories. Comme prévu, le corps a réagi à l'excès de calories en essayant de les brûler. Quand le poids est revenu à la normale, la dépense d'énergie totale est également revenue à son niveau de base. Quand les sujets ont perdu de 10 % à 20 % de leur poids, leur corps a réduit la dépense d'énergie totale quotidienne d'environ 300 calories. La sous-alimentation n'a pas mené à la perte de poids à laquelle on s'attendait parce que la dépense totale d'énergie a diminué afin de la contrer. L'étude de Leibel était révolutionnaire parce qu'elle a forcé un changement de paradigme dans notre manière de comprendre l'obésité.

Pas étonnant qu'il soit si difficile de ne pas reprendre le poids perdu ! Les régimes fonctionnent bien au début, mais alors que nous perdons du poids, notre métabolisme ralentit. Des mécanismes de compensation se mettent en marche presque aussitôt et ils persistent presque indéfiniment. Nous devons donc réduire notre apport calorique de plus en plus simplement pour maintenir la perte de poids. Si nous ne le faisons pas, notre poids atteint un plateau, puis recommence à grimper, comme tous ceux qui suivent des régimes le savent bien. (Il est également difficile de prendre du poids, mais nous ne nous soucions généralement pas de ce problème, à moins d'être des lutteurs de sumo.) Pratiquement toutes les études alimentaires du siècle dernier ont validé ces constatations. Nous savons maintenant pourquoi.

Revenons à l'analogie du thermostat. La température ambiante normale est de 21 °C (70 °F). Si le thermostat de la maison est réglé à 0 °C (32 °F), nous trouverions qu'il fait trop froid. En utilisant le premier principe de la thermodynamique, nous décidons que la température de la maison dépend de la chaleur qui entre par rapport à la chaleur qui sort. Cette loi de la physique est inviolable. Puisque nous avons besoin de plus de chaleur entrante, nous nous procurons un radiateur électrique portatif et le branchons. Mais la chaleur entrante n'est que la cause immédiate de la température élevée. Au début, la température augmente à cause du radiateur. Mais par la suite, le thermostat, détectant la température plus élevée, fait démarrer le climatiseur. Le climatiseur et le radiateur se battent constamment, jusqu'à ce que le radiateur brise. La température redescend à 0 °C.

L'erreur ici est de se concentrer sur la cause immédiate et non la cause ultime. La cause ultime du froid était le réglage bas du thermostat. Notre erreur est que nous n'avions pas reconnu que la maison avait un mécanisme homéostatique (le thermostat) afin de revenir à une température de 0 °C. La solution plus intelligente aurait été de vérifier les réglages du thermostat et de les mettre à une température plus confortable de 21 °C, ce qui évite le combat entre le radiateur et le climatiseur.

La raison pour laquelle les régimes sont si difficiles et souvent infructueux est que nous combattons toujours notre propre corps. Alors que nous perdons du poids, notre corps essaie de le reprendre. La solution plus intelligente est de vérifier les mécanismes homéostatiques du corps et de les ajuster à la baisse : voilà notre défi. Puisque l'obésité résulte d'un poids de consigne trop élevé, le traitement pour contrer l'obésité est de le réduire. Mais comment faire baisser notre thermostat? La recherche de réponses allait mener à la découverte de la leptine.

LA LEPTINE : À LA RECHERCHE D'UN RÉGULATEUR HORMONAL

Le Dr Alfred Frohlich, de l'Université de Vienne, a commencé à éclaircir les fondements neuro-hormonaux de l'obésité pour la première fois en 1890; il a décrit un jeune garçon chez qui l'obésité était apparue soudainement et à qui l'on a ensuite diagnostiqué une lésion dans la région de l'hypothalamus. Il a été confirmé par la suite que les lésions hypothalamiques entraînaient un gain de poids intraitable chez les humains[11]. Cela a établi la région de l'hypothalamus comme un régulateur majeur de l'équilibre énergétique. Il s'agissait également d'un indice essentiel que l'obésité est un déséquilibre hormonal.

Les neurones de la région de l'hypothalamus étaient en quelque sorte responsables d'établir un poids idéal, le poids de consigne. Des tumeurs cérébrales, des blessures traumatiques et la radiation dans ou à cette zone cruciale causent l'obésité extrême, qui est souvent résistante aux traitements, même aux régimes à 500 calories par jour.

L'hypothalamus intègre les signaux entrants en ce qui concerne l'apport et la dépense énergétiques. Cependant, le mécanisme de contrôle était toujours inconnu. En 1959, Romaine Hervey a proposé que les cellules graisseuses produisent un «facteur de satiété» circulant[12]. Alors que les réserves de graisse augmentent, le niveau de ce facteur augmente également. Ce facteur circule à travers le sang et jusqu'à l'hypothalamus, conduisant ainsi le cerveau à envoyer un signal pour réduire l'appétit ou augmenter le métabolisme, ce qui fait revenir la masse adipeuse à la normale. De cette façon, le corps se protège de l'embonpoint.

La course pour trouver ce facteur de satiété était lancée.

Découvert en 1994, ce facteur était la leptine, une protéine produite par les cellules adipeuses. Le nom « leptine » est dérivé de *lepto*, mot grec pour « mince ». Le mécanisme était très similaire à celui proposé des décennies plus tôt par Hervey. Un haut niveau de tissu adipeux produit un haut niveau de leptine. En voyageant vers le cerveau, la leptine repousse la faim afin de prévenir le stockage de graisse supplémentaire.

On a bientôt découvert de rares cas de carence en leptine. Un traitement à l'aide de leptine exogène (de la leptine fabriquée à l'extérieur du corps) a produit des renversements spectaculaires de l'obésité extrême, associée à la carence en leptine. La découverte de la leptine a suscité un énorme enthousiasme dans les communautés pharmaceutique et scientifique. On avait l'impression d'avoir finalement trouvé le gène de l'obésité. Cependant, si la leptine jouait un rôle primordial dans les rares cas d'obésité extrême, il fallait encore déterminer si elle jouait un rôle dans l'obésité humaine ordinaire.

De la leptine exogène a été administrée à des patients en doses croissantes[13] et nous observions en retenant notre souffle pendant que les patients... ne perdaient pas de poids. Les unes après les autres, les études ont confirmé ce résultat amèrement décevant.

La grande majorité des personnes obèses n'ont pas de carence en leptine. Leur taux de leptine est élevé, et non faible. Mais ces taux élevés ne produisent pas l'effet désiré, c'est-à-dire qu'ils ne réduisent pas la masse adipeuse. L'obésité est une résistance à la leptine.

La leptine est une des principales hormones impliquées dans la régulation du poids à l'état normal. Cependant, dans les cas d'obésité, il s'agit d'une hormone secondaire parce qu'elle échoue au test de la causalité. Administrer de la leptine ne rend pas les gens minces. L'obésité chez l'humain est une maladie de résistance à la leptine et non une carence en leptine. La question demeure toujours sans réponse. Qu'est-ce qui cause la résistance à la leptine? Qu'est-ce qui cause l'obésité?

TROISIÈME PARTIE

UN NOUVEAU MODÈLE POUR COMPRENDRE L'OBÉSITÉ

6. UN NOUVEL ESPOIR

La théorie de la réduction des calories était aussi utile qu'un pont à moitié construit. Les études ont prouvé maintes fois qu'elle ne menait pas à une perte de poids durable. Soit la stratégie « Mangez moins, bougez plus » était inefficace, soit les patients ne la suivaient pas. Les professionnels de la santé ne pouvaient abandonner le modèle des calories, alors que leur restait-il à faire ? Blâmer les patients, bien sûr ! Les médecins et les diététistes ont vitupéré, ridiculisé, rabaissé et réprimandé. Ils étaient irrésistiblement attirés par la réduction calorique parce que cette théorie transformait leur échec à comprendre en un manque de volonté ou de la paresse de la part des patients.

Mais la vérité ne peut être réprimée indéfiniment. Le modèle de la réduction calorique était tout simplement erroné. Il ne fonctionnait pas. Les calories excédentaires ne causaient pas l'obésité, donc une réduction des calories ne pouvait pas la guérir. Le manque d'exercice ne causait pas l'obésité, donc une augmentation de l'exercice physique ne pouvait pas la guérir. Les faux dieux de la religion calorique avaient été démasqués : ils étaient des charlatans.

De ces cendres, nous pouvons maintenant commencer à construire une nouvelle théorie plus robuste de l'obésité. Et avec une meilleure compréhension du gain de poids vient un nouvel espoir, celui de concevoir des traitements plus rationnels et plus performants.

Qu'est-ce qui cause le gain de poids ? Les théories contraires abondent :

- les calories ;
- le sucre ;
- les glucides raffinés ;
- le blé ;
- tous les glucides ;
- les graisses alimentaires ;
- la viande rouge ;
- toutes les viandes ;
- les produits laitiers ;
- le grignotage ;
- la gratification alimentaire ;
- l'addiction alimentaire ;
- la privation de sommeil ;
- le stress ;
- un faible apport en fibres ;
- la génétique ;
- la pauvreté ;
- la richesse ;
- un microbiome intestinal ;
- l'obésité infantile.

Les multiples théories se battent entre elles, comme si elles étaient toutes mutuellement exclusives et qu'il n'y avait qu'une seule vraie cause de l'obésité. Par exemple, des essais récents ont comparé un régime alimentaire faible en calories à un régime alimentaire faible en glucides, présumant que l'un est correct et que l'autre ne l'est pas. La plupart des études sur l'obésité sont menées de cette manière.

Cette approche est erronée puisque toutes ces théories contiennent certains éléments de vérité. Faisons une analogie. Qu'est-ce qui cause les crises cardiaques? Prenez cette liste partielle de facteurs contributifs:

- les antécédents familiaux;
- l'âge;
- le sexe;
- le diabète;
- l'hypertension;
- l'hypercholestérolémie;
- le tabagisme;
- le stress;
- le manque d'activité physique.

Ces facteurs, certains modifiables, d'autres non, contribuent tous au risque de crise cardiaque. Le tabagisme est un facteur de risque, sans vouloir dire pour autant que le diabète ne l'est pas également. Ils sont tous exacts puisqu'ils contribuent tous au problème dans une certaine mesure. Néanmoins, ils sont également inexacts puisqu'ils ne sont pas l'unique cause des crises cardiaques. Par exemple, dans le cadre d'essais cliniques sur les maladies cardiovasculaires, on ne comparerait pas la cessation du tabagisme à la diminution de la pression artérielle puisqu'ils sont tous deux des facteurs contributifs importants.

L'autre problème majeur dans la recherche sur l'obésité est qu'on ne tient pas compte du fait que l'obésité est une maladie qui dépend du temps. Elle ne se développe que sur de longues périodes, habituellement sur des décennies. Un patient typique fera un peu d'embonpoint dans l'enfance et prendra tranquillement du poids, en moyenne de 1 à 2 livres (de 0,5 à 1 kg) par année. Cette quantité de poids peut sembler faible, mais sur quarante ans, le gain pondéral peut aller jusqu'à 80 livres (35 kg). Étant donné le temps que l'obésité prend à se développer, les études à court terme sont d'une utilité limitée.

Faisons une analogie. Supposons que nous étudiions le développement de la rouille dans un tuyau. Nous savons que la formation de la rouille est un phénomène qui prend du temps et qui s'étend sur des mois d'exposition à l'humidité. Il serait inutile de se référer à des études qui ne durent qu'une journée ou deux ; nous conclurions que l'eau ne cause pas de rouille dans le tuyau puisque nous n'avons pas observé de formation de rouille pendant ces quarante-huit heures.

Cette erreur se produit toujours dans les études sur l'obésité chez les humains. L'obésité prend des décennies à se développer. Mais des centaines d'études publiées n'examinent que ce qui se produit sur moins d'un an. Des milliers d'autres études durent moins d'une semaine. Pourtant, elles prétendent faire la lumière sur l'obésité chez les humains.

Il n'existe pas de théorie claire, ciblée et coordonnée pour expliquer l'obésité. Il n'y a pas de cadre théorique pour comprendre le gain et la perte de poids. Ce manque freine le progrès dans le cadre de la recherche, voici donc notre défi : élaborer la théorie hormonale de l'obésité.

L'obésité est un dérèglement hormonal de la masse grasse. Le corps maintient un poids de consigne, comme un thermostat dans une maison. Quand le poids de consigne est trop élevé, le résultat est l'obésité. Si notre poids actuel est plus faible que le poids de consigne, notre corps, en stimulant la faim ou en réduisant le métabolisme ou les deux, tentera de prendre du poids pour atteindre le poids de consigne. Par conséquent, l'alimentation excessive et le ralentissement du métabolisme sont les résultats plutôt que la cause de l'obésité.

Mais pourquoi notre poids de consigne est-il aussi élevé ? Il s'agit, en substance, de la même question que « Qu'est-ce qui cause l'obésité ? ». Pour trouver la réponse, nous devons savoir comment le poids de consigne est régulé. Comment faire remonter ou baisser notre « thermostat » ?

LA THÉORIE HORMONALE DE L'OBÉSITÉ

L'obésité n'est pas causée par un excès de calories, mais plutôt par un poids de consigne trop élevé en raison d'un déséquilibre hormonal.

Les hormones sont les messagers chimiques qui régulent un bon nombre de systèmes, d'appareils et de fonctions de l'organisme comme l'appétit, le stockage des graisses et le taux de sucre dans le sang. Mais quelles hormones sont responsables de l'obésité ?

La leptine, régulateur clé de la graisse corporelle, ne s'est pas révélée être l'hormone responsable du poids de consigne. La ghréline, hormone qui régule la faim, et des hormones telles que le peptide YY et la cholécystokinine, qui régulent la satiété (le sentiment d'être rassasié ou satisfait), jouent toutes un rôle dans le fait de commencer et d'arrêter de manger, mais elles ne semblent pas affecter le poids de consigne. Comment le savons-nous ? Une hormone soupçonnée de causer un gain de poids doit passer le test de la causalité. Si l'on injecte cette hormone à des sujets, ceux-ci doivent prendre du poids. Ces hormones de la faim et de la satiété ne passent pas le test de la causalité. Mais deux hormones passent ce test : l'insuline et le cortisol.

Dans le chapitre 3, nous avons vu que la théorie de la réduction des calories se base sur cinq prémisses qui se sont révélées fausses. Cette théorie hormonale de l'obésité évite de faire ces fausses prémisses. Prenez en considération ce qui suit.

Supposition 1 : les calories absorbées et les calories dépensées sont indépendantes les unes des autres

La théorie hormonale explique pourquoi les calories absorbées et les calories dépensées sont synchronisées entre elles.

Supposition 2 : le métabolisme de base est stable

La théorie hormonale explique comment les signaux hormonaux ajustent le taux métabolique de base afin de faire prendre ou perdre du poids.

Supposition 3 : nous exerçons un contrôle conscient sur les calories absorbées

La théorie hormonale explique que les hormones de la faim et de la satiété jouent un rôle clé dans le fait de manger ou non.

Supposition 4 : les réserves de graisse ne sont pas régulées

La théorie hormonale explique que les réserves de graisse, comme tous les systèmes et appareils de l'organisme, sont étroitement régulées et réagissent aux changements sur le plan de l'apport alimentaire et du niveau d'activité physique.

Supposition 5 : une calorie est une calorie

La théorie hormonale explique pourquoi différentes calories causent différentes réponses métaboliques. Parfois, les calories sont utilisées pour réchauffer le corps, alors qu'à d'autres moments elles seront emmagasinées sous forme de graisse.

LES MÉCANISMES DE LA DIGESTION

Avant de parler de l'insuline, nous devons comprendre les hormones en général. Les hormones sont des molécules qui transmettent des messages à une cellule cible. Par exemple, l'hormone thyroïdienne transmet un message aux cellules de la glande thyroïde pour faire augmenter son activité. L'insuline transmet le message à la plupart des cellules du corps de prendre le glucose du sang pour l'utiliser comme énergie.

Pour transmettre ce message, les hormones doivent s'attacher à la cellule cible en se liant au récepteur sur la surface de la cellule, comme une clé dans une serrure. L'insuline agit sur le récepteur de l'insuline pour amener le glucose dans la cellule. L'insuline est la clé et s'insère confortablement dans la serrure (le récepteur). La porte s'ouvre et le glucose entre. Toutes les hormones fonctionnent à peu près de la même manière.

Quand nous mangeons, les aliments sont décomposés dans l'estomac et dans l'intestin grêle. Les protéines sont décomposées en acides aminés. Les lipides sont décomposés en acides gras. Les glucides, qui sont des chaînes de sucres, sont décomposés en plus petits sucres. Les fibres alimentaires ne sont pas décomposées ; elles voyagent à travers notre corps sans être absorbées. Toutes les cellules du corps peuvent utiliser le sucre dans le sang (glucose). Certains aliments, particulièrement les glucides raffinés, génèrent une plus grande augmentation de la glycémie que d'autres. La hausse du taux de sucre dans le sang stimule la sécrétion d'insuline.

Les protéines génèrent une hausse du taux d'insuline également, mais l'effet sur le taux de sucre est minimal. Les graisses alimentaires, par contre, ont tendance à générer une hausse minimale à la fois du taux de sucre et du taux d'insuline. L'insuline est ensuite rapidement décomposée et éliminée du sang. Elle a une demi-vie de seulement deux ou trois minutes.

L'insuline est un régulateur clé du métabolisme énergétique et l'une des hormones essentielles qui favorisent l'accumulation et le stockage du gras. L'insuline facilite le captage du glucose dans les cellules pour l'énergie. Sans une quantité suffisante d'insuline, le glucose s'accumule dans la circulation sanguine. Le diabète de type 1 est le résultat d'une destruction auto-immune des cellules du pancréas qui produisent l'insuline, ce qui entraîne un taux extrêmement faible de celle-ci. La découverte de l'insuline (découverte qui a valu à Frederick Banting et à J.J.R. Macleod le prix Nobel de médecine en 1923) a fait de cette maladie mortelle une maladie chronique.

Aux heures de repas, l'absorption de glucides fait en sorte que plus de glucose que nécessaire est disponible. L'insuline aide à retirer le glucose de la circulation sanguine pour l'emmagasiner afin qu'il puisse être utilisé plus tard. On emmagasine ce glucose en le transformant en glycogène dans le foie, un processus appelé glycogenèse. (*Genèse* signifie « création de », ce terme veut donc dire « création de glycogène ».) Les molécules de glucose sont liées ensemble en de longues chaînes pour former le glycogène. L'insuline est le stimulus principal de la glycogenèse. Nous pouvons convertir le glucose en glycogène et vice versa assez facilement.

Mais l'espace de stockage du glycogène dans le foie est limité. Une fois qu'il est rempli, les glucides excédentaires seront transformés en gras, un processus appelé lipogenèse de novo. (*De novo* signifie « renouvelé » ; lipogenèse de novo signifie « faire du nouveau gras ».)

Plusieurs heures après un repas, la glycémie et le taux d'insuline commencent à chuter. Moins de glucose est disponible pour les muscles, le cerveau et les autres organes. Le foie commence à décomposer le glycogène en glucose afin de le libérer dans la circulation générale pour créer de l'énergie, soit le processus de stockage du glycogène inversé. Ce processus se produit la nuit, en supposant que vous ne mangiez pas la nuit.

Le glycogène est facilement disponible, mais en quantité limitée. Pendant un jeûne à court terme (« jeûne » signifiant que vous ne mangez pas), votre corps a assez de glycogène pour fonctionner. Pendant un jeûne prolongé, votre corps peut produire du nouveau glucose à partir des réserves de graisse, un processus appelé gluconéogenèse (la « fabrication de nouveau sucre»). La graisse est brûlée pour libérer de l'énergie, qui est envoyée au corps par la suite, c'est-à-dire le processus de stockage des graisses inversé.

L'insuline est une hormone de stockage. Une grande consommation de nourriture mène à la sécrétion d'insuline. L'insuline met ensuite en marche le stockage du sucre et du gras. Quand il n'y a pas de consommation de nourriture, le taux d'insuline chute et la combustion du sucre et du gras se met en branle.

Ce processus se produit tous les jours. Normalement, ce système bien conçu et équilibré se contrôle de lui-même. Nous mangeons, le taux d'insuline augmente et nous emmagasinons de l'énergie sous forme de glycogène et de gras. Nous jeûnons, le taux d'insuline descend et nous utilisons l'énergie emmagasinée. Pour autant que nos périodes de jeûne et d'alimentation soient équilibrées, ce système demeure équilibré. Si nous déjeunons à 7 heures et finissons le souper à 19 heures, les douze heures d'alimentation équilibrent les douze heures de jeûne.

Le glycogène est comme votre portefeuille. L'argent y entre et en sort constamment. Le portefeuille est facilement accessible, mais ne peut contenir qu'un montant d'argent limité. Le gras, cependant, est comme l'argent dans votre compte bancaire. Il est plus difficile d'avoir accès à cet argent, mais il y a un espace de stockage illimité pour l'énergie dans ce compte. Comme le portefeuille, le glycogène est capable de fournir rapidement du glucose au corps. Cependant, la réserve de glycogène est limitée. Comme le compte bancaire, les réserves de graisses contiennent une quantité illimitée d'énergie, mais elle est plus difficile d'accès.

Bien sûr, cette situation explique partiellement la difficulté à perdre le gras accumulé. Avant d'aller chercher de l'argent à la banque, vous dépensez ce que vous avez dans votre portefeuille. Mais vous n'aimez pas avoir un portefeuille vide. De la même manière, avant d'aller chercher de l'énergie à la « banque du gras », vous dépensez l'énergie disponible dans votre « portefeuille de glycogène ». Mais vous n'aimez pas non plus que votre « portefeuille de glycogène » soit vide. Vous le gardez donc bien rempli, ce qui vous empêche d'accéder à la « banque de gras ». En d'autres termes, avant même de pouvoir commencer à brûler du gras, vous commencez à avoir faim et vous êtes anxieux parce que votre réserve de glycogène s'appauvrit. Si vous remplissez continuellement votre réserve de glycogène, vous n'avez jamais besoin d'utiliser vos réserves de graisses pour produire de l'énergie.

Que se passe-t-il avec le gras excédentaire produit par la lipogenèse de novo ? Le gras nouvellement synthétisé peut être emmagasiné sous forme de graisse viscérale (autour des organes), de tissu adipeux sous-cutané (sous la peau) ou emmagasiné dans le foie.

En temps normal, un taux d'insuline élevé stimule le stockage du sucre et du gras. Un faible taux d'insuline suscite la combustion du glycogène et du gras. Un niveau constamment excessif d'insuline aura tendance à faire augmenter le stockage de gras. Un déséquilibre entre l'alimentation et le jeûne mènera à une augmentation de l'insuline, ce qui cause une augmentation du gras, et voilà : obésité.

L'insuline pourrait-elle être le régulateur hormonal du poids corporel ?

INSULINE, POIDS DE CONSIGNE ET OBÉSITÉ

L'obésité se développe quand l'hypothalamus ordonne au corps d'augmenter la masse grasse afin d'atteindre le poids de consigne voulu. Les calories disponibles sont détournées afin de faire augmenter le gras, ce qui laisse le corps en manque d'énergie (calories). La réaction rationnelle du corps est d'essayer d'obtenir plus de calories. Il augmente les signaux hormonaux de la faim et diminue les signaux hormonaux de la satiété. On peut résister au besoin de manger et réduire notre apport calorique. Cette façon de procéder va contrarier l'hypothalamus pendant un certain temps, mais il a d'autres moyens de persuasion. Le corps conserve les calories dont il a besoin pour la croissance en gras en désactivant d'autres fonctions et le métabolisme ralentit. L'augmentation des calories absorbées et la diminution des calories dépensées (manger plus, bouger moins) ne causent pas l'obésité, il s'agit plutôt du résultat de l'obésité.

Le poids de consigne est étroitement régulé. Le poids de la plupart des gens demeure relativement stable. Même les personnes qui prennent du poids ont tendance à le faire de façon extrêmement graduelle, de 1 à 2 livres par année. Cela ne signifie cependant pas que le poids de consigne ne change pas. Au fil du temps, il y a un réajustement à la hausse du thermostat du corps. La clé pour comprendre l'obésité est de comprendre ce qui régule le poids de consigne, pourquoi le poids de consigne est aussi élevé et comment le réajuster à la baisse.

Comme régulateur clé de la réserve et de l'équilibre énergétiques, l'insuline est le suspect numéro un comme régulateur du poids de consigne. Si l'insuline cause l'obésité, elle doit le faire principalement à travers son effet sur le cerveau. L'obésité est contrôlée dans le système nerveux central par l'entremise du poids de consigne et non en périphérie. Dans cette hypothèse, des taux élevés d'insuline font augmenter le poids de consigne.

Bien sûr, la réponse insulinique diffère grandement entre les patients minces et les patients obèses. Les patients obèses ont tendance à avoir des niveaux d'insuline à jeun plus élevés ainsi qu'une réponse insulinique exagérée aux aliments[1] (voir la figure 6.1[2]). Il est possible que cette activité hormonale mène à un gain de poids.

Figure 6.1 Réponses insuliniques chez les patients minces et chez les patients obèses

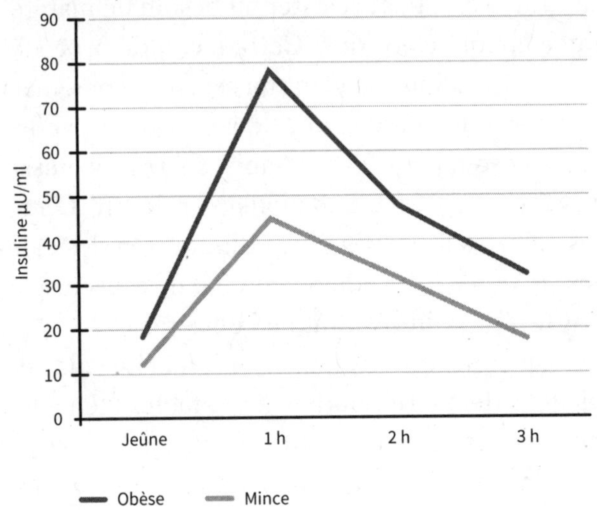

L'insuline cause-t-elle l'obésité ? Cette question, clé de la théorie hormonale de l'obésité, est explorée en détail dans le chapitre suivant.

7. L'INSULINE

JE PEUX VOUS FAIRE ENGRAISSER

En fait, je peux faire engraisser n'importe qui. Comment? En prescrivant de l'insuline. Vous avez de la volonté ou vous faites de l'exercice? Cela n'aura pas d'importance. Les aliments que vous choisirez de manger n'auront aucune importance. Vous allez engraisser. Il s'agit simplement d'une question de temps et d'insuline suffisants.

Une sécrétion d'insuline élevée est depuis longtemps associée à l'obésité[1] : les individus obèses sécrètent plus d'insuline que les individus dont le poids est normal. Également, chez les sujets minces, le taux d'insuline revient rapidement au niveau de base après un repas, mais chez les sujets obèses, le taux d'insuline demeure élevé.

Les taux d'insuline sont presque 20 % plus élevés chez les sujets obèses[2], et sont fortement corrélés à d'importants indices comme le tour de taille et le rapport taille-hanches. Le lien étroit entre les taux d'insuline et l'obésité indique certainement, sans toutefois le prouver, qu'il existe un lien de causalité.

Il peut être difficile de mesurer les taux d'insuline puisqu'ils fluctuent largement pendant la journée en réponse à la nourriture. Il est possible de mesurer un taux moyen, mais pour ce faire, il faut mesurer le taux plusieurs fois dans la journée. Les taux d'insuline à jeun (mesurés après un jeûne d'une nuit) sont plus faciles à doser et le processus se fait en une étape. En effet, la recherche démontre un lien étroit entre un taux élevé d'insuline à jeun et l'obésité. Ce lien est encore plus fort si on tient compte de la masse grasse de la personne plutôt que de son poids total. Dans la *San Antonio Heart Study*, le taux élevé d'insuline à jeun était étroitement corrélé avec un gain de poids sur les huit années de suivi[3]. Comme nous le verrons dans le chapitre 10, un état de résistance à l'insuline mène à un taux élevé d'insuline à jeun. Ce lien n'est pas une coïncidence puisque la résistance à l'insuline elle-même joue un rôle clé dans l'obésité.

Nous savons donc que le rapport entre le taux d'insuline élevé et l'obésité a déjà été clairement établi. La question est maintenant de savoir s'il s'agit vraiment d'un lien de causalité. Un taux d'insuline élevé *cause*-t-il l'obésité ?

LA MISE À L'ÉPREUVE

On peut facilement tester l'hypothèse selon laquelle l'insuline cause l'obésité. On peut prouver qu'il existe un lien de causalité en donnant de façon expérimentale de l'insuline à un groupe d'individus et en mesurant leur gain de poids. Par conséquent, pour notre expérience, voici notre question fondamentale : si l'on prend de l'insuline, nous fera-elle engraisser ?

La réponse courte est un oui catégorique. Les patients qui utilisent régulièrement de l'insuline et les médecins qui la prescrivent connaissent déjà la cruelle vérité[4] : plus vous donnerez de l'insuline, plus vous aurez d'obésité. L'insuline cause l'obésité. De nombreuses études, principalement menées sur des patients diabétiques, ont déjà démontré ce fait. L'insuline cause un gain de poids.

L'insuline est couramment utilisée pour traiter les deux types de diabète. Dans le diabète de type 1, il y a une destruction des cellules du pancréas qui produisent l'insuline, ce qui provoque des taux très faibles d'insuline. Les patients ont besoin d'injections d'insuline pour survivre. Dans le diabète de type 2, les cellules sont résistantes à l'insuline et les taux d'insuline sont élevés. Les patients n'ont pas toujours besoin d'insuline et sont souvent traités en premier avec des médicaments oraux.

Dans l'étude historique *Diabetes Control and Complications Trial*, menée de 1982 à 1993, les chercheurs ont comparé la dose standard d'insuline à une dose élevée, conçue pour contrôler étroitement la glycémie chez des patients atteints de diabète de type 1[5]. Après six ans, l'étude a prouvé que le contrôle intensif de la glycémie menait à moins de complications pour les patients.

Par contre, que s'est-il passé avec leur poids ? Les participants qui faisaient partie du groupe recevant la dose élevée ont pris en moyenne 9,8 livres (4,5 kg) de plus que les participants qui ont reçu la dose standard. Ouille ! Plus de 30 % des patients ont eu des problèmes considérables de gain de poids. Avant l'étude, le poids des deux groupes était à peu près égal et il y avait peu de cas d'obésité. La seule différence entre les deux groupes était la dose d'insuline administrée. Ces patients avaient-ils soudainement manqué de volonté ? Étaient-ils plus paresseux qu'ils ne l'étaient avant le début de l'étude ? Étaient-ils plus gloutons ? Non, non et non. Les taux d'insuline ont augmenté. Les patients ont pris du poids.

Des études à long terme sur le diabète de type 2 montrent le même effet[6]. Le *United Kingdom Prospective Diabetes Study Group*, organisé dans les années 1970, était à l'époque la plus grande et la plus longue étude jamais menée sur le diabète de type 2. Son objectif principal était de déterminer si une gestion intensive de la glycémie était bénéfique dans le cadre du traitement du diabète de type 2, mais il y avait un bon nombre de sous-études dans cette étude. Encore une fois, deux groupes similaires ont reçu un traitement standard ou un traitement intensif. Dans le groupe recevant le traitement intensif, les patients recevaient l'un des deux traitements suivants : soit des injections d'insuline, soit une dose de sulfonylurées, qui augmente la sécrétion d'insuline par le corps. Les deux traitements font augmenter les taux d'insuline, mais par l'entremise de mécanismes différents. Les injections d'insuline font augmenter les taux sériques davantage que les sulfonylurées.

Qu'est-il arrivé au poids des participants ? Le groupe recevant un traitement intensif a pris environ 6,8 livres (3,1 kg) en moyenne. Ceux qui ont été traités à l'aide d'insuline en ont pris encore plus, environ 9 livres (4 kg) en moyenne. L'augmentation des taux d'insuline, que ce soit par l'entremise d'injections d'insuline ou de sulfonylurées, a causé un gain de poids significatif. Encore une fois, les taux d'insuline ont augmenté. Les patients ont pris du poids.

De nouveaux types d'insuline à action prolongée entraînent aussi un gain de poids[7]. Une étude datant de 2007 a comparé trois différents protocoles. Que s'est-il produit avec le poids des participants ? L'étude notait : « En général, les patients ont pris du poids sur tous les schémas posologiques. » Les participants qui faisaient partie du groupe d'insuline basale, qui recevaient la plus basse dose d'insuline, ont pris le moins de poids avec une moyenne de 4,2 livres (1,9 kg). Les participants qui faisaient partie du groupe d'insuline prandiale, qui ont reçu la dose la plus élevée d'insuline, ont pris le plus de poids avec une moyenne de 12,5 livres (5,7 kg). Le groupe intermédiaire a pris en moyenne 10,3 livres (4,7 kg). Plus les médecins donnaient d'insuline, plus les participants prenaient du poids.

Et la réduction de l'apport calorique s'est révélée inutile. Dans une étude fascinante datant de 1993, une dose élevée d'insuline a permis une quasi-normalisation de la glycémie dans un groupe de patients atteints du diabète de type 2[8]. En partant de zéro, on a augmenté graduellement la dose sur une période de six mois pour atteindre 100 unités par jour. Au même moment, les patients ont diminué leur apport calorique de plus de 300 calories par jour.

La glycémie des patients était excellente. Mais qu'en était-il de leur poids ? Il a augmenté en moyenne de 19 livres (8,7 kg) ! Même s'ils mangeaient moins que jamais, les patients prenaient du poids. Les calories n'étaient pas à l'origine de ce gain de poids. C'était l'insuline.

L'insuline cause également un gain de poids chez les non-diabétiques. Prenez par exemple ce qui se produit chez les patients atteints d'insulinomes, des tumeurs très rares qui sécrètent de l'insuline et qui touchent habituellement les non-diabétiques. Le taux d'incidence de ces tumeurs est estimé à seulement quatre cas pour un million par année. Cette tumeur sécrète constamment de très grandes quantités d'insuline, ce qui cause des épisodes récurrents d'hypoglycémie (taux de sucre sanguin très bas). Et le poids ? Des études de cas prospectives ont démontré qu'un gain de poids se produit chez 72 % des patients[9]. L'ablation de la tumeur a mené à la guérison dans 24 cas sur 25. L'ablation de l'insulinome malin a provoqué une perte de poids rapide et soutenue[10].

Une étude de cas datant de 2005 décrit une femme de vingt ans chez qui on a diagnostiqué un insulinome[11]. Elle avait pris 25 livres (11,3 kg) dans l'année précédant son diagnostic. Une augmentation de l'apport calorique n'était pas à blâmer pour le gain de poids. La réduction calorique n'avait rien à voir avec la perte de poids. L'élément déterminant était l'insuline. La hausse et la baisse d'insuline correspondaient au gain et à la perte de poids.

LES HYPOGLYCÉMIANTS ORAUX

Nous avons vu que les injections d'insuline fabriquée à l'extérieur du corps causent un gain de poids. Il existe cependant d'autres médicaments, appelés hypoglycémiants oraux, qui sont pris par voie orale et qui provoquent une plus grande production d'insuline par le corps. Si ces médicaments causent également l'obésité, il s'agit d'une preuve très solide qu'il existe un lien de causalité entre l'insuline et le gain de poids.

Les sulfonylurées et la metformine

Il existe plusieurs pilules pour traiter le diabète de type 2. La classe des sulfonylurées fonctionne en stimulant le pancréas afin qu'il produise plus d'insuline de manière à faire baisser la glycémie. Il est bien connu que tous les médicaments de cette classe causent un gain de poids[12].

Un autre type d'hypoglycémiant oral est la metformine. La metformine fait diminuer la quantité de glucose produite par le foie et augmente le captage du glucose par les muscles[13, 14].

L'insuline, les sulfonylurées et la metformine ont tous des effets différents sur les taux d'insuline. L'insuline fait le plus augmenter les taux d'insuline dans le sang. Les médicaments de la classe des sulfonylurées font également augmenter les taux d'insuline, mais pas autant que l'insuline, et la metformine ne fait pas du tout augmenter l'insuline. Ces trois traitements ont été comparés dans une autre étude[15, 16].

Sur le plan du contrôle de la glycémie, il n'y avait pas de différence entre le groupe qui recevait de la metformine et le groupe qui recevait des sulfonylurées. Mais quels étaient les effets des différents traitements sur le poids? Les participants du groupe ayant reçu de l'insuline ont eu le gain de poids le plus prononcé: plus de 10 livres (4,5 kg) en moyenne. (Nous avons augmenté l'insuline. Les patients ont pris du poids.) Les participants du groupe ayant reçu des sulfonylurées ont également pris du poids, environ 6 livres (2,5 kg) en moyenne. (Nous avons augmenté l'insuline un peu ; les patients ont pris un peu de poids.) Les patients ayant reçu de la metformine n'ont pas pris plus de poids que les patients qui ne faisaient que suivre un régime. (Nous n'avons pas augmenté l'insuline ; les patients n'ont pas pris de poids.) L'insuline cause un gain de poids.

Les thiazolidinediones

Les médicaments de la classe des thiazolidinediones fonctionnent en augmentant la sensibilité à l'insuline. Les thiazolidinediones ne font pas augmenter les taux d'insuline. Ils amplifient plutôt l'effet de l'insuline, ce qui a pour résultat une diminution de la glycémie. Les thiazolidinediones ont déjà été très populaires, mais en raison de préoccupations liées à la sécurité de deux de ces médicaments, la rosiglitazone et la pioglitazone, ils sont maintenant rarement utilisés.

Ces médicaments ont montré un effet majeur en plus de réduire la glycémie. En amplifiant l'effet de l'insuline, ce sensibilisateur à l'insuline causait un gain de poids.

Les analogues à l'incrétine

Des hormones appelées incrétine sont sécrétées dans l'estomac en réponse à la nourriture. Ces hormones peuvent ralentir la vidange de l'estomac, ce qui a comme effet secondaire la nausée ainsi qu'une augmentation temporaire de la sécrétion d'insuline, mais seulement pendant les repas. Plusieurs médicaments qui amplifient l'effet des incrétines ont été testés et, en général, il a été constaté qu'ils causent dans le pire des cas un léger gain de poids, mais les résultats des recherches varient[17, 18]. À des doses supérieures, certains analogues à l'incrétine favorisent la perte de poids, ce qui est probablement relié au ralentissement de la vidange de l'estomac. On n'a pas augmenté l'insuline de façon soutenue. Il n'y a pas eu de gain de poids. (Il sera question des analogues à l'incrétine de façon beaucoup plus détaillée au chapitre 17.)

Les inhibiteurs de l'alpha-glucosidase

La classe de médicaments des inhibiteurs de l'alpha-glucosidase bloque les enzymes qui aident à digérer les glucides dans l'intestin grêle. Par conséquent, le corps absorbe moins de glucose et le taux de glucose dans le sang est plus faible. Ni la sécrétion de glucose ni la sécrétion d'insuline ne sont affectées.

La diminution de l'absorption du glucose cause une légère baisse des taux d'insuline[19]. Et le poids ? Les patients ont eu une perte de poids légère, mais statistiquement significative[20]. (Nous avons baissé légèrement l'insuline ; les patients ont perdu un peu de poids.)

Les inhibiteurs du SGLT-2

Les médicaments les plus récents pour le diabète de type 2 sont les inhibiteurs du SGLT-2 (inhibiteurs du sodium-glucose co-transporteur). Ces médicaments bloquent la réabsorption du glucose par les reins et il est donc excrété dans l'urine. Le taux de sucre dans le sang diminue, ce qui entraîne une production moins importante d'insuline. Les inhibiteurs du SGLT-2 peuvent réduire les taux de glucose et d'insuline après un repas respectivement de 35 % et 43 %[21].

Mais quels sont les effets des inhibiteurs du SGLT-2 sur le poids ? Les études montrent systématiquement une perte de poids significative et soutenue chez les patients qui prennent ces médicaments[22]. Contrairement à presque toutes les études sur l'alimentation qui montrent une perte de poids initiale suivie d'un regain de poids, cette étude a révélé que la perte de poids chez les patients qui prennent des inhibiteurs du SGLT-2 durait un an et plus[23]. En outre, leur perte de poids était majoritairement une perte de graisse plutôt que de muscles maigres, même si elle était généralement modeste : environ 2,5 % du poids corporel. (On a diminué l'insuline ; les patients ont perdu du poids.)

LES AUTRES MÉDICAMENTS

Certains médicaments n'ayant pas de lien avec le diabète sont aussi systématiquement liés à un gain ou à une perte de poids. Une méta-analyse récente a passé en revue 257 études randomisées qui comprenait 54 médicaments différents afin de voir lesquels étaient associés à une modification du poids[24].

Le médicament olanzapine, utilisé pour traiter des troubles mentaux, est souvent associé à un gain de poids : 5,2 livres (2,4 kg) en moyenne. Est-ce que l'olanzapine fait augmenter les taux d'insuline ? Absolument ; des études prospectives le confirment[25]. L'insuline augmente, le poids aussi.

La gabapentine, un médicament couramment utilisé pour traiter les névralgies, est également associé à un gain de poids : environ 4,8 livres (2,2 kg).

Est-ce qu'elle amplifie l'effet de l'insuline ? Absolument. On a signalé de nombreux cas d'hypoglycémie à cause de ce médicament[26]. Il semble que la gabapentine fait augmenter la production d'insuline du corps[27]. La quétiapine, autre médicament antipsychotique, est associée à un gain de poids moyen plus faible de 2,4 livres (1,1 kg). Est-ce qu'elle fait augmenter les taux d'insuline ? Absolument. La sécrétion d'insuline et la résistance à l'insuline augmentent après que l'on commence à prendre de la quétiapine[28]. Dans tous ces cas, nous avons augmenté les taux d'insuline ; les sujets ont pris du poids.

JE PEUX VOUS FAIRE PERDRE DU POIDS

Si l'insuline cause un gain de poids, diminuer les taux d'insuline pourrait-il avoir l'effet contraire ? Quand les taux d'insuline sont réduits de manière significative, nous devrions nous attendre à une perte de poids sévère. Les inhibiteurs du SGLT-2 (inhibiteurs du sodium-glucose co-transporteur), qui font diminuer le glucose et l'insuline, sont des exemples de l'effet qu'une diminution de l'insuline peut avoir sur le poids (quoique, dans leur cas, l'effet soit léger). Un autre exemple spectaculaire est celui du patient souffrant de diabète de type 1 qui n'est pas traité.

Le diabète de type 1 est une maladie auto-immune qui détruit les cellules bêta, qui produisent l'insuline dans le pancréas. Les taux d'insuline deviennent extrêmement bas. La glycémie augmente, mais la caractéristique principale de cette maladie est une sévère perte de poids. Le diabète est décrit depuis l'Antiquité. Arétée de Cappadoce, médecin grec renommé, en a donné une description classique: «Le diabète est... la liquéfaction des chairs et des parties solides du corps dans l'urine.» Peu importe le nombre de calories que le patient consomme, il ne peut prendre du poids. Avant la découverte de l'insuline, cette maladie était presque invariablement fatale.

Les taux d'insuline dégringolent; les patients perdent énormément de poids.

Chez les diabétiques de type 1, il existe un trouble appelé diabulimia. De nos jours, les diabétiques de type 1 sont traités par des injections quotidiennes d'insuline. Certains patients veulent perdre du poids pour des raisons esthétiques. La diabulimia est le sous-dosage volontaire d'insuline pour atteindre une perte de poids immédiate et considérable. Cette pratique est extrêmement dangereuse et n'est certainement pas recommandée. Cependant, elle persiste parce qu'il s'agit d'une manière terriblement efficace de perdre du poids. Les taux d'insuline chutent; on perd du poids.

LES MÉCANISMES

Les résultats sont très cohérents. Les médicaments qui font augmenter les taux d'insuline causent un gain de poids. Les médicaments qui n'ont aucun effet sur les taux d'insuline n'ont pas de conséquences sur le poids. Les médicaments qui font baisser les taux d'insuline provoquent une perte de poids. Les effets sur le poids sont indépendants des effets sur la glycémie. Une étude récente[29] suggère que 75 % de la perte de poids dans les cas d'obésité est prédite par les taux d'insuline. Pas la volonté. Pas l'apport calorique. Pas le soutien ni la pression des pairs. Pas l'exercice. Seulement l'insuline.

L'insuline cause l'obésité, ce qui signifie que l'insuline doit être l'un des responsables majeurs du poids de consigne. L'insuline augmente, le poids de consigne augmente. L'hypothalamus envoie des signaux hormonaux au corps pour qu'il prenne du poids. Nous avons faim et nous mangeons. Si nous diminuons volontairement notre apport calorique, notre dépense d'énergie totale va diminuer. Le résultat est le même : un gain de poids.

Comme Gary Taubes le fait judicieusement remarquer dans son livre *Pourquoi on grossit* : « Nous ne devenons pas gros parce que nous mangeons trop. Nous mangeons trop parce que nous devenons gros. » Et pourquoi prenons-nous du poids ? Nous prenons du poids parce que le thermostat de notre poids de consigne est réglé trop haut. Pourquoi ? Parce que nos taux d'insuline sont trop élevés.

Les hormones sont cruciales pour comprendre l'obésité. Tout le métabolisme humain, y compris le poids de consigne, est régulé par les hormones. Une variable physiologique cruciale comme la masse graisseuse corporelle n'est pas laissée aux caprices de l'apport calorique quotidien et de l'exercice. Plutôt, les hormones régulent le gras corporel de manière précise et serrée. Nous ne contrôlons pas de façon consciente notre poids, pas plus que nous contrôlons notre rythme cardiaque, notre taux métabolique de base, notre température corporelle ou notre respiration. Ils sont tous régulés automatiquement, notre poids aussi. Les hormones nous disent que nous avons faim (ghréline). Les hormones nous disent que nous sommes rassasiés (peptide YY, cholécystokinine). Les hormones font augmenter la dépense d'énergie (adrénaline). Les hormones arrêtent la dépense d'énergie (hormone thyroïdienne). L'obésité est un dérèglement hormonal d'accumulation de gras. Les calories ne sont rien de plus que la cause immédiate de l'obésité.

L'obésité est un déséquilibre hormonal et non calorique.

Savoir *comment* l'insuline cause un gain de poids est une question plus complexe et les réponses ne sont pas encore connues. Mais il existe beaucoup de théories.

Le Dr Robert Lustig, un spécialiste de l'obésité pédiatrique, croit que les taux élevés d'insuline agissent comme des inhibiteurs de la leptine, l'hormone qui signale la satiété. Les taux de leptine augmentent avec le gras corporel. Cette réponse agit sur l'hypothalamus comme une boucle de rétroaction négative pour diminuer l'apport en nourriture et pour faire en sorte que le corps retourne à son poids idéal. Cela dit, puisque le cerveau devient résistant à la leptine à cause d'une exposition constante, il ne réduit pas le signal pour obtenir du gras[30].

À bien des égards, l'insuline et la leptine sont des opposés. L'insuline encourage le stockage des graisses. La leptine diminue le stockage des graisses. Des taux élevés d'insuline devraient naturellement agir comme antagonistes à la leptine. Il reste que les mécanismes précis par lesquels l'insuline inhibe la leptine ne sont pas encore connus.

Les taux d'insuline et de leptine à jeun sont plus élevés chez les personnes obèses, ce qui indique un état de résistance à la fois à l'insuline et à la leptine. La sécrétion de leptine à la suite d'un repas était également différente. Chez les personnes minces, les taux de leptine ont augmenté, ce qui est sensé puisque la leptine est une hormone de la satiété. En revanche, chez les sujets obèses, les taux de leptine ont chuté. Malgré le repas, leur cerveau ne recevait pas le message d'arrêter de manger. La résistance aux taux de leptine observée chez les personnes obèses peut également se développer à cause de l'autorégulation[31, 32]. Des taux constamment élevés de leptine mènent à une résistance à la leptine. Il est également possible que des taux élevés d'insuline provoquent une augmentation du gain de poids à cause de mécanismes qui ne sont pas liés à la leptine dans des voies qui restent encore à découvrir.

L'élément déterminant à comprendre n'est toutefois pas *comment* l'insuline cause l'obésité, mais que dans les faits, l'insuline *cause* l'obésité.

Une fois que nous comprenons que l'obésité est un déséquilibre hormonal, nous pouvons commencer à la traiter. Si nous croyons qu'un excès de calories cause l'obésité, on la traite en réduisant les calories. Mais cette méthode a été un échec retentissant. Néanmoins, si trop d'insuline cause l'obésité, il devient manifeste que nous devons diminuer les taux d'insuline.

Le problème n'est donc pas de savoir comment équilibrer les calories ; le problème est de savoir comment équilibrer nos hormones. La question la plus cruciale en ce qui concerne l'obésité est de savoir *comment réduire l'insuline.*

8. LE CORTISOL

Je peux vous faire engraisser. En fait, je peux faire engraisser n'importe qui. Comment? En prescrivant de la prednisone, une version synthétique de l'hormone humaine cortisol. La prednisone est utilisée pour traiter un bon nombre de maladies, y compris l'asthme, l'arthrite rhumatoïde, le lupus, le psoriasis, les maladies intestinales inflammatoires, le cancer, la glomérulonéphrite et la myasthénie.

Et quel est l'un des effets les plus constants de la prednisone? Tout comme l'insuline, elle cause un gain de poids. Ce n'est pas un hasard si l'insuline et le cortisol jouent un rôle clé dans le métabolisme glucidique. Une stimulation prolongée du cortisol fera augmenter les taux de glucose et, subséquemment, l'insuline. Cette augmentation de l'insuline joue un rôle important dans le gain de poids.

L'HORMONE DU STRESS

Le cortisol est appelé «l'hormone du stress», qui sert de médiateur à la réaction de combat ou de fuite, un ensemble de réponses psychologiques aux menaces perçues. Le cortisol, qui fait partie de la classe des hormones stéroïdes appelées glucocorticoïdes (glucose + cortex + stéroïde), est produit dans le cortex surrénal. À l'époque paléolithique, le stress qui provoquait la sécrétion de cortisol était souvent physique : par exemple, lorsqu'on était pourchassé par un prédateur. Le cortisol est essentiel pour préparer notre corps à l'action, à combattre ou à fuir.

Une fois sécrété, le cortisol améliore considérablement la disponibilité du glucose[1], qui fournit de l'énergie aux muscles, ce qui est très nécessaire pour nous aider à courir afin d'éviter d'être dévoré. Toute l'énergie disponible est utilisée pour survivre à un événement stressant. La croissance, la digestion et les autres activités métaboliques à long terme sont provisoirement suspendues. Les protéines sont décomposées et transformées en glucose (gluconéogenèse).

Un effort physique intense (le combat ou la fuite) suivait souvent, ce qui brûlait ces nouvelles réserves de glucose disponibles. Peu de temps après, soit nous étions morts, soit le danger était passé et le taux de cortisol diminuait pour revenir à son taux normal, plus faible.

Justement, le corps est bien adapté à une hausse provisoire des taux de glucose et d'insuline. À long terme, cependant, un problème survient.

LE CORTISOL FAIT AUGMENTER L'INSULINE

À première vue, le cortisol et l'insuline semblent avoir des effets contraires. L'insuline est une hormone de stockage. Quand les taux d'insuline sont élevés (aux repas), le corps emmagasine l'énergie sous forme de glycogène et de gras. Cela dit, le cortisol prépare le corps à agir en rendant l'énergie disponible sous des formes facilement utilisables, comme le glucose. Le fait que le cortisol et l'insuline aient un effet similaire sur le gain de poids semble remarquable ; mais c'est bel et bien le cas. Dans les moments de stress physique à court terme, l'insuline et le cortisol jouent des rôles opposés. Il se passe néanmoins quelque chose de différent quand nous vivons un stress psychologique à long terme.

De nos jours, nous avons un bon nombre de facteurs de stress chroniques non physiques qui font augmenter nos taux de cortisol. Par exemple, des problèmes conjugaux, des problèmes au travail, des conflits avec les enfants ou le manque de sommeil sont tous des facteurs de stress sérieux, mais ils n'entraînent pas un effort physique intense, dont nous avons besoin pour brûler le glucose dans le sang. Dans un contexte de stress chronique, les taux de glucose demeurent élevés et il n'y a pas de résolution de la situation. Notre glycémie peut demeurer élevée pendant des mois, ce qui provoque la sécrétion d'insuline. Un taux de cortisol élevé de manière chronique mène à une augmentation des taux d'insuline, comme l'attestent plusieurs études.

Une étude réalisée en 1998 a démontré que les taux de cortisol augmentaient avec le niveau perçu de stress, étroitement lié à une augmentation des taux de glucose et d'insuline[2]. Puisque l'insuline est le facteur principal de l'obésité, il n'est pas étonnant que l'indice de masse corporelle et l'obésité abdominale aient augmenté.

On peut faire augmenter l'insuline de façon expérimentale à l'aide d'une forme synthétique de cortisol. On donne à des volontaires en bonne santé des doses élevées de cortisol pour faire augmenter leur taux d'insuline de 36 % par rapport à leur taux normal[3]. La prednisone fait augmenter la glycémie de 6,5 %, et les taux d'insuline de 20 %[4].

Avec le temps, la résistance à l'insuline (c'est-à-dire une déficience de la capacité du corps à traiter l'insuline) se développe également, principalement dans le foie[5] et dans le muscle squelettique[6]. Il existe une relation dose-réponse directe entre le cortisol et l'insuline[7]. L'utilisation à long terme de prednisone crée un état d'insulinorésistance chez un patient ou cause même le diabète[8]. Cette augmentation de la résistance à l'insuline mène à des taux élevés d'insuline.

Les glucocorticoïdes causent une dégradation musculaire, ce qui sécrète des acides aminés pour la gluconéogenèse, augmentant ainsi la glycémie. L'adiponectine, sécrétée par les cellules adipeuses, qui augmentent normalement la sensibilité à l'insuline, est supprimée par les glucocorticoïdes.

En un sens, on devrait s'attendre à ce que la résistance à l'insuline se produise puisque l'insuline et le cortisol ont des effets opposés. Le cortisol fait augmenter la glycémie tandis que l'insuline la fait diminuer. La résistance à l'insuline (dont il est question plus en profondeur dans le chapitre 10) est cruciale au développement de l'obésité. Elle mène directement à des taux plus élevés d'insuline, et ceux-ci sont parmi les principaux moteurs de l'obésité. De nombreuses études confirment que l'augmentation du cortisol cause une augmentation de la résistance à l'insuline[9, 10, 11].

Si l'augmentation du cortisol cause une augmentation de l'insuline, alors une réduction du cortisol devrait faire baisser l'insuline. On observe cet effet chez les patients ayant reçu une greffe et qui prennent de la prednisone (le cortisol synthétique) pendant des années ou des décennies comme médicament antirejet. Selon une étude, le sevrage de prednisone a causé une chute de 25 % de l'insuline plasmatique, ce qui s'est traduit par une perte de poids de 6 % et une diminution de 7,7 % du tour de taille[12].

LE CORTISOL ET L'OBÉSITÉ

Voici la vraie question qui nous intéresse : le cortisol cause-t-il un gain de poids ? Le test décisif est le suivant : est-ce que je peux faire prendre du poids à quelqu'un à l'aide de prednisone ? Si c'est le cas, on pourrait prouver qu'il existe une relation causale plutôt qu'une simple association. La prednisone cause-t-elle l'obésité? Absolument! Le gain de poids est l'un des effets secondaires les plus courants, connus et appréhendés de la prise de prednisone. Il s'agit d'une relation de causalité.

Il est utile d'examiner ce qui se produit chez les personnes souffrant de certaines maladies, particulièrement de la maladie ou du syndrome de Cushing, qui se caractérise par une production excessive et à long terme de cortisol. La maladie de Cushing tient son nom de Harvey Cushing qui, en 1912, a décrit le cas d'une femme de vingt-trois ans souffrant de gain de poids, d'un excès de pilosité et d'un arrêt des menstruations. Dans près du tiers des cas de maladie ou de syndrome de Cushing, on observe une glycémie élevée et un diabète clinique.

Mais la caractéristique principale du syndrome de Cushing, même chez les gens atteints de formes bénignes, est le gain de poids. Dans une série de cas, 97 % des patients montrent une prise de poids abdominale et 94 % montrent une augmentation du poids corporel[13, 14]. Peu importe qu'ils ne mangent que très peu ou qu'ils fassent de l'exercice, les patients prennent du poids. Toutes les maladies qui causent une sécrétion excessive de cortisol vont entraîner un gain de poids. Le cortisol cause un gain de poids.

Néanmoins, on a constaté qu'il existe un lien entre le cortisol et le gain de poids, même chez les personnes qui n'ont pas le syndrome de Cushing. Dans un échantillon aléatoire du nord de Glasgow, en Écosse[15], les taux d'excrétion de cortisol étaient fortement corrélés à l'indice de masse corporelle et au tour de taille. Des taux plus élevés de cortisol étaient observés chez les gens faisant de l'embonpoint. Le gain de poids lié au cortisol, particulièrement sous forme d'accumulation de gras à l'abdomen, entraîne une augmentation du rapport taille-hanches. (Cet effet est significatif puisque les dépôts de gras abdominal sont plus dangereux pour la santé qu'un gain de poids généralisé.)

D'autres mesures du cortisol confirment son lien avec l'obésité abdominale. Les gens ayant une excrétion plus importante du cortisol dans l'urine ont un rapport taille-hanches plus élevé[16]. Les gens dont la salive contient plus de cortisol ont un indice de masse corporelle et un rapport taille-hanches plus élevés[17]. Une exposition à long terme au cortisol dans le corps peut également être mesurée par une analyse du cuir chevelu. Dans une étude[18] comparant des patients obèses à des patients dont le poids était normal, des chercheurs ont constaté que les taux de cortisol dans le cuir chevelu étaient élevés chez les patients obèses. En d'autres termes, des preuves concrètes indiquent qu'une stimulation chronique du cortisol fait augmenter la sécrétion d'insuline et l'obésité. Par conséquent, la théorie hormonale de l'obésité prend forme : des taux élevés de cortisol de façon chronique font augmenter les taux d'insuline, ce qui mène à l'obésité.

Et le contraire ? Si des taux élevés de cortisol causent un gain de poids, de faibles taux de cortisol devraient entraîner une perte de poids. Cette situation se produit chez ceux qui souffrent de la maladie d'Addison. Thomas Addison a décrit cette maladie, aussi connue sous le nom d'insuffisance surrénale, en 1855. Le cortisol est produit dans la glande surrénale. Quand la glande surrénale est endommagée, les taux de cortisol dans le corps peuvent descendre très bas. La caractéristique principale de la maladie d'Addison est la perte de poids. Jusqu'à 97 % des patients ont perdu du poids[19]. (Les taux de cortisol ont baissé ; les patients ont perdu du poids.)

Le cortisol peut agir par l'intermédiaire de taux élevés d'insuline et par l'insulinorésistance, mais il reste d'autres voies à découvrir. Cependant, un fait indéniable demeure : un excès de cortisol cause un gain de poids.

Donc, par extension, le stress cause un gain de poids, un fait que bien des gens comprennent intuitivement, malgré le manque d'éléments probants rigoureux. Le stress ne contient ni calories ni glucides, mais peut tout de même mener à l'obésité. Le stress à long terme mène à une augmentation à long terme des taux de cortisol, ce qui entraîne des livres supplémentaires.

Réduire le stress est difficile, mais d'une importance vitale. Contrairement à certaines idées reçues, s'asseoir devant la télé ou devant l'ordinateur est une mauvaise manière de soulager le stress. Le soulagement du stress est plutôt un processus actif. Il existe une multitude de méthodes éprouvées pour soulager le stress, comme la méditation de pleine conscience, le yoga, la massothérapie et l'exercice. Des études sur les interventions fondées sur la pleine conscience ont prouvé que les participants étaient en mesure d'utiliser le yoga, les méditations guidées et les groupes de discussion afin de réduire les taux de cortisol et la graisse abdominale[20].

Pour trouver des renseignements pratiques sur la réduction du stress grâce à la méditation de pleine conscience et une amélioration de l'hygiène du sommeil, consultez l'annexe C.

LE SOMMEIL

De nos jours, la privation de sommeil est une cause importante de stress. La durée du sommeil est en constant déclin[21]. En 1910, les gens dormaient en moyenne neuf heures. Or, plus récemment, plus de 30 % des adultes âgés de trente à soixante-quatre ans disent dormir moins de six heures par nuit[22]. Les travailleurs de quarts sont particulièrement sujets au manque de sommeil et rapportent souvent dormir moins de cinq heures par nuit[23].

Les études démographiques montrent invariablement un lien entre la courte durée du sommeil et l'embonpoint[24, 25]. En général, sept heures de sommeil est le point où le gain de poids commence. Dormir de cinq à six heures est associé à une augmentation de plus de 50 % du risque de gain de poids[26]. Plus nous sommes privés de sommeil, plus nous risquons de prendre du poids.

LES MÉCANISMES

La privation de sommeil est un puissant facteur de stress et stimule donc le cortisol. Cela entraîne par la suite à la fois des taux élevés d'insuline et une résistance à l'insuline. Une seule nuit de privation de sommeil fait augmenter les taux de cortisol de plus de 100 %[27]. Le lendemain soir, le cortisol est plus élevé de 37 % à 45 %[28].

La limitation du sommeil à quatre heures chez des volontaires en bonne santé a entraîné une diminution de 40 % de la sensibilité à l'insuline[29], même après une seule nuit de privation de sommeil[30]. Après cinq jours de restriction du sommeil, la sécrétion d'insuline a augmenté de 20 % et la sensibilité à l'insuline a diminué de 25 %. Les taux de cortisol ont augmenté de 20 %[31]. Dans une autre étude, la diminution de la durée du sommeil a augmenté le risque de diabète de type 2[32].

La leptine et la ghréline, hormones clés dans le contrôle de la masse adipeuse et de l'appétit, ont un rythme quotidien et sont déréglées par une perturbation du sommeil. La *Wisconsin Sleep Cohort Study* et l'*Étude des familles de Québec* ont démontré qu'un sommeil de courte durée[33] est associé à un poids corporel plus élevé, des taux de leptine plus bas et des taux de ghréline plus élevés.

La privation de sommeil nuit indéniablement aux efforts de perte de poids[34]. Il est intéressant de noter que la privation de sommeil dans un contexte où le niveau de stress est faible ne provoque pas une diminution de la leptine ou une augmentation de la faim[35], ce qui suggère que ce n'est pas la privation de sommeil en soi qui est nocive, mais l'activation des hormones du stress et des mécanismes de la faim. Un sommeil de bonne qualité est essentiel à tout programme de perte de poids.

9. L'OFFENSIVE ATKINS

L'HYPOTHÈSE GLUCIDES-INSULINE

Maintenant que nous avons établi que l'insuline cause l'obésité, la prochaine question est la suivante : quels aliments causent une hausse de nos taux d'insuline ? Les candidats de choix sont les glucides raffinés, c'est-à-dire les grains et les sucres hautement raffinés. Cela nous amène à une idée nouvelle, mais également à une vieille idée qui précède même William Banting : l'idée que les « glucides engraissants » causent l'obésité.

Les glucides hautement raffinés sont les aliments les plus notoires parmi ceux qui font augmenter la glycémie. L'hyperglycémie entraîne des taux élevés d'insuline. Des taux élevés d'insuline mènent à un gain de poids et à l'obésité. Cet enchaînement de causes et d'effets est appelé l'hypothèse glucides-insuline. Le célèbre Dr Robert Atkins s'est retrouvé au centre de la controverse entourant cette théorie.

En 1963, le Dr Robert Atkins était un homme corpulent. Comme William Banting cent ans plus tôt, il devait faire quelque chose. Il pesait 224 livres (100 kg) et avait commencé à travailler comme cardiologue dans un cabinet de New York. Il avait essayé les méthodes conventionnelles pour perdre du poids, mais ses efforts avaient été infructueux. Se remémorant les documents médicaux publiés par les Drs Pennington et Gordon sur les régimes pauvres en glucides, il a décidé d'essayer cette approche. À sa grande stupéfaction, elle fonctionnait à la perfection. Sans compter les calories, il a perdu les livres en trop qui le gênaient. Il a commencé à prescrire le régime pauvre en glucides à ses patients et a connu des succès remarquables.

En 1965, il est apparu au *Tonight Show* et, en 1970, il a été cité dans le magazine américain *Vogue*. En 1972, il a publié un ouvrage original, *La Révolution diététique du Dr Atkins*. Son livre est immédiatement devenu un best-seller et demeure l'un des livres sur la nutrition s'étant vendu le plus rapidement.

LES RÉGIMES PAUVRES EN GLUCIDES : UNE RÉVOLUTION

Le Dr Atkins n'a jamais prétendu avoir inventé le régime pauvre en glucides. Cette approche existait bien avant que le médecin jadis populaire écrive sur le sujet. Jean Anthelme Brillat-Savarin a écrit sur les glucides et l'obésité en 1825. William Banting a décrit la même relation dans son pamphlet à succès, *Letter on Corpulence*, en 1863. Ces concepts existent depuis près de deux siècles.

Or, dans les années 1950, la théorie de la réduction des calories a commencé à dominer. Il était tellement plus « scientifique » de parler de calories plutôt que d'aliments. Mais il y avait toujours des obstacles. En 1953, dans un éditorial qu'il signait dans le *New England Journal of Medicine*, le Dr Alfred Pennington soulignait le rôle des glucides dans l'obésité[1]. Réalisées par le Dr Walter Bloom, des études qui comparaient les régimes pauvres en glucides aux régimes basés sur le jeûne ont démontré que la perte de poids était semblable[2].

Le Dr Irwin Stillman a écrit *Le Régime de perte de poids rapide du Dr Stillman* en 1967 et recommandait un régime riche en protéines et pauvre en glucides[3]. Le livre s'est rapidement vendu à plus de 2,5 millions d'exemplaires. Puisque nous avons besoin de plus d'énergie pour métaboliser les protéines alimentaires (l'effet thermogénique des aliments), manger plus de protéines pourrait théoriquement causer une plus grande perte de poids. Le Dr Stillman avait lui-même perdu 50 livres (22,7 kg) en suivant le « régime Stillman », qui contenait jusqu'à 90 % de protéines. Il aurait utilisé ce régime pour traiter plus de 10 000 patients en surpoids. Quand le Dr Atkins s'est jeté dans la mêlée, la révolution des régimes pauvres en glucides était bien engagée.

Dans son best-seller paru en 1972, le Dr Atkins soutient que le fait de restreindre sévèrement les glucides garde les taux d'insuline bas, ce qui réduit la faim et mène à une perte de poids. Il n'a pas fallu attendre longtemps avant que les autorités dans le domaine de la nutrition réagissent. En 1973, le Council on Foods and Nutrition de l'American Medical Association a publié une attaque virulente contre les idées du Dr Atkins. La plupart des médecins de l'époque craignaient que la forte teneur en matières grasses de son régime ne mène à des crises cardiaques et des accidents vasculaires cérébraux[4].

Néanmoins, les adeptes du régime pauvre en glucides ont continué de prêcher. En 1983, le Dr Richard Bernstein, lui-même diabétique de type 1 depuis l'âge de neuf ans, a ouvert une clinique controversée dans le but de traiter les diabétiques à l'aide d'un régime pauvre en glucides, une méthode contraire à la plupart des enseignements dans le monde de la médecine et de la nutrition à l'époque. En 1997, Bernstein a publié le livre *Dr. Bernstein's Diabetes Solution*. En 1992 et encore une fois en 1999, Atkins a mis à jour son best-seller avec la publication du livre *Le Nouveau Régime Atkins*. Les livres de Bernstein et Atkins sont devenus des best-sellers monstres, s'écoulant à plus de 10 millions d'exemplaires. En 1993, les scientifiques Rachael et Richard Heller ont signé le livre *Vaincre la dépendance aux glucides*, qui lui aussi s'est vendu à plus de 6 millions d'exemplaires. L'offensive Atkins était désormais bel et bien en marche.

La popularité des régimes pauvres en glucides s'est ravivée dans les années 1990 avant de s'enflammer en 2002 quand le journaliste primé Gary Taubes a écrit un article de fond controversé dans le *New York Times* intitulé « What If It's All Been a Big Fat Lie? ». Il affirmait que la graisse alimentaire, longtemps soupçonnée de causer l'athérosclérose, était en fait inoffensive pour la santé humaine. Cet article a été suivi des best-sellers *Good Calories, Bad Calories* et *Pourquoi on grossit*, dans lesquels il exposait l'idée que les glucides sont la cause principale du gain de poids.

L'EMPIRE CONTRE-ATTAQUE

Ces idées s'implantaient lentement dans la communauté médicale. Un bon nombre de médecins estimaient toujours que les régimes pauvres en glucides n'étaient que la dernière lubie dans une longue série de modes alimentaires ratées. L'American Heart Association (AHA) a fait paraître son propre livre intitulé *No-Fad Diet: A Personal Plan for Healthy Weight Loss*. Il est un peu ironique de constater que tout en condamnant les autres régimes, l'AHA recommandait le seul régime, le régime faible en gras, qui s'était révélé inefficace à de multiples reprises. Mais la religion du « faible en gras » était consacrée par la communauté médicale, et celle-ci ne tolérait pas les sceptiques. Malgré un renversant manque de preuves pour soutenir la recommandation d'un régime faible en gras, les associations médicales comme l'AHA et l'American Medical Association montaient rapidement au créneau pour défendre leurs croyances et dénoncer ces nouveaux régimes « à la mode ». Mais l'offensive Atkins était implacable. En 2004, plus de 26 millions d'Américains affirmaient suivre un quelconque régime pauvre en glucides. Même les chaînes de restauration rapide se sont mises de la partie en introduisant dans leurs menus des burgers enrobés de laitue. La possibilité de réduire de façon permanente l'excès de poids et toutes les complications médicales qui y sont associées semblait à portée de main.

L'AHA a admis que l'efficacité des régimes à teneur réduite en gras n'avait pas été prouvée à long terme. Elle a également reconnu que le régime Atkins avait un meilleur effet sur le taux de cholestérol et entraînait une perte de poids initiale plus rapide. Malgré ces avantages, l'AHA a réitéré ses préoccupations quant à l'athérogénéité, soit le rythme auquel les plaques se forment dans les artères. Il n'y avait évidemment aucune preuve pour soutenir ces inquiétudes. Au sujet de sa propre recommandation qui, elle, était sans fondement scientifique, l'AHA n'exprimait pas la moindre inquiétude !

Aucune inquiétude sur l'effet néfaste que pouvait avoir un apport plus élevé en sucre et autres glucides raffinés. Aucune inquiétude quant au fait qu'il avait été prouvé dans pratiquement toutes les études alimentaires qu'un régime faible en gras était un échec spectaculaire. Aucune inquiétude au sujet des épidémies d'obésité et de diabète qui faisaient rage tout juste sous leur nez. L'AHA jouait du violon pendant que Rome brûlait.

Pendant les quarante années où l'AHA a recommandé un régime faible en gras, la crise de l'obésité a pris des proportions gargantuesques. Pourtant, l'AHA ne s'est jamais demandé si sa recommandation inefficace aidait vraiment les gens. Plutôt, les médecins jouaient à leur jeu favori : ils ont blâmé les patients. Ce n'est pas notre faute si le régime n'a pas fonctionné ; c'est la faute des patients, car ils n'ont pas suivi le régime.

LES RÉGIMES PAUVRES EN GLUCIDES : UNE COMMUNAUTÉ MÉDICALE AHURIE

Alors qu'un nouveau compétiteur défiait les croyances conventionnelles dans le domaine de la nutrition, la campagne d'insultes et de sous-entendus commençait. Néanmoins, de nouvelles études se sont mises à paraître au milieu des années 2000 et comparaient les « nouveaux » régimes pauvres en glucides aux anciennes normes. Le résultat en a étonné plusieurs, moi y compris. La première étude, publiée dans le prestigieux *New England Journal of Medicine* en 2003[5], a confirmé qu'à court terme la perte de poids était plus élevée avec le régime Atkins. En 2007, le *Journal of the American Medical Association* a publié une étude plus détaillée[6]. Quatre programmes de perte de poids populaires ont été comparés. Un grand gagnant est ressorti de cet essai : le régime Atkins. Les trois autres régimes (le régime Ornish, très pauvre en gras ; le régime Zone, qui équilibre les protéines, les glucides et les lipides dans des proportions de 30:40:30 ; et un régime pauvre en gras standard) ont donné des résultats similaires sur le plan de la perte de poids. Cependant, en comparant le régime Atkins au régime Ornish, il est devenu évident que non seulement la perte de poids était plus importante, mais également que le profil métabolique était meilleur. La pression artérielle, le cholestérol et la glycémie s'étaient encore plus améliorés avec le régime Atkins.

En 2008, l'étude *DIRECT*[7] (*Dietary Intervention Randomized Controlled Trial*) a confirmé de nouveau que le régime Atkins était supérieur pour la perte de poids à court terme. Menée en Israël, cette étude comparait le régime méditerranéen au régime faible en gras et au régime Atkins. Tandis que le régime méditerranéen maintenait son aplomb face au puissant régime Atkins, le régime standard faible en gras de l'AHA a mordu la poussière : triste, fatigué et mal-aimé, sauf par les médecins œuvrant dans le milieu universitaire. Plus important encore, les bienfaits des régimes méditerranéen et Atkins sur le plan du métabolisme ont été confirmés. Le régime Atkins entraînait une réduction du taux de sucre dans le sang de 0,9 %, beaucoup plus que tous les autres régimes et presque autant que la plupart des médicaments.

Sur une période de six mois, le régime riche en protéines et à faible indice glycémique maintenait plus efficacement la perte de poids qu'un régime faible en gras[8]. Une partie de l'explication pourrait être que différents programmes de perte de poids provoquent différents changements sur le plan de la dépense d'énergie totale. Le Dr David Ludwig, de l'Université Harvard, a démontré que le régime faible en gras ralentissait le plus le métabolisme du corps[9]. Quel était le meilleur régime pour maintenir le métabolisme ? Le régime très faible en glucides. Ce régime semblait également réduire l'appétit. En 2005, le Dr G. Boden écrivait dans les *Annals of Internal Medicine*: « Quand nous avons retiré les glucides, les patients ont spontanément réduit leur apport calorique de 1 000 calories par jour[10]. » Les taux d'insuline ont chuté et la sensibilité à l'insuline a été rétablie.

Peut-être que manger des glucides raffinés mène à des « addictions alimentaires ». Les signaux naturels de la satiété sont des hormones qui ont un puissant effet dissuasif pour empêcher la suralimentation. Des hormones comme la cholécystokinine et le peptide YY répondent aux protéines et aux matières grasses ingérées pour nous dire d'arrêter de manger. Maintenant, retournons au buffet à volonté mentionné au chapitre 5. À un certain moment, vous ne pouvez tout simplement plus manger et l'idée de consommer deux côtelettes de porc de plus est répugnante. Ce sentiment provient de vos hormones de la satiété qui vous disent que vous en avez eu assez.

Mais si on vous offrait une petite tranche de gâteau ou de tarte aux pommes ? Il n'est pas aussi difficile de manger maintenant, n'est-ce pas? Enfants, nous disions que nous avions un deuxième estomac: après avoir rempli notre premier estomac, nous en imaginions un second pour les desserts. Curieusement, malgré le fait que nous n'avions plus faim, il nous restait encore de la place pour des glucides hautement raffinés comme du gâteau ou de la tarte; mais pas pour des protéines et des matières grasses. D'une manière ou d'une autre, les aliments hautement raffinés ou transformés ne déclenchent pas la sécrétion des hormones de la satiété, et nous mangeons donc du gâteau.

Pensez aux aliments auxquels les gens se disent «accros». Les pâtes, le pain, les biscuits, le chocolat, les croustilles. Vous remarquez quelque chose? Ce sont tous des glucides hautement raffinés. Vous avez déjà entendu quelqu'un dire qu'il était accro au poisson? Aux pommes? Au bœuf? Aux épinards? Probablement pas. Ce sont des aliments délicieux, mais qui ne nous rendent pas accros.

Prenez par exemple les aliments réconfortants. Le macaroni au fromage. Les pâtes alimentaires. La crème glacée. La tarte aux pommes. Les patates pilées. Les crêpes. Que remarquez-vous? Ce sont tous des glucides hautement raffinés. Il est prouvé que ces aliments activent le mécanisme de récompense dans notre cerveau, ce qui nous amène du «réconfort». Il est facile de devenir accro aux glucides raffinés et d'en manger trop, précisément parce qu'il n'y a pas d'hormone naturelle de la satiété pour contrer les glucides raffinés. C'est que les glucides raffinés ne sont pas des aliments naturels, mais plutôt des aliments hautement transformés. Leur toxicité réside dans leur transformation.

LE DÉCLIN DU RÉGIME ATKINS

Les études mentionnées ci-dessus ont laissé les professionnels de la santé ahuris et quelque peu estomaqués. Elles avaient été entreprises dans le but de détruire la réputation du régime Atkins. Elles voulaient l'enterrer mais l'ont plutôt couronné. Une par une, les inquiétudes quant aux régimes pauvres en glucides ont été dissipées. La révolution diététique était en route. Vive la révolution. Mais des problèmes se profilaient à l'horizon.

Des études à plus long terme sur le régime Atkins n'ont pas permis de confirmer les bénéfices escomptés. Le Dr Gary Foster, de l'Université Temple, à Philadelphie, a publié des résultats sur deux ans qui démontraient que les groupes qui avaient suivi le régime faible en gras et le régime Atkins avaient perdu puis repris du poids pratiquement au même rythme[11]. Après douze mois, tous les patients de l'étude *DIRECT*, y compris les patients qui suivaient le régime Atkins, avaient repris la majorité du poids qu'ils avaient perdu[12]. Un examen systématique de toutes les études sur ce régime alimentaire a montré qu'une bonne partie des avantages d'une approche pauvre en glucides s'évaporait après un an[13].

Une plus grande adhérence au régime était supposément l'un des principaux avantages de l'approche Atkins puisqu'il n'y avait pas de calories à compter. Or, suivre les sévères restrictions alimentaires du régime Atkins n'était pas plus facile que le conventionnel décompte des calories. L'adhérence au régime était également faible dans les deux groupes et plus de 40 % des patients l'ont abandonné dans l'année.

Avec le recul, on peut affirmer que ce résultat était assez prévisible. Le régime Atkins restreignait sévèrement les aliments tels que les gâteaux, les biscuits, la crème glacée et autres desserts. Ces aliments font manifestement engraisser, peu importe le régime auquel vous adhérez. Nous continuons de les manger tout simplement parce que nous sommes gourmands. La nourriture est une célébration et les festins accompagnent les célébrations depuis la nuit de temps. Cela est aussi vrai en 2017 apr. J.-C. que cela l'était en 2017 av. J.-C. Lors des anniversaires, des mariages et des fêtes, que mangeons-nous ? Du gâteau. De la crème glacée. De la tarte. Pas des laits frappés à base de poudre de lactosérum et du porc maigre. Pourquoi ? Parce que nous voulons nous faire plaisir. Le régime Atkins n'admet pas ce simple fait. Il était donc voué à l'échec.

L'expérience directe de nombreuses personnes a confirmé que le régime Atkins n'avait pas d'effets durables. Des millions de personnes ont abandonné cette approche et la révolution diététique ne s'est avérée qu'une autre mode. La société Atkins Nutritionals, fondée en 1989 par le Dr Atkins, a déclaré faillite à cause des lourdes pertes occasionnées par le départ des consommateurs. Les bienfaits du régime Atkins sur le poids n'étaient pas durables.

Pourquoi ? Que s'était-il passé ? L'un des principes fondateurs de l'approche faible en glucides stipule que les glucides alimentaires causent la hausse la plus prononcée de la glycémie. Une glycémie élevée entraîne des taux d'insuline élevés. Le taux élevé d'insuline est le facteur déterminant de l'obésité. Ces faits semblent assez raisonnables. Qu'est-ce qui clochait ?

L'HYPOTHÈSE GLUCIDES-INSULINE ÉTAIT INCOMPLÈTE

L'hypothèse glucides-insuline, l'idée que les glucides causent le gain de poids parce qu'ils provoquent la sécrétion d'insuline, n'était pas tout à fait fausse. Les aliments riches en glucides causent certainement une hausse plus prononcée des taux d'insuline que les autres macronutriments. Un taux élevé d'insuline mène certainement à l'obésité.

Cependant, cette hypothèse est incomplète. Il y a plusieurs failles, le paradoxe de l'alimentation à base de riz en Asie étant la plus évidente. Depuis au moins les cinquante dernières années, la plupart des Asiatiques ont basé leur alimentation sur le riz blanc poli, un glucide hautement raffiné. Or, jusqu'à récemment, l'obésité était très rare dans la plupart de ces populations.

Figure 9.1 L'étude *INTERMAP* (2003) a démontré que même si l'alimentation des Chinois et des Japonais était riche en glucides, la consommation de sucre était plus faible dans ces pays qu'aux États-Unis et au Royaume-Uni.

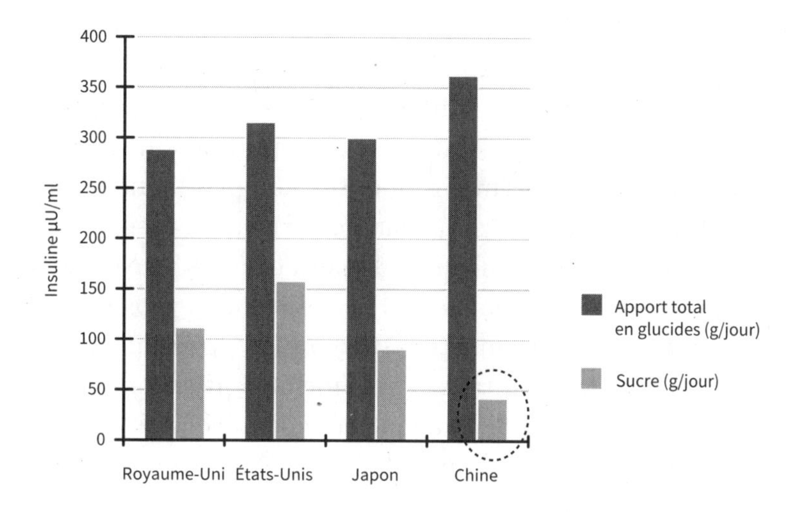

La *International Study of Macronutrients and Blood Pressure* (*INTERMAP*)[14] a comparé en détail l'alimentation aux États-Unis, au Royaume-Uni, en Chine et au Japon (voir la figure 9.1[15]). Cette étude a été réalisée vers la fin des années 1990, avant que la mondialisation occidentalise le régime alimentaire asiatique.

Le total et le pourcentage de l'apport en glucides en Chine dépassent largement ceux des autres pays. Par contre, la consommation de sucre en Chine est extrêmement faible comparativement à celle des autres pays. Au Japon, l'apport en glucides est similaire à celui du Royaume-Uni et des États-Unis, mais la consommation de sucre est beaucoup plus faible. Malgré un apport élevé en glucides, les taux d'obésité en Chine et au Japon sont restés très faibles jusqu'à récemment.

L'hypothèse glucides-insuline n'était donc pas fausse, mais il se passait autre chose. L'apport total en glucides n'était pas le seul facteur en jeu. Le sucre semblait contribuer beaucoup plus à l'obésité que d'autres glucides raffinés.

À vrai dire, un bon nombre de sociétés dites primitives qui mangent surtout des glucides ont des taux d'obésité très bas. En 1989, le Dr Staffan Lindeberg a étudié les résidents de Kitava, une des îles Trobriand, dans l'archipel de la Papouasie-Nouvelle-Guinée, l'un des derniers endroits sur Terre où les gens ont encore un régime alimentaire traditionnel. Les légumes farineux, y compris l'igname, les patates douces, le taro et le manioc, forment la base de leur alimentation. On estime que 69 % des calories provenaient des glucides et que moins de 1 % des calories provenaient d'aliments occidentaux transformés. Malgré un apport élevé en glucides, les taux d'insuline étaient très bas chez les Kitavans ; il n'y avait pratiquement pas d'obésité. En comparant les Kitavans à la population de son propre pays, la Suède, le Dr Lindeberg a découvert que, malgré leur régime alimentaire composé à 70 % de glucides (non raffinés), les Kitavans avaient des taux d'insuline inférieurs au 5e percentile des Suédois[16]. Le Kitavan moyen avait un taux d'insuline inférieur à celui de 95 % des Suédois. L'indice de masse corporelle des jeunes Kitavans était en moyenne de 22 (normal) et il diminuait avec l'âge. La possibilité que plus d'exercice aurait mené à de faibles taux d'insuline et moins d'obésité a été explorée, mais ce n'était pas le cas.

De même, l'alimentation des natifs de l'île japonaise d'Okinawa est composée à près de 85 % de glucides non raffinés dont la patate douce, l'aliment de base. Les Okinawaïens mangent trois fois plus de légumes verts et jaunes, mais seulement 25 % du sucre consommé par les résidents du Japon. Malgré un apport en glucides élevé, il n'y a pratiquement pas d'obésité chez eux et l'indice de masse corporelle moyen est de 20,4. L'une des populations ayant la plus longue espérance de vie au monde, celle d'Okinawa compte trois fois plus de centenaires que le Japon globalement.

Manifestement, l'hypothèse glucides-insuline est une théorie incomplète, ce qui en a mené plus d'un à l'abandonner plutôt que de la réconcilier avec les faits que l'on connaît. Une des hypothèses possibles suggère qu'il existe une différence importante entre le fait de manger du riz ou du blé. Les Asiatiques ont tendance à manger du riz tandis que les sociétés occidentales tirent leurs glucides de produits raffinés à base de blé ou de maïs. Il est également possible que les changements dans les taux d'obésité en Occident soient liés aux changements dans les variétés de blé que nous mangeons. Le Dr William Davis, auteur de *Pourquoi le blé nuit à votre santé*, un best-seller du *New York Times*, suggère que le blé nain que nous mangeons de nos jours est bien différent du blé consommé autrefois. La variété Einkorn est cultivée depuis 3300 av. J.-C. Dans les années 1960, comme la population mondiale croissait rapidement, les techniques agricoles qui avaient pour but d'augmenter la production de blé ont mené à l'apparition de nouvelles variétés : le blé nain et demi-nain. Le blé nain et demi-nain constitue présentement 99 % des cultures commerciales de blé et le fait de consommer ces variétés pourrait avoir des incidences sur la santé.

Il existe bel et bien un lien de causalité entre l'insuline et l'obésité. Néanmoins, il n'est pas du tout certain qu'un apport élevé en glucides soit toujours la cause fondamentale des taux d'insuline élevés. À Kitava, l'apport élevé en glucides n'a pas mené à une hausse des taux d'insuline. La ligne de pensée selon laquelle les glucides constituent le seul moteur de l'obésité est incorrecte. Il manque un morceau essentiel au casse-tête : spécifiquement, le sucre, qui joue un rôle crucial dans l'obésité. Mais lequel ? Le chaînon manquant sera la résistance à l'insuline.

10. LA RÉSISTANCE À L'INSULINE : L'ACTEUR PRINCIPAL

Pendant des décennies, Oprah Winfrey a mené publiquement sa bataille pour perdre du poids. À son point culminant, son poids était de 237 livres (107,5 kg). En 2005, elle s'était acharnée à perdre du poids et avait atteint un relativement svelte 160 livres (72,6 kg). Elle était triomphante. Elle avait coupé les glucides. Elle faisait de l'exercice. Elle disposait d'un chef et d'un entraîneur personnel. Elle avait tout fait «comme il faut» en bénéficiant de tous les avantages auxquels le reste d'entre nous n'a pas accès. Alors pourquoi a-t-elle repris 40 livres (18 kg) en 2009? Pourquoi n'est-elle pas arrivée à maintenir sa perte de poids?

Pourquoi l'obésité de longue date est-elle si difficile à traiter?

Le facteur temps dans les cas d'obésité est presque universellement compris, mais peu reconnu. Généralement, l'obésité s'installe au terme d'un processus graduel de gain de poids, 1 ou 2 livres (de 0,5 à 1 kg) par année. Sur une période de vingt-cinq ans, par contre, on peut accumuler jusqu'à 50 livres en trop (23 kg). Les personnes qui ont été obèses toute leur vie trouvent très difficile de perdre du poids. En revanche, les personnes dont le gain de poids est récent ont beaucoup, beaucoup plus de facilité à perdre les livres en trop.

Les théories conventionnelles de l'obésité, basées sur les calories, tiennent pour acquis que perdre 10 livres (4,5 kg) s'équivaut que vous ayez été obèse une semaine ou une décennie. Si vous réduisez les calories, le poids sera perdu. Mais ce n'est tout simplement pas vrai. De la même façon, l'hypothèse glucides-insuline ne tient pas compte de la durée de l'obésité : réduire les glucides devrait causer une perte de poids, peu importe depuis quand vous êtes en surpoids.

Cependant, le laps de temps a beaucoup d'importance. On peut essayer de minimiser ses effets, mais l'idée que l'obésité de longue date est beaucoup plus difficile à traiter a des relents de vérité.

Nous devons donc reconnaître le phénomène temporel. L'obésité à dix-sept ans a des conséquences dans les *décennies* suivantes[1]. Toute théorie détaillée de l'obésité doit être en mesure d'expliquer pourquoi la durée a tant d'importance.

Des taux élevés d'insuline causent l'obésité. Les choix alimentaires jouent un rôle dans la hausse des taux d'insuline. Mais il manque encore une autre voie responsable de la hausse de l'insuline, une voie à la fois dépendante et indépendante du régime alimentaire : la résistance à l'insuline.

La résistance à l'insuline est Lex Luthor, le grand adversaire de Superman. C'est la force cachée derrière la plupart des ennemis jurés de la médecine moderne, y compris l'obésité, le diabète, la stéatose hépatique, la maladie d'Alzheimer, les maladies du cœur, le cancer, l'hypertension artérielle et l'hypercholestérolémie. Lex Luthor est un personnage fictif. Le syndrome de résistance à l'insuline, aussi appelé syndrome métabolique, ne l'est pas.

COMMENT DÉVELOPPONS-NOUS UNE RÉSISTANCE ?

Le corps humain est caractérisé par le principe biologique fondamental de l'homéostasie. Si les choses changent dans une direction, le corps réagit en allant dans la direction opposée afin de retourner à son état original. Par exemple, si nous avons froid, le corps s'adapte en augmentant la génération de chaleur corporelle. Si nous avons très chaud, le corps transpire pour essayer de se refroidir. La faculté d'adaptation est un préalable à la survie et est vraie pour tous les systèmes biologiques. Autrement dit, le corps développe une résistance. Le corps résiste aux changements qui le mènent hors de sa zone de confort en essayant de s'adapter.

Que se passe-t-il dans le cas de la résistance à l'insuline ? Comme nous l'avons indiqué précédemment, une hormone agit sur la cellule de la même manière qu'une clé s'insère dans une serrure. Quand l'insuline (la clé) ne s'insère plus dans le récepteur (la serrure), on dit de la cellule qu'elle est résistante à l'insuline. Parce que le contact s'effectue mal, la porte ne s'ouvre pas complètement. Par conséquent, moins de glucose entre. La cellule détecte qu'il n'y a pas assez de glucose à l'intérieur. Plutôt, le glucose s'accumule de l'autre côté de la porte. En manque de glucose, la cellule en demande davantage. Pour compenser, le corps produit plus de clés (insuline). Le contact est toujours mal ajusté, mais plus de portes sont ouvertes, ce qui permet à une quantité normale de glucose d'entrer.

Supposons qu'en temps normal nous produisions 10 clés (insuline). Chaque clé ouvre une porte verrouillée qui laisse entrer 2 molécules de glucose. Avec 10 clés, 20 molécules de glucose entrent dans la cellule. Dans des conditions de résistance, la clé ne déverrouille pas complètement la porte. Seulement une molécule de glucose peut entrer. Avec 10 clés, seulement 10 molécules de glucose peuvent entrer. Pour compenser, nous produisons un total de 20 clés. Maintenant,

20 molécules de glucose peuvent entrer, mais seulement parce que nous avons augmenté le nombre de clés. Quand nous développons une résistance à l'insuline, notre corps augmente nos taux d'insuline pour obtenir le même résultat : du glucose dans la cellule. Cependant, nous payons le prix puisque nos taux d'insuline sont constamment élevés.

Pourquoi cela nous importe-t-il ? Parce que la résistance à l'insuline mène à des taux d'insuline élevés, et comme nous l'avons vu, des taux d'insuline élevés causent l'obésité.

Mais quelle est la cause de la résistance à l'insuline en premier lieu ? Le problème serait-il la clé (insuline) ou la serrure (récepteur d'insuline) ? L'insuline est la même molécule, que la personne soit obèse ou mince. Il n'existe aucune différence dans la séquence d'acides aminés ou autre qualité mesurable. Le problème de résistance à l'insuline doit donc être situé au niveau du récepteur. Le récepteur de l'insuline ne répond pas correctement et bloque le glucose à l'extérieur de la cellule. Mais pourquoi ?

Pour commencer à résoudre ce casse-tête, nous devons revenir en arrière et chercher des indices dans d'autres systèmes biologiques. Il existe un bon nombre d'exemples de résistance biologique. Même s'ils ne s'appliquent pas spécifiquement au problème insuline/récepteur, ils peuvent aider à faire la lumière sur le problème de résistance et nous montrer par où commencer.

LA RÉSISTANCE AUX ANTIBIOTIQUES

Commençons par la résistance aux antibiotiques. Quand de nouveaux antibiotiques sont lancés, ils tuent pratiquement toutes les bactéries qu'ils ont été conçus pour tuer. Avec le temps, certaines bactéries développent la capacité de survivre à des doses élevées de ces antibiotiques. Devenues des superbactéries résistantes aux médicaments, elles causent des infections qui sont difficiles à traiter et parfois mortelles. Les infections causées par les superbactéries constituent un problème de plus en plus grave dans un bon nombre de centres hospitaliers urbains à travers le monde. Tous les antibiotiques ont commencé à perdre de leur efficacité à cause de la résistance.

La résistance aux antibiotiques n'est pas nouvelle. Alexander Fleming a découvert la pénicilline en 1928. La production de masse a été perfectionnée en 1942 et a été financée par les gouvernements des États-Unis et du Royaume-Uni afin d'être utilisée pendant la Seconde Guerre mondiale. Dans son discours d'acceptation du prix Nobel, intitulé « Penicillin », le Dr Fleming a correctement prédit l'émergence de la résistance. Il a dit : « Il existe le danger qu'un homme ignorant puisse facilement prendre une dose insuffisante et qu'en exposant ses microbes à une quantité non létale du médicament ceux-ci deviennent résistants. Voici un exemple hypothétique. M. X a mal à la gorge. Il achète de la pénicilline et en prend une quantité insuffisante pour tuer les streptocoques, mais assez pour qu'ils apprennent à résister à la pénicilline[2]. »

En 1947, les premiers cas de résistance aux antibiotiques ont été rapportés. Comment le Dr Fleming a-t-il pu prédire ce phénomène en toute confiance ? Il comprenait l'homéostasie. L'exposition cause la résistance. Un système biologique qui est perturbé tente de revenir à son état initial. Alors que l'usage d'un antibiotique se répand de plus en plus, les organismes qui y sont résistants sont naturellement sélectionnés pour survivre et se reproduire. Par la suite, ces organismes résistants dominent et l'antibiotique devient inutile.

Pour prévenir le développement de la résistance aux antibiotiques, nous devons sévèrement limiter l'utilisation de ces médicaments. Malheureusement, la réaction instinctive d'un bon nombre de médecins à la résistance aux antibiotiques est d'en utiliser davantage afin de surmonter la résistance, ce qui a un effet contre-productif puisque cela ne conduit qu'à davantage de résistance. L'utilisation répétée et importante d'antibiotiques entraîne une résistance aux antibiotiques.

LA RÉSISTANCE VIRALE

Qu'en est-il de la résistance virale? Comment devenons-nous résistants aux virus comme la diphtérie, la rougeole ou la poliomyélite, par exemple? Avant le développement des vaccins, c'était l'infection virale elle-même qui amenait la résistance à d'autres infections. Si vous étiez infecté par le virus de la rougeole dans votre enfance, vous étiez protégé d'une réinfection pour le reste de votre vie. La presque totalité des virus se comporte ainsi; l'exposition cause la résistance.

Les vaccins fonctionnent selon le même principe. Edward Jenner, qui travaillait en région rurale en Angleterre, avait entendu l'histoire bien connue des trayeuses qui avaient développé une résistance au virus mortel de la variole parce qu'elles avaient contracté le virus de la vaccine. En 1796, il a délibérément infecté un jeune garçon avec le virus de la vaccine et a observé comment il a par la suite été protégé contre la variole, un virus similaire. En étant inoculé avec le virus mort ou affaibli, il avait développé une immunité sans toutefois être atteint par la maladie. En d'autres termes, les virus causent une résistance virale. Des doses plus élevées, habituellement sous la forme de vaccinations répétées, causent plus de résistance.

LA RÉSISTANCE AUX DROGUES

Quand quelqu'un consomme de la cocaïne pour la première fois, il y a une réaction intense, un *high.* Avec chaque usage subséquent, le *high* devient moins intense. Parfois, les consommateurs commencent à prendre des doses de plus en plus élevées pour avoir le même effet. Avec l'exposition à la drogue, le corps développe une résistance à son effet, une condition appelée tolérance. Les humains peuvent développer une tolérance aux narcotiques, à la marijuana, à la nicotine, à la caféine, à l'alcool, aux benzodiazépines et à la nitroglycérine.

Le mécanisme de résistance à la drogue est bien connu. L'effet désiré survient parce que les drogues, dont les médicaments, s'insèrent telles des clés dans la serrure des récepteurs sur la surface de la cellule. Par exemple, la morphine agit sur les récepteurs opioïdes afin de procurer un soulagement de la douleur. Lorsqu'il y a une exposition prolongée et excessive aux drogues, le corps réagit en réduisant le nombre de récepteurs. Encore une fois, le principe biologique fondamental de l'homéostasie est à l'œuvre. S'il y a trop de stimulation, les récepteurs de la cellule sont régulés négativement, et les clés ne s'insèrent pas aussi bien dans la serrure. Le système biologique retourne plus près de son état initial. En d'autres termes, l'usage des drogues cause une résistance aux drogues.

DES CERCLES VICIEUX

La réponse automatique au développement de la résistance est d'augmenter la dose. Par exemple, dans les cas de résistance aux antibiotiques, nous réagissons en utilisant plus d'antibiotiques. Nous utilisons des doses plus élevées ou de nouveaux médicaments. La réponse automatique à la résistance à la drogue est de consommer plus de drogue. Un alcoolique prend des doses de plus en plus importantes d'alcool pour battre la résistance, ce qui « surmonte » temporairement la résistance.

Cependant, ce comportement est nécessairement voué à l'échec. Puisque la résistance se développe en réponse à des niveaux élevés et persistants, augmenter la dose ne fait qu'augmenter la résistance. Si une personne consomme une plus grande quantité de cocaïne, elle acquiert une plus grande résistance. Plus nous utilisons d'antibiotiques, plus la résistance aux antibiotiques se développe. Le cycle se poursuit jusqu'à ce que nous ne puissions plus augmenter la dose.

Et il s'agit d'un cycle qui se renforce lui-même, un cycle vicieux. L'exposition mène à la résistance. La résistance mène à une plus grande exposition. Et le cycle continue. Utiliser des doses plus élevées a un effet paradoxal. Utiliser plus d'antibiotiques rend les antibiotiques moins efficaces. Consommer plus de cocaïne rend sa consommation moins efficace.

Récapitulons ce que nous avons appris.

- L'usage des antibiotiques cause une résistance aux antibiotiques. Des doses plus élevées font augmenter la résistance.
- L'infection par un virus cause une résistance au virus. Des doses plus élevées font augmenter la résistance.
- L'usage de drogues cause une résistance aux drogues (tolérance). Des doses plus élevées font augmenter la résistance.

Revenons maintenant à notre question de base : qu'est-ce qui cause la résistance à l'insuline ?

L'INSULINE CAUSE LA RÉSISTANCE À L'INSULINE

Si la résistance à l'insuline est similaire aux autres formes de résistance, les premiers éléments à observer sont les taux d'insuline élevés de façon constante. Si nous augmentons les taux d'insuline, obtient-on une résistance à l'insuline ?

Il s'agit d'une hypothèse facile à tester et, par chance, des études ont déjà été effectuées sur le sujet.

LES PREUVES À L'APPUI

Un insulinome est une tumeur rare[3, 4] qui sécrète des quantités anormalement élevées d'insuline en l'absence de toute autre maladie importante. Quand les taux d'insuline du patient augmentent, le niveau de résistance à l'insuline augmente en même temps ; il s'agit d'un mécanisme de protection et donc d'une très bonne chose. Si la résistance à l'insuline ne se développait pas, les taux élevés d'insuline mèneraient rapidement à un taux très, très bas de sucre dans le sang. L'hypoglycémie sévère qui suivrait pourrait vite mener à une crise d'épilepsie et à la mort. Puisque le corps ne veut pas mourir (tout comme nous), il se protège en développant une résistance à l'insuline : un exemple d'homéostasie. La résistance se développe naturellement pour constituer un bouclier contre des taux d'insuline exceptionnellement élevés. L'insuline cause la résistance à l'insuline.

Une intervention chirurgicale pour enlever la tumeur est le traitement privilégié et abaisse considérablement les taux d'insuline du patient. Une fois la tumeur retirée, la résistance à l'insuline est également considérablement renversée, de même que les problèmes qui y sont associés[5]. Renverser les taux élevés d'insuline renverse la résistance à l'insuline.

Il est simple de reproduire expérimentalement l'état provoqué par l'insulinome. On peut perfuser de l'insuline à des taux plus élevés que la normale à un groupe de volontaires normaux, en santé et non diabétiques. Peut-on provoquer une résistance à l'insuline[6] ? Absolument. Une perfusion d'insuline de quarante heures réduit la capacité des sujets à utiliser le glucose d'un important 15 %. Autrement dit, ils ont développé une résistance à l'insuline supérieure de 15 %.

Voici la portée de cette découverte : je peux vous rendre résistant à l'insuline. Je peux rendre n'importe qui résistant à l'insuline. Je n'ai qu'à lui faire prendre de l'insuline.

Même l'utilisation de taux d'insuline physiologiques normaux donnera exactement le même résultat[7]. Des hommes qui n'avaient pas d'antécédents d'obésité, de prédiabète ou de diabète ont reçu une infusion intraveineuse d'insuline de façon constante pendant quatre-vingt-seize heures. Par la suite, leur sensibilité à l'insuline a chuté de 20 % à 40 %. Les répercussions sont tout simplement stupéfiantes. Avec une quantité d'insuline normale mais constante seulement, ces jeunes hommes minces et en bonne santé étaient devenus résistants à l'insuline. Je peux les mettre sur la voie du diabète et de l'obésité simplement en administrant de l'insuline, ce qui cause une résistance à l'insuline. Dans des conditions normales, bien sûr, les taux d'insuline ne demeurent pas constamment élevés de cette façon.

On prescrit le plus souvent de l'insuline, parfois en doses très élevées, dans les cas de diabète de type 2 afin de contrôler la glycémie. Voici donc notre question : des doses élevées d'insuline provoquent-elles une résistance à l'insuline ?

Une étude menée en 1993 a mesuré cet effet[8]. Les patients ont commencé un traitement intensif d'insuline. En six mois, ils sont passés de zéro insuline à 100 unités par jour en moyenne. Leur glycémie était très, très bien contrôlée. Mais plus ils prenaient d'insuline, plus ils devenaient résistants à l'insuline : un lien de causalité direct, aussi inséparable que notre ombre et notre corps. Même si leurs taux de sucre s'amélioraient, leur diabète empirait ! Ces patients ont également pris une moyenne d'environ 19 livres (8,7 kg), malgré une réduction de leur apport calorique de 300 calories par jour. *La réduction de l'apport calorique n'a eu aucun effet.* Non seulement l'insuline cause une résistance à l'insuline, mais elle cause également un gain de poids.

LE FACTEUR TEMPS ET L'OBÉSITÉ

Nous savons donc que l'insuline cause une résistance à l'insuline. Mais la résistance à l'insuline cause également un taux élevé d'insuline, un cercle vicieux classique. Plus les taux d'insuline sont élevés, plus il y a de résistance à l'insuline. Plus il y a de résistance, plus les taux sont élevés. Le cycle continue encore et encore, un élément renforçant l'autre, jusqu'à ce que l'insuline soit poussée à l'extrême. Plus le cycle continue, plus la situation devient difficile ; c'est pourquoi l'obésité dépend du facteur temps.

Les gens qui sont pris dans ce cercle vicieux pendant des décennies développent une résistance à l'insuline significative. La résistance mène à des taux élevés d'insuline qui sont indépendants du régime alimentaire de la personne. Même si vous changiez votre régime, la résistance garderait toujours vos taux d'insuline élevés. Si votre taux d'insuline demeure élevé, votre poids de consigne demeure élevé. Le thermostat est fixé à un niveau élevé et votre poids sera irrésistiblement tiré vers le haut.

Les gros engraissent. Plus vous souffrez d'obésité longtemps, plus elle est difficile à éliminer. Cela, vous le saviez déjà. Oprah le savait. Tout le monde le savait. La plupart des théories actuelles de l'obésité ne peuvent expliquer cet effet et choisissent donc de l'ignorer. Cependant, l'obésité dépend du facteur temps. Comme la rouille, elle prend du temps à se développer. Vous pouvez étudier les conditions d'humidité et la composition métallique, mais si vous ignorez le facteur temps, vous n'allez pas comprendre le phénomène de formation de la rouille.

Un régime riche en aliments qui provoquent une réponse insulinique peut déclencher l'obésité, mais avec le temps, la résistance à l'insuline devient une plus grande partie du problème et peut en fait devenir un facteur important dans la hausse des taux d'obésité. L'obésité est son propre moteur. Un cycle d'obésité de longue date est extrêmement difficile à briser et les changements sur le plan de l'alimentation peuvent ne pas suffire.

QU'EST-CE QUI EST SURVENU EN PREMIER ?

Il y a ici un problème intéressant semblable à celui de l'œuf et de la poule. Des taux d'insuline élevés mènent à une résistance à l'insuline, et la résistance à l'insuline mène à des taux d'insuline élevés. Lequel est apparu en premier ? Les taux d'insuline élevés ou une forte résistance à l'insuline ? L'un ou l'autre phénomène aurait pu apparaître en premier. Mais on peut trouver la réponse en observant l'évolution de l'obésité.

Dans une étude menée en 1994, des chercheurs ont comparé trois groupes de patients : des gens non obèses, des gens récemment obèses (depuis moins de quatre ans et demi) et des gens obèses de longue date (depuis plus de quatre ans et demi)[9]. Les non-obèses avaient des taux d'insuline plus bas. On s'attendait à ce constat. Mais les deux groupes de sujets obèses avaient des taux d'insuline également élevés, ce qui veut dire que ces taux augmentent, mais ne continuent pas d'augmenter avec le temps.

Qu'en est-il de la résistance à l'insuline ? Au tout début de l'obésité, une personne va présenter une légère résistance à l'insuline, mais elle se développe avec le temps. Plus vous êtes obèse longtemps, plus vous êtes résistant à l'insuline. Graduellement, la résistance à l'insuline va même causer une hausse de vos taux d'insuline à jeun.

Les taux d'insuline élevés sont le premier affront. Des taux d'insuline constamment élevés mèneront graduellement à une résistance à l'insuline. La résistance à l'insuline entraîne alors des taux d'insuline élevés. Mais le point de départ crucial de ce cercle vicieux est le taux d'insuline élevé.

Tout le reste suit et se développe avec le temps, et les gros engraissent.

LE CLOISONNEMENT DE LA RÉSISTANCE À L'INSULINE

Comment la résistance à l'insuline cause-t-elle l'obésité ? Nous savons que l'hypothalamus contrôle le poids de consigne et que l'insuline joue un rôle clé dans le réajustement à la hausse ou à la baisse du poids de consigne. Quand la résistance à l'insuline se développe, se développe-t-elle dans toutes les cellules du corps, y compris celles du cerveau ? Si toutes les cellules sont résistantes à l'insuline, alors un taux élevé d'insuline ne devrait pas faire augmenter le poids de consigne. Cependant, toutes les cellules du corps ne sont pas résistantes de manière égale. La résistance à l'insuline est cloisonnée.

Les principaux compartiments sont le cerveau, le foie et les muscles. Un changement de la résistance de l'un n'entraîne pas un changement aux autres. Par exemple, l'insulinorésistance hépatique (foie) n'affecte pas la résistance à l'insuline dans le cerveau ou les muscles. Quand nous consommons trop de glucides, nous développons une résistance hépatique à l'insuline. Une intervention diététique importante renversera l'insulinorésistance hépatique, mais n'aura aucun effet sur la résistance à l'insuline dans les muscles ou le cerveau. Un manque d'exercice peut mener à une résistance à l'insuline dans les muscles. L'exercice augmentera la sensibilité à l'insuline dans les muscles, mais n'aura que peu d'effets sur la résistance à l'insuline dans le foie ou le cerveau.

En réponse à la résistance hépatique ou musculaire à l'insuline, le taux global d'insuline augmente. Cependant, dans les centres de l'appétit dans l'hypothalamus, l'effet de l'insuline est inchangé. Le cerveau n'est pas résistant à l'insuline.

Quand les taux élevés d'insuline atteignent le cerveau, l'insuline conserve son plein effet afin de faire monter le poids de consigne.

LA PERSISTANCE CRÉE LA RÉSISTANCE

En soi, des taux hormonaux élevés ne peuvent pas causer une résistance. Autrement, nous développerions tous rapidement une résistance paralysante. Nous sommes naturellement protégés contre la résistance parce que nous sécrétons nos hormones (le cortisol, l'insuline, l'hormone de croissance, l'hormone parathyroïde ou toute autre hormone) en rafales. De grandes quantités d'hormones sont libérées à des moments spécifiques pour produire un effet spécifique. Par la suite, les taux chutent rapidement et demeurent très bas.

Prenez par exemple le rythme quotidien du corps. L'hormone mélatonine, produite par la glande pinéale, est pratiquement indétectable le jour. Quand la nuit tombe, elle commence à augmenter, et ses taux maximums sont atteints aux premières heures du jour. Les taux de cortisol augmentent également aux premières heures du jour et atteignent leur niveau le plus élevé juste avant notre réveil. L'hormone de croissance est sécrétée principalement pendant le sommeil lent profond et est habituellement indétectable le jour. La thyréostimuline atteint son taux maximum tôt le matin. La libération périodique de toutes ces hormones est essentielle pour prévenir la résistance.

Quand le corps est exposé à un stimulus constant, il s'acclimate (encore une fois, l'homéostasie est à l'œuvre). Avez-vous déjà observé un bébé qui dort dans un aéroport bruyant et bondé? Le bruit ambiant est très fort, mais constant. Le bébé s'adapte en développant une résistance aux bruits. En fait, il les ignore, tout simplement. Imaginez maintenant ce même bébé qui dort dans une maison. Un minuscule craquement du plancher peut suffire à le réveiller. Même si le bruit n'est pas fort, il est très notable. Le bébé n'est pas habitué à ce bruit. Des niveaux constamment élevés créent une résistance.

Les hormones fonctionnent exactement de la même manière. La plupart du temps, les niveaux d'hormones sont faibles. De temps à autre, une brève impulsion d'hormone (thyroïde, parathyroïde, hormone de croissance, insuline, peu importe) survient. Après cette impulsion, les niveaux d'hormone retournent à un niveau très faible. Les niveaux fluctuant entre des taux faibles et élevés, le corps n'a jamais la chance de s'adapter. La brève impulsion d'hormone est terminée bien avant que la résistance ne se développe.

En fait, notre corps nous garde continuellement dans une salle de repos. De temps à autre, nous sommes momentanément exposés à un bruit. Chaque fois que cela se produit, nous en ressentons les effets. Nous n'avons jamais la chance de nous y habituer afin de développer une résistance.

À eux seuls, des taux élevés ne mènent pas à une résistance. Il y a deux conditions nécessaires à la résistance : des taux hormonaux élevés et un stimulus constant. Nous le savons depuis un certain temps. En fait, nous utilisons cela à notre avantage pour traiter l'angine de poitrine. On prescrit des timbres de nitroglycérine aux patients et on leur recommande souvent de mettre le timbre le matin et de l'enlever le soir.

Comme on alterne les périodes d'effet thérapeutique élevé et faible, le corps ne peut développer une résistance à la nitroglycérine. Si le patient porte le timbre sans arrêt, celui-ci deviendra rapidement inutile. Son corps développera tout simplement une résistance.

En quoi cela s'applique-t-il à l'insuline et à l'obésité ?

Prenez l'expérience décrite plus tôt, dans laquelle on utilisait des perfusions constantes d'insuline. Même les jeunes hommes en santé développaient rapidement une résistance à l'insuline. Mais les taux d'insuline administrés étaient normaux. Qu'est-ce qui avait changé ? La libération périodique. Normalement, l'insuline est sécrétée par salves, ce qui prévient le développement de la résistance à l'insuline. Dans des conditions expérimentales, le bombardement constant d'insuline a mené le corps à réguler ses récepteurs à la baisse et à développer une résistance à l'insuline. Avec le temps, la résistance à l'insuline incite le corps à produire encore plus d'insuline afin de « surpasser » la résistance.

Dans les cas de résistance à l'insuline, tout est dans la composition et le moment des repas : les deux éléments essentiels de la résistance à l'insuline. Le type d'aliments consommés influence les taux d'insuline. Devrions-nous manger des bonbons ou de l'huile d'olive ? Il s'agit là de la question de la composition en macronutriments, ou « quoi manger ». Cependant, la persistance de l'insuline joue un rôle clé dans le développement de la résistance à l'insuline. Il y a donc également la question du moment des repas, ou « quand manger ». Les deux sont tout aussi importants. Malheureusement, nous consacrons de manière obsessionnelle notre temps et notre énergie à tenter de comprendre quels aliments nous devrions manger et nous n'accordons pratiquement pas de temps à quand nous devrions manger. Nous ne considérons que la moitié du tableau.

TROIS REPAS PAR JOUR. PAS DE COLLATIONS.

Revenons en arrière, dans les années 1960 aux États-Unis. Les pénuries alimentaires dues à la guerre étaient chose du passé. L'obésité n'était pas encore un problème majeur. Pourquoi ? Après tout, on mangeait à cette époque des biscuits Oreo, des KitKats, du pain blanc et des pâtes. On mangeait du sucre, mais pas autant qu'aujourd'hui. On mangeait également trois repas par jour, sans collation entre les repas.

Supposons que le déjeuner soit pris à 8 heures, et le souper, à 18 heures. Cela signifie que l'on compense dix heures de consommation d'aliments par quatorze heures de jeûne. Les périodes de hauts taux d'insuline (consommation d'aliments) sont compensées par des périodes de diminution des taux d'insuline (jeûne).

Manger de grandes quantités de glucides raffinés comme le sucre et le pain blanc provoque de plus hauts pics insuliniques. Alors pourquoi l'obésité a-t-elle progressé aussi lentement ? La différence déterminante est dans la période quotidienne de faible taux d'insuline. La résistance à l'insuline a besoin de taux continuellement élevés. Le jeûne pendant la nuit causait des périodes de très faibles taux d'insuline ; la résistance ne pouvait donc pas se développer. Un facteur clé du développement de l'obésité avait été retiré de l'équation.

Figure 10.1 Sécrétion d'insuline dans un modèle alimentaire de trois repas, aucune collation

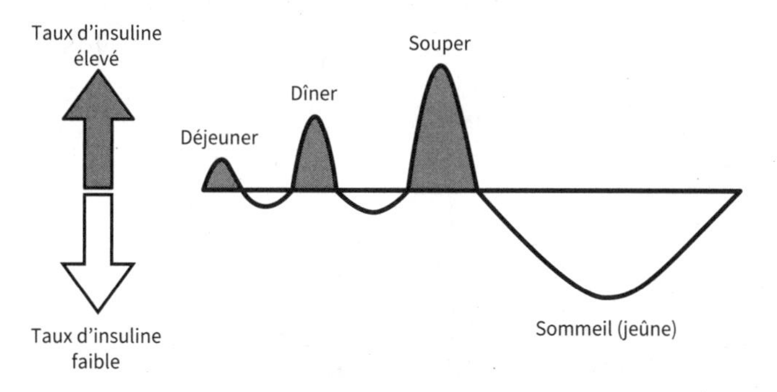

Les impulsions d'insuline (repas) sont suivies d'une longue période de jeûne (sommeil), comme l'illustre la figure 10.1. En revanche, la situation change complètement lorsque nous sommes constamment exposés à l'insuline. Qu'arriverait-il si, tous les jours, le nombre d'occasions de manger passait de trois à six, justement ce qui est arrivé depuis les années 1970 ? Les mères partout savaient que manger des collations était une mauvaise idée : « Tu vas engraisser. » « Tu n'auras plus de place pour le souper. » Mais les autorités dans le domaine de la nutrition avaient décidé que manger des collations était bon pour nous. Que manger plus souvent allait nous rendre plus minces, aussi ridicule que cela puisse paraître. Un bon nombre de médecins et de spécialistes dans le domaine de l'obésité suggèrent de manger encore plus souvent, toutes les deux heures et demie.

Un sondage américain effectué auprès de plus de 60 000 adultes et enfants a révélé qu'en 1977 la plupart des gens mangeaient trois fois par jour[10]. En 2003, la plupart des gens mangeaient de cinq à six fois par jour. Il s'agit là de trois repas et de deux ou trois collations. En moyenne, le délai entre les repas a diminué de 30 %, passant de 271 à 208 minutes. L'équilibre entre un état non à jeun (dominance insulinique) et l'état à jeun (insulinoprive) a été complètement détruit (voir la figure 10.2). Nous passons maintenant la plupart de notre temps dans un état non à jeun. Est-ce vraiment un grand mystère que nous prenions du poids ?

Figure 10.2 Sécrétion d'insuline dans un modèle alimentaire de plusieurs repas et collations

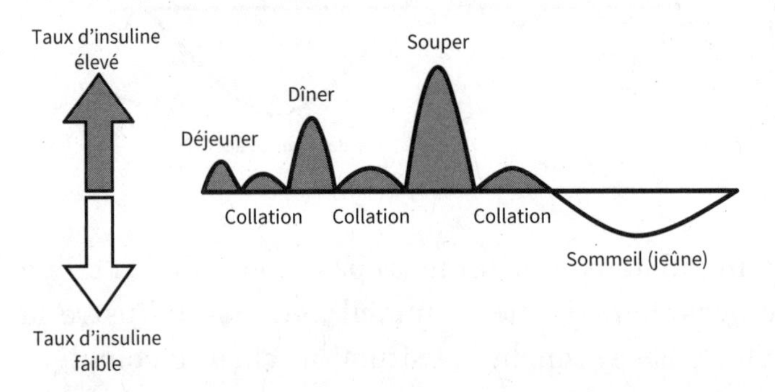

Mais les choses s'aggravent encore. La résistance à l'insuline mène à des taux plus élevés d'insuline *à jeun*. Les taux d'insuline à jeun sont normalement bas. Maintenant, plutôt

que de commencer la journée avec un faible taux d'insuline après une nuit de jeûne, nous la commençons avec un taux d'insuline élevé. La persistance de hauts taux d'insuline mène à encore plus de résistance. En d'autres mots, la résistance à l'insuline mène à une résistance encore plus grande : un cercle vicieux.

Nous avons satisfait les deux préalables à la résistance à l'insuline : des taux élevés et la persistance. Suivre un régime faible en gras a conduit par mégarde à une augmentation de la consommation de glucides raffinés, ce qui entraîne un taux élevé d'insuline, qui contribue au gain de poids.

Mais dans le développement de l'obésité, l'augmentation de la fréquence des repas est presque deux fois plus importante que le changement sur le plan du régime alimentaire[11]. Nous sommes obsédés par ce que nous devrions manger. Nous mangeons des aliments qui n'existaient pas il y a dix ans. Le quinoa. Les graines de chia. Les baies d'açaï. Tout cela dans l'espoir de devenir minces. Mais nous ne pensons pas une seconde à *quand* nous devrions manger.

Plusieurs mythes sont souvent perpétués pour convaincre les gens que le grignotage est bénéfique. Le premier mythe voudrait que manger souvent fasse augmenter le taux métabolique. En effet, votre taux métabolique augmente légèrement après les repas afin que vous digériez votre nourriture ; il s'agit de l'effet thermogénique des aliments. En revanche, la différence globale est extrêmement faible[12]. Manger six petits repas par jour cause une augmentation du taux métabolique six fois par jour, mais seulement une hausse légère. Manger trois plus gros repas par jour cause une augmentation du taux métabolique trois fois par jour, mais beaucoup plus chaque fois. Finalement, il n'y a aucune différence. L'effet thermogénique total des aliments sur vingt-quatre heures pour le gavage et le grignotage est le même : aucun des deux ne procure un avantage sur le plan métabolique.

Manger des repas plus fréquemment n'aide pas à la perte de poids[13].

Un deuxième mythe prétend que manger fréquemment contrôle la faim, mais il est impossible de trouver des preuves à l'appui. Une fois que les gens ont décidé que le grignotage était mieux, je suppose que toutes sortes de raisons ont été inventées pour le justifier. Les études récentes ne corroborent pas cette notion[14].

Un troisième mythe soutient que manger fréquemment empêche le taux de glucose de descendre trop bas. Mais à moins que vous n'ayez le diabète, votre glycémie est stable, que vous mangiez six fois par jour ou six fois par mois. Des gens ont jeûné pendant de longues périodes sans souffrir d'une baisse de leur glycémie, le record mondial étant de 382 jours[15]. Le corps humain a développé des mécanismes pour faire face à de longues périodes sans nourriture. Le corps brûle la graisse pour avoir de l'énergie et la glycémie demeure dans une fourchette normale, même pendant de longues périodes de jeûne, grâce à la gluconéogenèse.

Nous passons notre temps à manger. Les normes sociales, qui jadis voyaient d'un mauvais œil de manger à un autre moment qu'aux repas, permettent maintenant de manger n'importe où, n'importe quand. Les organismes gouvernementaux et les écoles encouragent le grignotage, une habitude qui était autrefois découragée. On nous dit de manger dès le lever. On nous dit de manger le jour et de manger à nouveau avant d'aller au lit. Nous passons jusqu'à dix-huit heures par jour dans un état de dominance insulinique, et seulement six heures dans un état insulinoprive. La figure 10.3 illustre à quel point l'équilibre entre ces deux états a changé.

Plus fou encore, nous avons été endoctrinés au point de croire que manger constamment est bon pour nous ! Pas seulement acceptable, mais sain !

Afin de tenir compte de toutes ces occasions de manger, les normes sociales ont également changé. Avant, la

Figure 10.3 La répartition du temps passé chaque jour en état de dominance insulinique comparativement à un état insulinoprive a beaucoup changé depuis les années 1970

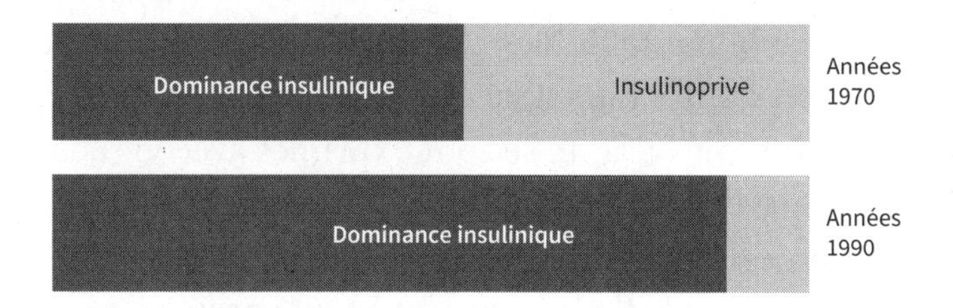

nourriture était consommée aux heures de repas, à table. Maintenant, il est acceptable de manger n'importe où. On peut manger dans la voiture. On peut manger au cinéma. On peut manger devant la télé. On peut manger devant l'ordinateur. On peut manger en marchant. On peut manger en parlant. On peut manger dans un contenant. On peut manger avec un pélican. On peut manger dans une maison. On peut manger avec un lion. Ça vous donne une idée.

Des millions de dollars sont dépensés pour donner des collations aux enfants à longueur de journée. Puis, des millions de plus sont dépensés pour combattre l'obésité infantile. Ces mêmes enfants sont réprimandés parce qu'ils ont pris du poids. Des millions de plus sont dépensés pour combattre l'obésité chez les adultes.

L'augmentation des occasions de manger mène à des taux d'insuline constamment élevés. Les collations, qui ont tendance à être riches en glucides raffinés, ont également tendance à causer une hausse des taux d'insuline. Dans ces conditions, nous devrions nous attendre au développement de la résistance à l'insuline.

Nous ne réfléchissons jamais aux conséquences des changements violents que nous avons apportés à la fréquence des repas. Pensez-y : en 1960, nous mangions trois repas par jour. Il n'y avait pas vraiment d'obésité. En 2014, nous mangeons six repas par jour. Il y a une épidémie d'obésité.

Pensez-vous donc réellement que nous devrions manger six repas par jour ? Pendant que des films comme *Super Size Me : Malbouffe à l'américaine* font la une et que les gens s'égosillent sur le contrôle des portions, le principal coupable reste bien caché : l'insidieuse collation. En effet, bien des professionnels de la santé se sont exprimés avec vigueur pour l'augmentation du nombre d'occasions de manger. Cette situation est aussi insensée qu'elle le paraît. Manger plus pour peser moins. On ne croirait même pas que cette méthode puisse fonctionner.

Et devinez quoi ? Elle ne fonctionne pas.

QUATRIÈME PARTIE

L'OBÉSITÉ : UN PHÉNOMÈNE SOCIAL

11. « BIG FOOD » ET LA NOUVELLE SCIENCE DE L'OBÉSITÉ

Le désir des géants de l'agroalimentaire de faire davantage de profits a alimenté l'augmentation des occasions de manger. Ils ont créé une toute nouvelle catégorie d'aliments appelée « grignotines » et en ont fait la promotion sans relâche. Ils en ont fait la publicité à la télé, dans les journaux, à la radio et sur Internet.

Mais il existe une forme encore plus insidieuse de publicité appelée commandite et recherche. « Big Food » commandite de nombreux grands organismes dans le domaine de la nutrition. Puis, il y a les associations médicales. En 1988, l'American Heart Association a décidé que c'était une bonne idée de commencer à accepter de l'argent pour mettre son symbole « Heart Check » sur des aliments de qualité nutritive douteuse. Le Center for Science in the Public Interest estime qu'en 2002 l'AHA a reçu plus de deux millions de dollars pour ce seul programme[1]. Les entreprises agroalimentaires payaient 7 500 $ pour 1 à 9 produits, mais il y avait un tarif dégressif sur le volume pour plus de 25 produits ! Les accords exclusifs, bien entendu, étaient plus dispendieux. En 2009, des produits aussi nutritionnellement intéressants que les céréales Cocoa Puffs et Frosted Mini Wheats figuraient toujours sur la liste des produits Heart

Check. En 2013, la Dallas Heart Walk, organisée par l'AHA, avait Frito-Lay comme commanditaire vedette. Au Canada, la Fondation des maladies du cœur et de l'AVC n'était pas mieux. Comme le Dr Yoni Freedhoff le souligne sur son blogue, une bouteille de jus de raisin arborant fièrement le logo « Visez santé » contenait 10 cuillères à thé de sucre[2]. Le fait que ces aliments soient du sucre pur ne semblait déranger personne.

Les chercheurs et les médecins enseignants, en tant que leaders d'opinion, n'étaient pas à épargner non plus. Un bon nombre de professionnels de la santé soutiennent l'utilisation de substituts de repas sous forme de lait frappé ou de barres, de médicaments et d'interventions chirurgicales comme s'il s'agissait d'aides au régime alimentaire basées sur des preuves concrètes. Oubliez le régime alimentaire sain composé d'aliments naturels non raffinés. Oubliez la réduction des sucres ajoutés et des fécules raffinées comme le pain blanc. Prenez la liste des ingrédients d'un substitut de repas. Les cinq premiers ingrédients sont de l'eau, de la maltodextrine de maïs, du sucre, du concentré de protéines laitières et de l'huile de canola. Ce dégoûtant mélange d'eau, de sucre et d'huile de canola ne correspond pas à ma définition de « santé ».

En outre, l'impartialité, ou le manque de celle-ci, peut devenir un sérieux problème quand vient le temps de publier des renseignements médicaux. La section consacrée à la divulgation des renseignements financiers de certaines études, publiées dans des revues et sur Internet, peut prendre plus de la moitié d'une page. Les sources de financement ont une influence énorme sur les résultats des études[3]. Une étude menée en 2007 sur les boissons gazeuses par le Dr David Ludwig de l'Université Harvard a prouvé que le fait d'accepter du financement de compagnies dont les produits étaient étudiés augmentait de 700 % les chances d'obtenir un résultat favorable. Cette découverte trouve écho dans les travaux de Marion Nestle, professeure en sciences de la nutrition à l'Université de New York. En 2001, elle a conclu qu'il est « difficile de trouver des études qui n'en sont pas venues à des résultats qui favorisent les intérêts commerciaux de ses commanditaires[4] ».

Il semble que le renard soit maintenant chargé de surveiller le poulailler. Les complices de « Big Food » ont infiltré les murs de la sacro-sainte médecine. Promouvoir le fructose ? Pas de problème. Promouvoir des médicaments contre l'obésité ? Pas de problème. Promouvoir les substituts de repas ? Pas de problème.

Mais on ne pouvait ignorer l'épidémie d'obésité, et il fallait trouver un coupable. Les « calories » étaient le bouc émissaire parfait. Mangez moins de calories, disaient-ils. Mais mangez plus de tout le reste. Aucune compagnie ne vend un produit qui s'appelle « Calories », pas plus qu'il existe une marque appelée « Calories ». Aucun aliment ne s'appelle « Calories ». Sans nom, sans visage, les calories étaient le faire-valoir idéal. Les « Calories » assumeraient maintenant le blâme.

Ils disent que les bonbons ne font pas engraisser. Les calories vous font engraisser. Ils disent que 100 calories de cola peuvent vous faire engraisser autant que 100 calories de brocoli. Ils disent qu'une calorie en vaut une autre. Vous ne le saviez pas ? Mais montrez-moi une personne qui a engraissé parce qu'elle mangeait trop de brocoli cuit à la vapeur. Je le sais. Vous le savez.

Au demeurant, on ne peut pas continuer à manger comme d'habitude, ajouter des matières grasses, des protéines ou des collations et s'attendre à perdre du poids. Au mépris du bon sens le plus élémentaire, les conseils pour perdre du poids impliquent habituellement le fait de manger plus. Jetez un œil sur le tableau 11.1.

Pourquoi donnerait-on des conseils aussi stupides ? *Parce que personne ne fait de profits si vous mangez moins.* Si vous prenez plus de compléments alimentaires, les compagnies de compléments alimentaires font des profits. Si vous buvez plus de lait, les exploitants de fermes laitières font plus de profits. Si vous mangez davantage au déjeuner, les compagnies qui produisent des aliments pour le déjeuner font des profits. Si vous mangez plus de collations, les compagnies qui fabriquent des grignotines font des profits. La liste est longue. Un des pires mythes affirme que le fait de manger plus fréquemment entraîne une perte de poids. Manger des collations pour perdre du poids ? Cela semble plutôt stupide. Et ça l'est.

Tableau 11.1 Conseils habituels pour perdre du poids

Mangez six fois par jour.
Mangez beaucoup de protéines.
Mangez plus de légumes.
Mangez plus d'oméga-3.
Mangez plus de fibres.
Mangez plus de vitamines.
Mangez plus de collations.
Mangez des aliments faibles en matières grasses.
Mangez un déjeuner.
Mangez plus de fer.
Mangez plus de grains entiers.
Mangez plus de poisson.

GRIGNOTER NE VOUS RENDRA PAS MINCE

Les professionnels de la santé nous encouragent maintenant fortement à grignoter, ce qui a été grandement découragé par le passé. Mais des études confirment que grignoter signifie que vous mangez plus. Des sujets à qui l'on donnait une collation obligatoire consommaient moins de calories au repas suivant, mais pas assez pour compenser les calories excessives provenant de la collation[5]. Cette constatation valait autant pour les collations grasses que pour les collations sucrées. Augmenter la fréquence des repas ne provoque pas une perte de poids[6]. Votre grand-mère avait raison. Grignoter vous fera prendre du poids.

La qualité de l'alimentation souffre considérablement parce que les collations ont tendance à être des aliments fortement transformés. Ce fait est notamment un avantage pour « Big Food », puisque vendre des aliments transformés plutôt que de vrais aliments entraîne beaucoup plus de profits. Les glucides raffinés correspondent au besoin de commodité et de durée de conservation. Après tout, les biscuits et les craquelins sont composés de sucre et de farine, et ils ne se gâtent pas.

LE DÉJEUNER : LE REPAS LE PLUS IMPORTANT... À SAUTER ?

La majorité des Américains désignent le déjeuner comme le repas le plus important de la journée. Manger un déjeuner copieux est considéré comme la pierre angulaire d'une saine alimentation. Sauter le déjeuner, nous dit-on, nous donnera une faim de loup et nous rendra enclins à manger trop dans la journée. Même si nous pensons qu'il s'agit d'une vérité universelle, cette habitude est propre à l'Amérique du Nord. Un bon nombre de Français, qui sont connus pour leur minceur, ne boivent qu'un café le matin et sautent le déjeuner. Le terme « petit-déjeuner » suppose implicitement que ce repas devrait être petit.

Établi aux États-Unis en 1994, le National Weight Control Registry suit les personnes ayant maintenu une perte de poids de 30 livres (14 kg) pendant plus d'un an. La majorité (78 %) des participants du National Weight Control Registry déjeunent[7]. Cela, nous dit-on, est la preuve que déjeuner aide à la perte de poids. Mais quel pourcentage des gens qui n'ont pas perdu de poids déjeune ? Sans ce renseignement, il est impossible d'en venir à une conclusion. Et si 78 % des gens qui n'ont pas perdu de poids déjeunaient également? Ces données ne sont pas disponibles.

En outre, le National Weight Control Registry est composé de volontaires et n'est pas représentatif de la population[8]. Par exemple, 77 % des déclarants sont des femmes, 82 % ont fait des études universitaires et 95 % sont caucasiens. De surcroît, un lien (par exemple, entre la perte de poids et le fait de déjeuner ou non) ne signifie pas qu'il s'agit d'un lien de causalité. Une revue systématique des habitudes quant au déjeuner menée en 2013 a permis de constater que la plupart des études interprétaient les données disponibles favorablement à leur propre biais[9]. Des auteurs qui croyaient préalablement que le déjeuner protégeait de l'obésité interprétaient les preuves comme appuyant leur point de vue. En fait, il existe peu d'essais cliniques contrôlés, et la plupart ne montrent aucun effet protecteur provenant du fait de déjeuner ou non.

Il n'est tout simplement pas nécessaire de manger aussitôt que nous nous réveillons. Nous imaginons avoir besoin de nous ravitailler pour la journée à venir. Cependant, notre corps l'a déjà fait automatiquement. Tous les matins, juste avant notre réveil, un rythme circadien naturel donne un électrochoc à notre corps avec un mélange enivrant d'hormones de croissance, de cortisol, d'épinéphrine et de norépinéphrine (adrénaline). Ce cocktail stimule le foie pour qu'il fabrique du nouveau glucose, ce qui nous donne un coup de fouet afin de nous réveiller. Cet effet est appelé le phénomène de l'aube, et il a été très bien décrit depuis des décennies.

Un bon nombre de personnes n'ont pas faim le matin. La sécrétion naturelle de cortisol et d'adrénaline stimule une légère réaction de lutte ou de fuite, ce qui active notre système nerveux sympathique. Le matin, notre corps se prépare à l'action et non à déjeuner. Toutes ces hormones libèrent du glucose dans le sang, pour une poussée d'énergie rapide. Nous sommes déjà ravitaillés et prêts à partir. Nous n'avons tout simplement pas besoin de nous ravitailler avec des céréales sucrées et des bagels. La faim du matin est souvent un comportement appris sur des décennies et qui prend son origine dans l'enfance.

Le mot déjeuner signifie littéralement que le repas nous fait « dé-jeûner », le jeûne étant la période pendant laquelle nous dormons et ne mangeons donc pas. Si nous mangeons notre premier repas de la journée à midi, alors une salade de saumon grillé sera notre repas pour « dé-jeûner », et il n'y a aucun mal à cela.

On pense qu'un gros déjeuner réduit l'apport alimentaire pour le reste de la journée. Cependant, ça ne semble pas toujours être le cas[10]. Des études démontrent que les portions du dîner et du souper ont tendance à demeurer constantes, peu importe le nombre de calories consommées au déjeuner. Plus vous mangez au déjeuner, plus le total de l'apport calorique de la journée entière sera élevé. Pire encore, déjeuner augmente le nombre d'occasions de manger dans une journée. Les gens qui déjeunent ont donc tendance à manger de plus en plus souvent : une combinaison mortelle[11].

En outre, un bon nombre de personnes avouent qu'elles n'ont pas vraiment faim le matin et se forcent à manger seulement parce qu'elles pensent faire le choix santé. Aussi ridicule que cela puisse paraître, de nombreuses personnes se forcent à manger plus afin de perdre du poids. En 2014, un essai clinique randomisé de seize semaines sur les habitudes quant au déjeuner a prouvé que « contrairement au point de vue largement adopté, il n'y avait pas d'effet perceptible sur la perte de poids[12] ».

On nous dit souvent que sauter le déjeuner paralysera notre métabolisme. Le *Bath Breakfast Project*, un essai clinique randomisé, a constaté que « contrairement à la croyance populaire, il n'y a pas d'adaptation métabolique au déjeuner[13] ». La dépense d'énergie totale était la même, que les gens déjeunent ou non. Les gens qui déjeunent consommaient en moyenne 539 calories de plus que ceux qui sautaient le déjeuner, un constat qui concorde avec les résultats d'autres études.

Le principal problème le matin, c'est que nous sommes toujours pressés. Par conséquent, nous voulons la commodité, le caractère abordable et la durée de conservation des aliments transformés. Les céréales sucrées sont les reines du déjeuner, les enfants en étant les cibles principales. La grande majorité (73 %) des enfants mangent régulièrement des céréales sucrées. En revanche, seulement 12 % mangent des œufs au déjeuner. D'autres repas faciles à préparer comme les rôties, le pain, les yogourts sucrés, les pâtisseries danoises, les crêpes, les beignes, les muffins, le gruau instantané et les jus de fruits sont également populaires. Manifestement, les glucides raffinés peu coûteux règnent en maîtres.

Le déjeuner est en effet le repas le plus important de la journée… pour « Big Food ». Flairant l'occasion idéale de vendre plus d'aliments « pour le déjeuner » hautement transformés et très rentables, « Big Food » tournait autour de l'argent facile tels des requins autour d'une proie blessée. « Déjeunez ! » tonnaient-ils. « C'est le repas le plus important de la journée ! » beuglaient-ils. Encore mieux, il y avait là une occasion d'« éduquer » les médecins, les diététistes et les autres professionnels de la santé. Ces gens avaient la respectabilité à laquelle « Big Food » ne pourrait jamais prétendre. L'argent affluait.

Vous avez le droit de vous questionner sur le déjeuner. Avez-vous faim le matin ? Si la réponse est non, écoutez votre corps et ne mangez pas. Déjeuner vous *donne* faim ? Si vous mangez une rôtie et buvez un verre de jus d'orange le matin, avez-vous faim une heure plus tard ? Si oui, ne déjeunez tout simplement pas. Si vous avez faim et que vous voulez déjeuner, faites-le. Mais évitez les sucres et les glucides raffinés. Sauter le déjeuner ne vous autorise pas à manger un beigne Krispy Kreme comme collation en milieu de matinée.

LES FRUITS ET LES LÉGUMES : LES FAITS

Un des conseils les plus répandus pour perdre du poids est de manger plus de fruits et de légumes, qui sont indéniablement des aliments relativement sains. Cependant, si votre objectif est de perdre du poids, la logique dicterait que manger délibérément une plus grande quantité d'un aliment sain n'est pas bénéfique si celui-ci ne remplace pas un autre aliment moins bon pour la santé. Les recommandations nutritionnelles omettent cela. Par exemple, l'Organisation mondiale de la santé écrit : « La prévention de l'obésité implique le besoin de : promouvoir la consommation de fruits et légumes[14]. »

Le *Dietary Guidelines for Americans* de 2010 souligne également l'importance d'augmenter la consommation de fruits et de légumes. En fait, cette recommandation fait partie des *Dietary Guidelines* depuis leur lancement. Les fruits et les légumes sont riches en micronutriments, en vitamines, en eau et en fibres. Ils peuvent également contenir des antioxydants et d'autres agents phytochimiques sains. Ce qui n'est pas dit explicitement, c'est qu'un apport accru en fruits et légumes devrait se substituer à la consommation d'aliments moins sains. On tient pour acquis que la faible densité énergétique et la haute teneur en fibre des fruits et des légumes feront augmenter notre satiété et nous feront manger moins d'aliments riches en calories. Si cette stratégie est le mécanisme principal de la perte de poids, notre conseil devrait être de « remplacer le pain par des légumes ». Mais ce n'est pas le cas. Notre conseil est simplement de manger plus de fruits et de légumes. Peut-on vraiment manger plus pour perdre du poids ?

En 2014, des chercheurs ont rassemblé toutes les études disponibles sur l'augmentation de l'apport en fruits et légumes et la perte de poids[15]. Ils n'ont trouvé aucune étude qui soutienne cette hypothèse. Combiner toutes les études n'a pas non plus permis de montrer des bienfaits sur le plan de la perte de poids. Pour le dire simplement, vous ne pouvez pas manger plus pour perdre du poids, même si les aliments dont vous vous nourrissez davantage sont aussi sains que des légumes.

Donc, devrions-nous manger plus de fruits et de légumes ? Oui, absolument. *Mais seulement s'ils remplacent des aliments malsains dans notre alimentation et ne s'y ajoutent pas*[16].

LA NOUVELLE SCIENCE DE LA DIABÉSITÉ

Une résistance à l'insuline excessivement élevée est appelée diabète de type 2, une maladie connue. Une grande résistance à l'insuline mène à des taux élevés de sucre dans le sang, symptôme de la maladie. En termes concrets, cela signifie que l'insuline cause non seulement l'obésité, mais également le diabète de type 2 ; la cause fondamentale commune des deux maladies est un taux d'insuline constamment élevé. Il s'agit de deux maladies d'hyperinsulinémie. Puisqu'elles sont similaires, on commence à en tenir compte en tant que syndrome que l'on appelle à juste titre diabésité.

Le fait que des taux d'insuline élevés causent l'obésité et le diabète de type 2 a des conséquences majeures. Un traitement réussi des deux maladies ferait *baisser* les taux d'insuline, mais les traitements actuels visent *l'augmentation* des taux d'insuline, ce qui est tout à fait erroné. Donner de l'insuline pour contrôler le diabète de type 2 va aggraver et non améliorer la maladie. Mais peut-on guérir le diabète de type 2 en abaissant les taux d'insuline ? Absolument.

Cependant, il faudrait un autre livre pour clarifier les nombreux malentendus sur le diabète de type 2.

Les changements désastreux et malavisés que nous avons apportés à notre alimentation depuis les années 1970 ont créé le fiasco de la diabésité. Nous avons vu l'ennemi : c'est nous-mêmes. Mangez plus de glucides. Mangez plus souvent. Déjeunez. Mangez plus. Ironiquement, ces changements sur le plan de notre alimentation ont été prescrits afin de réduire l'incidence des maladies du cœur, mais nous l'avons plutôt augmentée puisque la diabésité est l'un des plus importants facteurs de risque pour les maladies du cœur et les accidents vasculaires cérébraux. Nous tentons d'éteindre le feu avec de l'essence.

12. PAUVRETÉ ET OBÉSITÉ

Les Centers for Disease Control à Atlanta tiennent des statistiques détaillées de la prévalence de l'obésité aux États-Unis, qui varie de façon frappante selon les régions. Il est également assez remarquable d'observer que les États ayant le *moins* d'obésité en 2010 ont pourtant des taux plus élevés que les États où il y avait le *plus* d'obésité en 1990 (voir la figure 12.1[1]).

Dans l'ensemble, il y a eu une forte hausse de l'obésité aux États-Unis. Malgré une culture et une génétique similaires au Canada et aux États-Unis, les taux d'obésité aux États-Unis sont beaucoup plus élevés. Ce fait suggère que les politiques gouvernementales doivent jouer un rôle dans le développement de l'obésité. Les États du sud, comme le Texas, ont tendance à avoir beaucoup plus d'obésité que les États de l'ouest (Californie, Colorado) et du nord-est.

On sait depuis longtemps que le statut socio-économique joue un rôle dans le développement de l'obésité, la pauvreté étant en étroite corrélation avec l'obésité. Les États du sud sont relativement moins fortunés que ceux de l'ouest et du nord-est. Avec un revenu médian de 39 031 $ pour l'année 2013, le Mississippi est l'État le plus pauvre des États-Unis[2]. Il a également le plus haut taux d'obésité, soit 35,4 %[3]. Mais pourquoi la pauvreté est-elle associée à l'obésité ?

THÉORIES, CALORIES ET LE PRIX DU PAIN

Il existe une théorie de l'obésité appelée l'hypothèse de la récompense alimentaire, qui postule que le fait de percevoir la nourriture comme une récompense cause la suralimentation. Peut-être que les taux d'obésité ont augmenté parce que les aliments sont plus agréables que jamais à consommer, ce qui pousse les gens à manger plus. Les récompenses renforcent le comportement, et le comportement de manger est récompensé par le caractère «délicieux» des aliments.

L'augmentation de la satisfaction procurée par les aliments n'est pas accidentelle. Les changements sociétaux font que plus de repas sont consommés ailleurs qu'à la maison, au

Figure 12.1 Progression de l'obésité chez les adultes américains

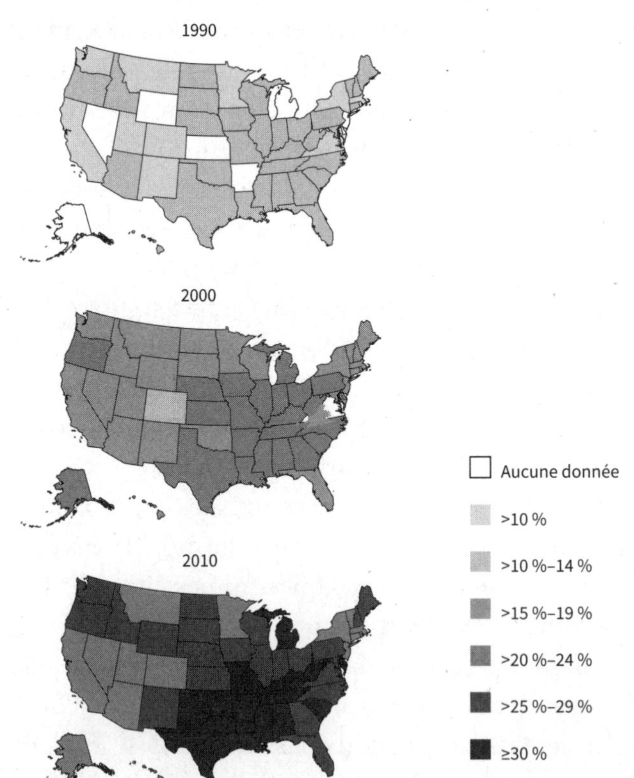

restaurant ou dans des établissements de restauration rapide. Un bon nombre d'aliments préparés dans ces endroits peuvent être conçus spécifiquement pour être agréables au goût grâce à l'utilisation de produits chimiques ou d'additifs et d'autres procédés artificiels. L'ajout de sucre et d'assaisonnements comme le glutamate monosodique (GMS) peut duper les papilles gustatives pour leur faire croire que ces aliments sont plus satisfaisants.

Cet argument est avancé dans des livres tels que *Sucre, sel et matières grasses : comment les industriels nous rendent accros*[4] de Michael Moss et *The End of Overeating : Taking Control of the Insatiable American Appetite*[5] de David Kessler. Les sucres ajoutés, le sel et les matières grasses ainsi que leur combinaison portent l'odieux parce qu'ils nous incitent à la suralimentation. Mais les gens mangent du sel, du sucre et des matières grasses depuis cinq mille ans. Ce ne sont pas de nouveaux ajouts à notre alimentation. La crème glacée, un mélange de sucre et de matières grasses, est une gâterie estivale depuis plus de cent ans. Les barres de chocolat, les biscuits, les gâteaux et les friandises existaient bien avant l'apparition de l'épidémie d'obésité dans les années 1970. Les enfants mangeaient des biscuits Oreo dans les années 1950 et le problème d'obésité n'existait pas.

L'hypothèse de base de l'argument de Moss et Kessler soutient que les aliments sont meilleurs en 2010 qu'ils ne l'étaient en 1970 parce que les scientifiques des produits alimentaires les conçoivent de cette façon. Nous ne pouvons nous empêcher de nous suralimenter et devenons donc obèses ; on peut en déduire que les faux aliments sont plus agréables au goût et plus satisfaisants que les vrais aliments. Mais cela semble difficile à croire. Un faux aliment hautement transformé comme un repas congelé est-il plus délicieux que du sashimi de saumon frais trempé dans de la sauce soja avec du wasabi ? Ou le Kraft Dinner, avec sa fausse sauce au fromage, est-il beaucoup plus attirant qu'un bifteck de faux-filet grillé provenant de bœuf d'embouche?

Cependant, le lien entre l'obésité et la pauvreté pose problème. L'hypothèse de la récompense alimentaire prédirait que l'obésité devrait être plus fréquente chez les gens riches puisqu'ils peuvent se permettre d'acheter plus d'aliments satisfaisants. Mais c'est exactement le contraire qui se produit. Les groupes à plus faible revenu souffrent davantage d'obésité. Pour être francs, disons que les riches peuvent se permettre d'acheter des aliments très satisfaisants et chers alors que les pauvres ne peuvent se permettre que ce qui est satisfaisant, mais moins cher. Le steak et le homard sont des aliments très satisfaisants, et très chers. Les repas au restaurant, qui sont coûteux par rapport à ceux préparés à la maison, sont également très satisfaisants. Une plus grande prospérité entraîne un accès accru à différents types d'aliments très satisfaisants, ce qui devrait entraîner plus d'obésité. Mais ce n'est pas le cas.

Si cette situation n'est pas le résultat de l'alimentation, alors peut-être qu'il s'agit d'un manque d'exercice. Peut-être que les gens riches peuvent se permettre de s'inscrire à un centre de conditionnement physique, ce qui les rend plus actifs physiquement et moins obèses. Dans le même ordre d'idées, peut-être que les enfants issus de milieux plus prospères peuvent participer davantage à des sports organisés, ce qui entraîne moins d'obésité. Bien que ces idées puissent sembler raisonnables à première vue, après réflexion, il en ressort plusieurs divergences. La majorité des exercices sont gratuits et ne requièrent que de simples chaussures. Marcher, courir, le soccer, le basketball, les extensions des bras, les redressements assis et la callisthénie sont gratuits ou ont un coût modique. Ce sont d'excellentes formes d'exercice. Un bon nombre de professions, comme les emplois dans le domaine de la construction ou de l'agriculture, exigent des efforts physiques importants pendant la journée de travail, jour après jour. Comparez cela à l'avocat ou au banquier d'affaires de Wall Street, qui reste assis à son bureau toute la journée. Pour quelqu'un qui passe jusqu'à douze heures devant un ordinateur, les activités physiques sont limitées à marcher du bureau à l'ascenseur. Malgré cette grande différence sur le plan de l'activité physique, les taux d'obésité sont plus élevés dans le groupe de personnes moins prospères, mais plus actives physiquement.

Ni la gratification alimentaire ni les efforts physiques n'expliquent le lien entre l'obésité et la pauvreté. Alors qu'est-ce qui fait progresser l'obésité chez les pauvres ? La même chose qui fait progresser l'obésité partout ailleurs : les glucides raffinés.

Pour ceux qui vivent dans la pauvreté, les aliments doivent être abordables. Certaines graisses alimentaires sont assez peu coûteuses. Cependant, en règle générale, nous ne buvons pas une tasse d'huile d'olive pour dîner. En outre, les recommandations officielles du gouvernement prescrivent un régime faible en gras. Les protéines alimentaires, comme la viande et les produits laitiers, ont tendance à être relativement dispendieux. Les protéines végétales moins coûteuses, comme le tofu et les légumineuses, sont disponibles, mais ne sont pas typiques de l'alimentation en Amérique du Nord.

Il reste donc les glucides. Si les glucides raffinés sont considérablement meilleur marché que d'autres sources d'aliments, alors ceux qui vivent dans la pauvreté vont manger des glucides raffinés. Et en effet, les glucides raffinés sont démesurément moins coûteux. Une miche de pain entière peut coûter 1,99 $. Les pâtes alimentaires peuvent coûter 0,99 $. Comparez ces prix à ceux du steak, qui peut coûter de 10 $ à 20 $. Les prix des glucides non raffinés tels que les fruits et les légumes frais ne peuvent se comparer à ceux, peu élevés, des aliments transformés. Une seule livre de cerises, par exemple, peut coûter 6,99 $.

Pourquoi les glucides hautement raffinés sont-ils si bon marché ? Pourquoi les glucides non transformés sont-ils beaucoup plus coûteux ? Les gouvernements réduisent le coût de production grâce à de grosses subventions agricoles. Mais ce ne sont pas tous les aliments qui reçoivent le même traitement. La figure 12.2[6] indique la part de subventions reçue aux États-Unis par différents programmes ou cultures agricoles.

En 2011, les United States Public Interest Research Groups ont noté que « le maïs reçoit un stupéfiant 29 % de toutes les subventions agricoles aux États-Unis alors que le blé en reçoit 12 %[7] ». Le maïs est transformé en glucides

Figure 12.2 Subventions agricoles aux États-Unis, 1995-2012

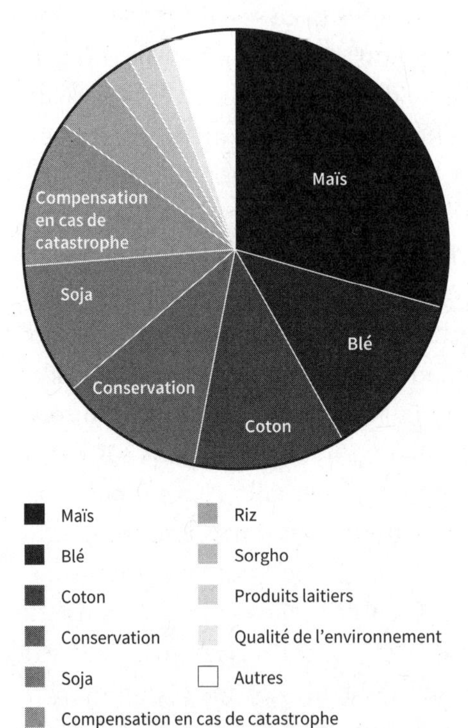

hautement raffinés pour la consommation, y compris en sirop de maïs, en sirop de maïs à haute teneur en fructose et en fécule de maïs. Le blé n'est presque jamais consommé sous forme de grain complet, mais transformé en farine et consommé dans une grande variété d'aliments.

La culture de glucides ne se destinant pas à la transformation, d'autre part, ne reçoit pratiquement pas d'aide financière. Tandis que la production massive de maïs et de blé reçoit un généreux soutien financier, on ne peut pas dire la même chose du chou, du brocoli, des pommes, des fraises, des épinards, de la laitue et des bleuets. La figure 12.3[8] compare les subventions reçues pour la culture des pommes à celles reçues pour l'industrie des additifs alimentaires, qui comprennent le sirop de maïs, le sirop de maïs à haute teneur en fructose, la fécule de maïs et les huiles de soja. *Les additifs alimentaires reçoivent presque trente fois plus de subventions.* Le plus triste dans tout cela est que les pomiculteurs reçoivent le plus et non le moins d'aide fédérale américaine parmi tous les producteurs de fruits et de légumes. Tous les autres reçoivent un soutien négligeable.

Figure 12.3 L'industrie des additifs alimentaires est beaucoup plus subventionnée que la culture des aliments entiers aux États-Unis

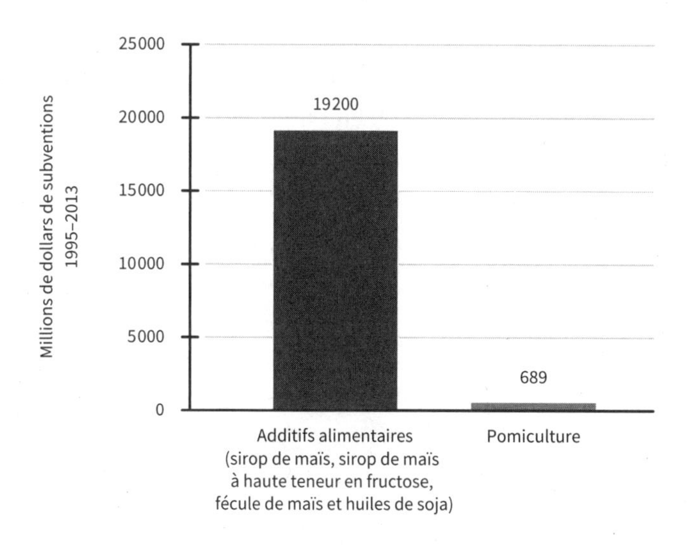

Le gouvernement subventionne avec l'argent des impôts les aliments qui nous rendent obèses. L'obésité est en réalité le résultat de politiques gouvernementales. Les subventions fédérales encouragent la culture de grandes quantités de maïs et de blé, qui sont transformés en un bon nombre d'aliments. Ces aliments, par la suite, deviennent beaucoup plus abordables, ce qui encourage leur consommation. La consommation à large échelle de glucides hautement transformés mène à l'obésité. Plus d'argent des impôts est nécessaire pour soutenir les programmes contre l'obésité. Encore plus d'argent est nécessaire pour traiter les problèmes liés à l'obésité.

S'agissait-il d'une conspiration pour nous garder malades? Pas si sûr. Les grosses subventions étaient simplement le résultat de programmes visant à rendre les aliments plus abordables, ce qui a sérieusement commencé dans les années 1970. À l'époque, la préoccupation majeure sur le plan de la santé n'était pas l'obésité, mais plutôt l'« épidémie » de maladies du cœur que l'on croyait être le résultat d'un excès de graisses alimentaires. Les aliments à la base de la pyramide alimentaire, c'est-à-dire les aliments que nous devions consommer tous les jours, étaient le pain, les pâtes, les pommes de terre et le riz. Naturellement, l'argent était injecté dans les subventions pour ces aliments, dont la production était encouragée par le Department of Agriculture des États-Unis. Les grains raffinés et les produits à base de maïs sont vite devenus abordables pour tout le monde. L'obésité a suivi comme la grande faucheuse.

Il convient de noter qu'en 1920 le sucre était relativement cher. Une étude de 1930 a démontré que le diabète de type 2 était beaucoup plus courant dans les riches États du nord que dans les États du sud, plus pauvres[9]. Quand le sucre est devenu extrêmement bon marché, cette relation s'est inversée. Maintenant, la pauvreté est associée au diabète de type 2 plutôt que le contraire.

DES PREUVES CHEZ LES PIMAS

Les Indiens de la nation pima de la région sud-ouest des États-Unis ont les taux les plus élevés de diabète et d'obésité en Amérique du Nord. On estime que 50 % des adultes pimas sont obèses et que 95 % de ceux-ci ont le diabète[10]. Encore une fois, on observe que des taux élevés d'obésité et une extrême pauvreté vont ensemble. Que s'est-il passé ?

Le régime pima traditionnel reposait sur l'agriculture, la chasse et la pêche. Tous les rapports des années 1800 suggèrent que les Pimas étaient « vifs » et en bonne santé. Au début des années 1900, on a commencé à établir des postes de traite. Le mode de vie ancestral des Pimas, dont leurs habitudes sur le plan de l'agriculture et de la chasse ainsi que leur régime alimentaire, a été complètement bouleversé. Les glucides raffinés, particulièrement le sucre blanc et la farine, ont commencé à remplacer les aliments traditionnels puisque ces deux substances pouvaient être conservées à température ambiante pour de longues périodes sans se gâter. À partir des années 1950, l'obésité était répandue chez les Pimas, de même qu'une pauvreté abjecte.

Cette situation n'est pas propre à la nation pima. L'obésité et le diabète sont devenus d'importants problèmes de santé pour pratiquement tous les peuples autochtones d'Amérique du Nord, et la tendance était déjà visible dans les années 1920, des décennies avant la présente épidémie, qui a commencé en 1977.

Pourquoi ? Dans les périodes où les aliments entiers naturels étaient abondants, tels que les légumes, le gibier sauvage et le poisson, les Pimas n'avaient pas développé d'obésité ou de diabète. C'est seulement lorsque leur mode de vie et leur régime traditionnels ont été perturbés que l'obésité est devenue endémique.

On pourrait alléguer que l'obésité est le résultat d'un mode de vie moderne, qu'elle est venue de l'utilisation accrue non seulement des voitures, mais également des ordinateurs, des jeux vidéo et des méthodes permettant d'économiser la main-d'œuvre : la nature de plus en plus sédentaire de nos modes de vie pourrait être une cause sous-jacente de l'obésité.

En examinant la chose de plus près, on peut voir que cette explication prend l'eau comme un panier de paille. L'obésité chez les peuples autochtones est apparue dans les années 1920, des décennies avant que se généralise l'utilisation des voitures. L'épidémie d'obésité chez les nations amérindiennes a connu une brusque augmentation environ en 1977. Mais il n'y a pas eu en 1977 d'augmentation comparable dans les distances parcourues en voiture. Il n'y a eu qu'une augmentation régulière de celles-ci de 1946 à 2007[11, 12].

D'autres suggèrent que la présence élevée de la nourriture rapide peut contribuer à la crise de l'obésité. Encore une fois, il n'y a pas eu de montée en flèche des restaurants de restauration rapide ou autre en 1977. Il n'y a eu qu'une augmentation graduelle au fil des décennies. De la même façon, l'obésité est devenue endémique chez les Pimas des décennies avant que la consommation de nourriture rapide ne soit répandue. La surprise vient du fait que l'obésité soit devenue répandue chez les autochtones d'Amérique du Nord aussi tôt qu'en 1920, même si les autres Nord-Américains étaient toujours plutôt minces.

Qu'est-ce qui explique l'expérience des Pimas ? C'est assez simple. Le même facteur alimente l'obésité chez les Pimas et le reste du monde : les glucides hautement raffinés. Quand les Pimas ont remplacé leurs aliments traditionnels, non raffinés, par du sucre et de la farine hautement raffinés, ils sont devenus obèses. En 1977, les nouveaux *Dietary Guidelines* ont causé une forte augmentation du pourcentage de l'apport en glucides alimentaires. L'obésité suivait comme un petit frère trop gâté.

La théorie hormonale de l'obésité aide à expliquer un bon nombre d'incohérences apparentes dans l'épidémiologie de l'obésité. Le facteur déterminant dans l'obésité est l'insuline, et dans bien des cas, la grande disponibilité des glucides raffinés. Ce constat aide à expliquer un enjeu tout aussi pressant : l'obésité infantile.

13. L'OBÉSITÉ INFANTILE

Alarmés par l'augmentation étonnante de l'obésité et du diabète de type 2 chez les enfants d'âge scolaire, nous avons déployé des centaines de millions de dollars pour contre-attaquer. Le premier choix dans notre arsenal était le « Mangez moins, bougez plus » adoré, cette approche qui arborait un bilan parfait que même le succès n'entachait pas. Néanmoins, pendant que les autorités dans le domaine de l'alimentation se préparaient à la bataille, un seul régime a reçu l'appel. Les National Institutes of Health des États-Unis ont financé l'étude *HEALTHY*, un projet échelonné sur trois ans[1] comprenant 42 écoles de la 6e à la 8e année. La moitié des écoles bénéficieraient d'une intervention à composants multiples alors que l'autre moitié poursuivrait ses activités normales. L'étude visait certains objectifs sur le plan de l'alimentation et de l'exercice physique, y compris :

- réduire la teneur moyenne en matières grasses des aliments ;
- fournir au moins deux portions de fruits et légumes par élève ;
- fournir au moins deux portions d'aliments à base de grains et (ou) des légumineuses ;

- limiter les desserts et les collations à moins de 200 calories par portion ;
- limiter les boissons à de l'eau, du lait faible en gras et des jus de fruits purs à 100 % ;
- encourager les élèves à faire plus de 225 minutes d'activité physique d'intensité modérée à vigoureuse par semaine.

Il s'agissait de notre vieil ami : « Mangez moins, bougez plus. » Pas très futé, mais aussi familier qu'une vieille couverture. Pour promouvoir les objectifs, il y a eu des programmes en milieu scolaire, des bulletins d'information pour les parents, du marketing social (*branding*, affiches, annonces à l'école), des activités pour les élèves et des mesures incitatives (t-shirts, bouteilles d'eau). Au début du projet, 50 % des élèves des deux groupes étaient considérés comme étant en surpoids ou obèses. Au bout de trois ans, le groupe « Mangez moins, bougez plus » comportait 45 % d'élèves en surpoids ou obèses. Succès ! Le groupe qui avait poursuivi ses activités normales a terminé à... 45 %. Il n'y avait pas d'avantage mesurable pour le groupe qui avait fait de l'exercice et suivi un régime. *Cette stratégie de perte de poids était pratiquement inutile.*

Mais qui n'a pas essayé l'approche « Mangez moins, bougez plus » et échoué ? L'étude *HEALTHY* n'était que la dernière d'une longue série d'échecs.

L'OBÉSITÉ N'EST PLUS RÉSERVÉE QU'AUX ADULTES

De 1977 à 2000, la prévalence de l'obésité infantile a grimpé en flèche dans tous les groupes d'âge. L'obésité chez les enfants âgés de 6 à 11 ans est passée de 7 % à 15,3 %. Pour les enfants de 12 à 19 ans, le taux d'obésité a plus que triplé, passant de 5 % à 15,5 %. Les maladies liées à l'obésité, comme le diabète de type 2 et l'hypertension artérielle, autrefois rares chez les enfants, deviennent de plus en plus courantes. L'obésité n'est plus un problème touchant uniquement les adultes, mais également un problème pédiatrique.

L'obésité infantile conduit aussi à l'obésité à l'âge adulte et à de futurs problèmes de santé, notamment des problèmes cardiovasculaires[2]. La *Bogalusa Heart Study* a conclu que « l'obésité infantile mène à l'obésité à l'âge adulte », ce qui est évident pour presque tout le monde[3]. L'obésité infantile est un prédicteur d'un accroissement de la mortalité, mais plus important encore, il s'agit d'un facteur de risque *réversible*[4]. Les enfants en surpoids qui deviennent des adultes dont le poids est normal ont le même risque de mortalité que ceux qui n'ont jamais souffert d'embonpoint[5].

L'obésité a commencé à affecter les enfants de plus en plus jeunes. Dans une étude menée sur vingt-deux ans et s'étant terminée en 2001, les enfants de tous âges démontraient une prévalence accrue d'obésité, même chez les petits de zéro à six mois[6].

Cette constatation est particulièrement intéressante. Les théories conventionnelles de l'obésité, basées sur la notion de calories, sont incapables d'expliquer cette tendance. L'obésité est considérée comme un problème d'équilibre énergétique, c'est-à-dire manger trop et bouger trop peu. Puisque les bébés de six mois mangent sur demande et sont souvent allaités, il est impossible qu'ils mangent trop. Puisque les bébés de six mois ne marchent pas, il est impossible qu'ils ne fassent pas assez d'exercice. De même, le poids de naissance a augmenté d'une demi-livre (200 g) au cours des vingt-cinq dernières années[7]. Les nouveau-nés ne peuvent pas manger trop ni faire trop peu d'exercice.

Que se passe-t-il ?

De nombreuses hypothèses ont été avancées pour expliquer l'obésité chez les nouveau-nés. Une théorie populaire suggère que certains produits chimiques (des produits obésogènes) présents dans notre environnement moderne mènent à l'obésité. Ces produits chimiques sont souvent des perturbateurs endocriniens, c'est-à-dire qu'ils perturbent le fonctionnement normal des systèmes hormonaux. Puisque l'obésité est un déséquilibre hormonal plutôt que calorique, cette notion découle d'un raisonnement intuitif. Il reste que la majorité des données viennent d'études sur les animaux.

Par exemple, l'atrazine et le dichlorodiphényldichloroéthylène (DDE), des pesticides, peuvent causer l'obésité chez les rongeurs[8]. Cependant, aucune donnée n'est disponible pour les humains. Sans ces données, il est difficile de déterminer irréfutablement si les produits chimiques sont obésogènes ou non. En outre, les études utilisent des concentrations de produits chimiques qui sont des centaines ou même des milliers de fois plus grandes que celles auxquelles les humains sont normalement exposés. Même s'il est presque certain que ces produits chimiques sont toxiques, il est difficile de savoir comment ils contribuent à l'obésité chez les humains.

C'EST L'INSULINE

La réponse est plus simple quand nous comprenons la théorie hormonale de l'obésité. Sur le plan hormonal, l'insuline est le facteur déterminant dans le gain de poids. L'insuline cause l'obésité chez les adultes. L'insuline cause l'obésité chez les nourrissons. L'insuline cause l'obésité infantile. D'où les nourrissons pourraient-ils tirer leurs taux élevés d'insuline ? De leurs mères.

Le Dr David Ludwig a récemment examiné le lien entre le poids de 513 501 femmes et leurs 1 164 750 enfants[9]. Un gain pondéral plus élevé chez la mère est associé de façon très marquée à un gain pondéral néonatal plus élevé. Puisque la mère et le fœtus partagent le même apport sanguin, tous les déséquilibres hormonaux, comme des taux élevés d'insuline, sont automatiquement et directement transmis à travers le placenta de la mère au fœtus en croissance.

Macrosomie fœtale est le terme utilisé pour décrire les fœtus qui sont gros pour leur âge gestationnel. Il existe de nombreux facteurs de risque, mais les principaux sont le diabète gestationnel, l'obésité maternelle et un gain pondéral de la mère. Qu'est-ce que ces conditions ont en commun? Des taux élevés d'insuline chez la mère. Ces taux élevés se transmettent au fœtus en développement, ce qui fait que le fœtus est trop gros.

La conséquence logique d'un surplus d'insuline chez le nouveau-né est le développement de la résistance à l'insuline, qui mène à des taux encore plus élevés d'insuline dans un cercle vicieux classique. Les taux d'insuline élevés provoquent l'obésité chez le nouveau-né et chez le bébé de six mois. L'origine de l'obésité infantile et de l'obésité chez les adultes est la même: l'insuline. Il ne s'agit pas de deux maladies différentes, mais des deux faces de la même médaille. Les bébés nés de mères souffrant de diabète sucré gestationnel ont trois fois plus de risques d'être obèses et de faire du diabète plus tard dans leur vie, et l'un des plus importants facteurs de risque de l'obésité chez les jeunes adultes est l'obésité dans l'enfance[10]. Ceux qui sont obèses dans l'enfance ont plus de 17 fois plus de risques d'être obèses à l'âge adulte! Même les bébés qui sont gros pour leur âge gestationnel, mais dont les mères ne font pas de diabète gestationnel sont à risque; ils ont deux fois plus de risques de développer un syndrome métabolique.

La triste mais inévitable conclusion est que nous transmettons maintenant notre obésité à nos enfants. Pourquoi? Parce que nous faisons mariner nos enfants dans l'insuline quand ils sont dans le ventre de leur mère, ils développent une obésité sévère plus tôt que jamais auparavant. Puisque l'obésité évolue avec le temps et empire, les gros bébés deviennent de gros enfants. Les gros enfants deviennent de gros adultes. Et les gros adultes ont de gros bébés, transmettant leur obésité à la génération suivante.

Ce qui a réellement freiné notre capacité de combattre l'obésité est un simple manque de connaissances des vraies causes du gain de poids. Se concentrer uniquement sur la réduction de l'apport calorique et l'augmentation de l'activité physique a mené à des programmes gouvernementaux qui n'ont presque pas de chances de fonctionner. Nous ne manquions ni de ressources ni de volonté. Nous manquions de connaissances et d'un cadre théorique pour comprendre l'obésité.

MÊMES MÉTHODES, MÊMES ÉCHECS

Plusieurs études à grande échelle sur la prévention de l'obésité infantile ont été menées dans les années 1990. Le National Heart, Lung and Blood Institute a entrepris l'étude *Pathways*[11], qui a coûté 20 millions de dollars sur huit ans. Le Dr Benjamin Caballero, directeur du Center for Human Nutrition à la Johns Hopkins Bloomberg School of Public Health, a dirigé cet ambitieux projet qui faisait participer 1 704 enfants dans 41 écoles. Certaines écoles ont bénéficié du programme spécial de prévention de l'obésité infantile alors que les autres écoles ont poursuivi leur programme habituel.

Les enfants autochtones issus de milieux pauvres vulnérables à l'obésité et au diabète mangeaient leur déjeuner et leur dîner à la cafétéria de l'école, où des cours sur les aliments sains étaient offerts. Des pauses d'exercice ont été introduites pendant la journée. L'objectif nutritionnel était de réduire les graisses alimentaires à moins de 30 %. En résumé, il s'agissait de réduire la consommation de gras et des calories et d'augmenter l'activité physique; la même formule qui avait échoué pour contrer l'obésité chez les adultes.

Les enfants ont-ils appris à suivre un régime faible en gras? Oui. La part des graisses alimentaires a commencé à 34 % des calories et, au cours de l'étude, a chuté à 27 %. Les enfants consommaient-ils moins de calories? Oui. Le groupe d'intervention consommait en moyenne 1 892 calories par jour, comparativement à 2 157 calories par jour pour le groupe de contrôle. Fantastique! Les enfants consommaient 265 calories de moins par jour. Ils apprenaient extrêmement bien leurs leçons et mangeaient moins de calories et de matières grasses. Sur trois ans, on prévoyait que le groupe qui comptait les calories perdrait environ 83 livres (37,6 kg)! Mais le poids des enfants a-t-il changé? *Pas le moins du monde.*

Il n'y avait pas de différence entre les deux groupes sur le plan de l'activité physique. Malgré l'augmentation des cours d'éducation physique dans les écoles, l'activité physique totale, mesurée à l'aide d'un accéléromètre, était semblable, ce à quoi on pouvait s'attendre en raison du phénomène de la compensation. Les enfants qui étaient très actifs à l'école réduisaient leur activité physique à la maison. Les enfants qui étaient relativement sédentaires à l'école augmentaient leur activité physique une fois la journée d'école terminée.

Cette étude était d'une importance vitale. L'échec de la stratégie faible en gras et en calories aurait dû inciter à la recherche de méthodes plus efficaces pour contrer le fléau de l'obésité infantile. Il aurait dû déclencher une remise en question des causes sous-jacentes de l'obésité et de la manière de la traiter rationnellement. Que s'est-il donc passé?

Les résultats ont été mis sous forme de tableaux. L'étude a été écrite. Elle a été publiée en 2003 dans un tonitruant… silence. Personne ne voulait entendre la vérité. L'approche

« Mangez moins, bougez plus », adorée par la médecine universitaire, avait encore une fois échoué. Il était plus facile d'ignorer la vérité que de la regarder en face. Voilà ce qui s'est passé.

D'autres études ont confirmé ces résultats. Le Dr Philip Nader de l'Université de Californie à San Diego a randomisé 5 106 élèves de la 3e à la 5e année. Ils ont reçu des cours sur les aliments sains et ont augmenté leur activité physique[12]. En tout, 56 écoles ont bénéficié du programme spécial et 40 écoles (le groupe témoin) n'en ont pas bénéficié. Encore une fois, les élèves qui ont été endoctrinés ont suivi un régime à teneur réduite en matières grasses et ont conservé ces connaissances dans les années suivantes. Il s'agissait du « plus grand essai randomisé en milieu scolaire jamais mené ». Les enfants mangeaient moins et bougeaient plus. Ils n'ont juste pas perdu de poids.

Les programmes pour contrer l'obésité dans les milieux communautaires sont tout aussi inefficaces. En 2010, les *Memphis Girls Health Enrichment Multi-site Studies* portaient sur des jeunes filles de huit à dix ans dans un centre communautaire de Memphis[13]. Des séances d'aide collective encourageaient les sujets à « réduire la consommation de boissons sucrées et d'aliments riches en gras et en calories, augmenter la consommation d'eau, de légumes et de fruits ». Le message est très confus, mais typique. Devrions-nous réduire le sucre ? Devrions-nous réduire le gras ? Devrions-nous réduire les calories ? Devrions-nous manger plus de fruits ? Devrions-nous manger plus de légumes ?

Le programme a réussi à réduire l'apport calorique quotidien de 1 475 à 1 373 calories après un an et à 1 347 calories après deux ans. Par contre, le groupe témoin a augmenté son apport calorique quotidien, passant de 1 379 calories à 1 425 calories après deux ans. Les jeunes filles du groupe contrôlé ont-elles perdu du poids ? En un mot, non. Pour comble de malheur, le taux de graisse corporelle a augmenté de 28 % à 32,2 % après deux ans. Un échec renversant pour tous ceux qui étaient impliqués dans le programme, et une autre démonstration de la percutante supercherie des calories. Les calories ne mènent pas à un gain de poids ; leur réduction ne mènera donc pas à une perte de poids.

Mais les résultats constamment négatifs n'étaient pas suffisants pour faire changer les croyances profondément enracinées. Plutôt que de remettre en question leurs convictions antérieures, les Drs Caballero et Nader ont conclu que leurs traitements n'allaient pas assez loin, un point de vue qui, psychologiquement, est beaucoup, beaucoup plus facile à maintenir.

Bien que cela puisse paraître absurde, quand il est question d'obésité infantile, nous semblons avoir accepté le *statu quo*. Il a été prouvé que combiner un régime faible en gras et en calories avec de l'exercice est inefficace pour perdre du poids, une découverte confirmée par notre bon sens et nos observations. Mais plutôt que de repenser nos stratégies, nous poursuivons, espérant toujours que cette fois sera la bonne.

ENFIN, UNE RÉUSSITE

Comparez cela à l'étude australienne *Romp and Chomp*, menée de 2004 à 2008[14]. Le programme ciblait presque 12 000 enfants âgés de zéro à cinq ans. Encore une fois, les garderies étaient divisées en deux groupes. Un groupe conservait son programme habituel. Le groupe d'intervention a bénéficié de l'initiative éducative *Romp and Chomp*. Mais plutôt que de renfermer de multiples messages confus, les deux objectifs nutritionnels majeurs de l'étude étaient ciblés et très spécifiques :

1. réduire considérablement la consommation de boissons sucrées et promouvoir la consommation de lait et d'eau ;
2. réduire considérablement la consommation de collations à forte teneur énergétique et augmenter la consommation de fruits et de légumes.

Plutôt que de réduire le gras et les calories, l'étude réduisait les collations et le sucre. Comme d'autres programmes, celui-ci tentait d'augmenter le niveau d'activité physique et impliquait les familles autant que possible. Mais surtout, ses méthodes étaient presque identiques à celles que prônait votre grand-mère pour perdre du poids :

1. couper le sucre et l'amidon ;
2. arrêter de manger des collations.

Ces stratégies s'attaquent aux pires contrevenants de la sécrétion d'insuline et de la résistance. Les collations ont tendance à être des biscuits, des bretzels, des craquelins et autres aliments très riches en glucides raffinés. Réduire les collations réduit donc l'apport en glucides raffinés. Réduire le sucre et les glucides raffinés réduit l'insuline. Réduire la fréquence des collations prévient la hausse constante des taux d'insuline, un facteur clé dans la résistance à l'insuline. Ces stratégies font baisser les taux d'insuline, ce qui constitue le problème crucial de l'obésité. Le programme diminuait la consommation de collations préemballées et de jus de fruits (d'environ une demi-tasse par jour). Les résultats de cette étude ne pourraient être plus différents des résultats des études précédentes. Les enfants âgés de deux ans et de trois ans et demi démontraient une bien meilleure perte de poids par rapport au groupe témoin. La prévalence de l'obésité a été réduite de 2 à 3 %. Enfin, une réussite !

Dans le sud-ouest de l'Angleterre, six écoles ont lancé un programme appelé *Ditch the Fizz*[15]. Le seul but était de réduire la consommation de boissons gazeuses chez les enfants de sept à onze ans. Le programme a réussi à réduire la consommation quotidienne d'environ 5 onces (150 ml), ce qui a entraîné une diminution de 0,2 % de l'obésité. Bien que ce résultat puisse sembler insignifiant, l'obésité a augmenté d'un énorme 7,5 % dans le groupe témoin. Réduire la consommation de boissons sucrées est une méthode très efficace pour prévenir l'obésité infantile.

Ce programme était efficace parce qu'il véhiculait un message très spécifique : « Réduisez votre consommation de boissons gazeuses. » Les autres programmes étaient trop ambitieux et trop vagues, et souvent, on y présentait des messages multiples et contrastés qui se répétaient sans fin. L'importance de réduire la consommation de boissons sucrées peut s'être perdue dans la cacophonie.

CE QUE DISAIT VOTRE GRAND-MÈRE...

Même si l'une après l'autre les études démontraient l'échec des stratégies traditionnelles de perte de poids, nous sommes allés de l'avant avec des programmes nationaux d'exercice physique. Nous avons dépensé de l'argent et de l'énergie pour promouvoir l'exercice ou construire des terrains de jeux dans une tentative malavisée de résorber l'obésité infantile. Quand j'étais jeune, dans les années 1970, en Ontario, nous avions le programme ParticipACTION, qui a été ressuscité en 2007, ce qui a coûté 5 millions de dollars. L'objectif explicite de ParticipACTION était d'augmenter l'activité physique chez les jeunes avec le slogan « Recommençons à jouer ». (Ayant moi-même regardé mes enfants jouer de façon exubérante un peu partout, je doute que le « jeu » soit en voie de disparition.) Le programme initial, qui a duré des années 1970 aux années 1990, a certainement échoué à s'attaquer à la crise de l'obésité, mais plutôt que d'enterrer ces vieilles idées, nous les avons ressuscitées.

La Première Dame américaine Michelle Obama a lancé la campagne *Let's Move!* avec l'objectif ambitieux d'enrayer l'obésité infantile. Sa stratégie ? Mangez moins, bougez plus. Croit-elle que ces conseils vont fonctionner maintenant, après quarante ans d'échecs ininterrompus ? L'insuline, et non les calories, cause le gain de poids. Il ne s'agit pas (et cela n'a jamais été le cas) de réduire les calories. Il faut réduire l'insuline.

Malgré les gaffes, les nouvelles concernant l'obésité infantile sont bonnes. Récemment, une lueur d'espoir a commencé à briller dans l'obscurité. En 2014, le *Journal of the American Medical Association* rapportait que les taux d'obésité des enfants âgés de deux à cinq ans avaient diminué de 43 % entre 2003 et 2012[16]. Les taux d'obésité des jeunes et des adultes n'avaient pas changé. Cependant, puisque l'obésité infantile est fortement liée à l'obésité chez les adultes, ce sont en fait de très bonnes nouvelles.

Certains groupes n'ont pas perdu de temps avant de se féliciter d'avoir bien accompli leur boulot. Ils croient que leur campagne visant à augmenter l'activité physique et à réduire les calories a joué un rôle clé dans cette réussite. Je n'y crois pas.

La réponse est plus simple. La consommation de sucres ajoutés a régulièrement augmenté à partir de 1977, en même temps que l'obésité. Vers la fin des années 1990, une attention croissante a été portée au rôle clé que joue le sucre dans le gain de poids. L'irréfutable vérité reste que le sucre cause un gain de poids et n'a pas de qualité qui compense ses défauts sur le plan nutritionnel. L'apport en sucre a commencé à chuter en 2000 et, après un décalage de cinq à dix ans, l'obésité également. On observe d'abord ce phénomène dans les plus jeunes groupes d'âge puisqu'ils ont eu le moins d'exposition à des taux élevés d'insuline et ont donc moins de résistance à l'insuline.

Le plus ironique dans ce triste épisode, c'est que nous connaissions déjà les réponses. Le pédiatre américain Benjamin Spock a écrit un livre classique sur l'éducation des enfants, *Comment soigner et éduquer son enfant*, en 1946. Pendant plus de cinquante ans, ce livre a été le deuxième best-seller au monde, après la Bible. Sur l'obésité infantile, le

Dr Spock écrivait: «Les desserts riches peuvent être omis sans risque et devraient l'être pour quiconque est obèse et tente de réduire son poids. La quantité de féculents [céréales, pains, pommes de terre] consommée est ce qui détermine... combien [de poids] ils prennent ou perdent[17].»

Bien sûr, cela est exactement ce que dirait notre grand-mère: «Mange moins de sucre et de féculents. Pas de grignotage!» Si seulement nous avions écouté grand-maman plutôt que Big Brother.

CINQUIÈME PARTIE

QU’EST-CE QUI CLOCHE DANS NOTRE ALIMENTATION ?

14. LES EFFETS MEURTRIERS DU FRUCTOSE

Le sucre fait engraisser. On peut s'entendre sur ce fait de façon presque universelle. Les *Dietary Guidelines for Americans* de 1977 lançaient un avertissement clair sur les dangers de la consommation excessive de sucre alimentaire, mais le message s'est perdu dans l'hystérie anti-gras qui a suivi. Le gras était une préoccupation majeure pour les clients soucieux de leur santé, et la teneur en sucre des aliments était ignorée ou oubliée. Des sacs de jujubes et d'autres friandises se proclamaient fièrement «sans gras». Le fait qu'ils étaient constitués de sucre à 100 % ne semblait déranger personne. La consommation de sucre a augmenté régulièrement de 1977 à 2000, accompagnée d'une augmentation des taux d'obésité. Le diabète a suivi avec un décalage de dix ans.

LE SUCRE EST-IL TOXIQUE ?

Les pires délinquants, et de loin, sont les boissons sucrées, soit les boissons gazeuses, les sodas et, plus récemment, les thés et les jus sucrés. Les boissons gazeuses représentent une industrie de 75 milliards de dollars qui, jusqu'à tout récemment, n'avait connu que du succès. La consommation de boissons sucrées par personne a doublé dans les années 1970. Dans les années 1980, les boissons sucrées étaient devenues plus populaires que l'eau du robinet. En 1998, les Américains en buvaient 56 gallons (212 litres) par année. En 2000, les boissons sucrées représentaient 22 % du sucre contenu dans le régime alimentaire américain, comparativement à 16 % en 1970. Aucun autre groupe alimentaire ne s'approchait de ce pourcentage[1].

Par la suite, la popularité des boissons sucrées a continuellement décliné. De 2003 à 2013, la consommation de boissons gazeuses aux États-Unis a chuté de près de 20 %[2]. Les thés glacés et les boissons sucrées pour sportifs ont vaillamment tenté de prendre leur place, mais ont été incapables de bloquer le vent de changement. En 2014, Coca Cola avait connu neuf années consécutives de diminution des ventes à cause de la préoccupation grandissante à propos du sucre. Inquiets de leur santé déclinante et de leur tour de taille grossissant, les gens étaient moins enclins à boire une infusion sucrée toxique.

Les boissons sucrées font maintenant face à une forte opposition politique: de la «taxe soda» aux efforts de l'ancien maire de New York Michael Bloomberg pour interdire les boissons surdimensionnées. Certains problèmes, bien sûr, ont été créés d'eux-mêmes. Coca Cola a passé des décennies à convaincre les gens de boire plus de boissons gazeuses. Ses dirigeants ont connu un formidable succès, mais à quel prix? Tandis que la crise de l'obésité grandissait, les compagnies étaient de plus en plus montrées du doigt.

Mais les pourvoyeurs de sucre ne se sont pas avoués vaincus facilement. Sachant que la bataille était perdue d'avance en Amérique du Nord et en Europe, ils s'en sont pris à l'Asie pour compenser les profits perdus. La consommation de sucre en Asie augmente de presque 5 % par année[3], même si elle s'est stabilisée ou a chuté en Amérique du Nord.

Le résultat : une catastrophe. En 2013, on estimait que 11,6 % de la population adulte en Chine avait le diabète de type 2, éclipsant même les champions de longue date : les États-Unis, à 11,3 %[4]. Depuis 2007, 22 millions de Chinois ont été diagnostiqués diabétiques, un chiffre qui s'approche de la population de l'Australie[5]. La situation est encore plus troublante quand on sait que seulement 1 % des Chinois avait le diabète de type 2 en 1980[6]. En une seule génération, le taux de diabète a augmenté d'un terrifiant 1 160 %. Le sucre, plus que tout autre glucide raffiné, semble être particulièrement engraissant et mène au diabète de type 2.

La consommation quotidienne de boissons sucrées entraîne un risque significatif de gain de poids, mais augmente également de 83 % le risque de développer le diabète par rapport à la consommation de boissons sucrées moins d'une fois par mois[7]. Mais le coupable est-il le sucre ou les calories ? Des recherches plus poussées suggèrent que la prévalence du diabète augmente de 1,1 % pour 150 calories de sucre de plus par personne par jour[8]. Aucun autre groupe d'aliments n'a de lien significatif avec le diabète. Le diabète est corrélé avec le sucre et non avec les calories.

Le saccharose, contre toute logique et tout bon sens, n'avait pas été considéré mauvais pour les diabétiques. En 1983, le Dr John Bantle, un endocrinologue de renom, a affirmé dans le *New York Times*[9] que « le message est que les diabétiques peuvent consommer des aliments qui contiennent du sucre ordinaire s'ils maintiennent leur apport calorique à un niveau constant ». La Food and Drug Administration (FDA) des États-Unis a entrepris une analyse globale en 1986[10]. Citant plus de mille références, la Sugars Task Force a déclaré qu'« il n'existe aucune preuve concluante que les sucres constituent un danger ». En 1988, la FDA a réaffirmé que le sucre était « généralement considéré comme sans danger». En 1989, la National Academy of Science a renchéri dans un rapport intitulé *Diet and Health: Implications for Reducing Chronic Disease* et affirmait que «la consommation de sucre (par ceux dont l'alimentation est adéquate) n'est pas considérée comme un facteur de risque pour les maladies chroniques autres que les caries dentaires chez les humains[11]».

Oui, des caries. Il ne semblait pas y avoir d'inquiétude par rapport au fait que consommer plus de sucre cause une hausse de la glycémie. Même en 2014, le site web de l'American Diabetes Association affirmait que «les experts s'entendent pour dire que vous pouvez substituer de petites quantités de sucre à d'autres aliments contenant des glucides dans votre programme alimentaire[12]».

Pourquoi le sucre est-il aussi engraissant? On considère parfois le sucre comme des «calories vides», qui contiennent peu de nutriments. On estime également que le sucre donne un meilleur goût aux aliments et les rend plus «gratifiants», ce qui cause une surconsommation et l'obésité. Mais peut-être que l'effet engraissant du sucre est dû à sa nature de glucide hautement raffiné. Il stimule la production d'insuline, ce qui cause un gain de poids. Mais la plupart de glucides raffinés, comme le riz et les pommes de terre, produisent le même effet.

Qu'est-ce qui fait que le sucre semble si particulièrement toxique? L'étude *INTERMAP* a comparé les régimes alimentaires asiatiques et occidentaux dans les années 1990[13]. Les Chinois, malgré un apport beaucoup plus élevé en glucides raffinés, avaient des taux de diabète beaucoup moins élevés. Une partie de cet avantage réside dans le fait que leur consommation de sucre était beaucoup moins élevée.

Le saccharose est différent des autres glucides sur un point important. Le problème? Le fructose.

LES BASES DU SUCRE

Le glucose, un sucre dont la structure moléculaire est un anneau hexagonal, peut être utilisé par pratiquement toutes les cellules du corps. Le glucose est le principal sucre que l'on trouve dans le sang et il circule dans tout le corps. Dans le cerveau, c'est la source d'énergie privilégiée. Les cellules musculaires vont importer goulûment le glucose du sang pour un regain d'énergie rapide. Certaines cellules, comme les globules rouges, ne peuvent utiliser que le glucose comme source d'énergie. Le glucose peut être emmagasiné dans le corps sous plusieurs formes, comme le glycogène dans le foie. Si les réserves de glucose sont trop basses, le foie peut produire du nouveau glucose à l'aide du processus de gluconéogenèse (qui signifie littéralement «faire du nouveau glucose»).

Le fructose, un sucre dont la structure moléculaire est un anneau de forme pentagonale, est présent naturellement dans les fruits. Il est métabolisé seulement dans le foie et ne circule pas dans le sang. Le cerveau, les muscles et la plupart des autres tissus ne peuvent utiliser le fructose directement comme source d'énergie. Manger du fructose ne change pas la glycémie de façon significative. Le glucose et le fructose sont des sucres simples, ou monosaccharides.

Le sucre ordinaire est appelé saccharide et est composé d'une molécule de glucose liée à une molécule de fructose. Le saccharide est composé de 50 % de glucose et de 50 % de fructose. Le sirop de maïs à haute teneur en fructose est composé de 55 % de fructose et de 45 % de glucose. Les glucides sont composés de sucres. Quand les glucides contiennent un sucre simple (monosaccharide) ou deux sucres simples (disaccharides), on les appelle des glucides simples. Quand plusieurs centaines, ou même plusieurs milliers de molécules de sucre sont liées sous forme de longues chaînes (polysaccharides), elles sont appelées glucides complexes.

Cependant, on a constaté il y a longtemps que cette classification ne fournissait que peu de renseignements utiles sur le plan physiologique puisqu'elle ne fait que différencier les glucides selon la longueur de la chaîne. On croyait auparavant que les glucides complexes étaient digérés plus lentement, causant ainsi une plus faible augmentation de la glycémie, ce qui est faux. Par exemple, le pain blanc, qui est composé de glucides complexes, cause une hausse très rapide de la glycémie, presque autant qu'une boisson sucrée.

Au début des années 1980, le Dr David Jenkins a reclassé les aliments selon leur effet sur la glycémie, ce qui a fourni des renseignements utiles pour différencier les différents glucides. Ce travail innovateur a mené au développement de l'indice glycémique. Le glucose a une valeur de 100, et tous les autres aliments sont mesurés par rapport à cet indicateur. Le pain, de blé entier et blanc, a un indice glycémique de 73, comparable à celui du Coca Cola, qui a un indice glycémique de 63. D'autre part, les arachides ont un indice glycémique très faible de 7.

On présume que la plupart des effets négatifs des glucides sont dus à leur effet sur la glycémie, mais cette idée n'est pas nécessairement vraie. Le fructose, par exemple, a un indice glycémique extrêmement faible. En outre, il convient de noter que l'indice glycémique mesure la glycémie et non les taux d'insuline.

LE FRUCTOSE : LE SUCRE LE PLUS DANGEREUX

Et le fructose? Le fructose ne cause pas une augmentation considérable de la glycémie, mais il est encore plus fortement lié à l'obésité et au diabète que le glucose. D'un point de vue nutritionnel, ni le fructose ni le glucose ne contiennent de nutriments essentiels. Comme édulcorants, ils sont similaires. Mais le fructose semble particulièrement nuisible pour la santé humaine.

Le fructose était considéré auparavant comme un édulcorant bénin à cause de son faible indice glycémique. Le fructose est naturellement présent dans les fruits et est le glucide naturellement présent le plus sucré. Quel mal y a-t-il à cela?

Le problème, comme c'est souvent le cas, est l'échelle. La consommation de fruits naturels contribue seulement à fournir de petites quantités de fructose, entre 15 et 20 grammes par jour. Mais les choses ont commencé à changer avec le développement du sirop de maïs à haute teneur en fructose. La consommation de fructose s'est accrue constamment jusqu'à l'an 2000, quand elle a culminé à 9 % du total des calories. Les adolescents sont de grands consommateurs de fructose avec 72,8 grammes par jour[14].

Le sirop de maïs à haute teneur en fructose a été créé dans les années 1960 comme équivalent liquide du saccharide. Le saccharide était transformé à partir des cannes et des betteraves à sucre. Ce procédé, pas nécessairement coûteux, n'était pas bon marché non plus. Le sirop de maïs à haute teneur en fructose, toutefois, pouvait être transformé à partir de la grande quantité de maïs bon marché en provenance du Midwest américain, et c'était là le facteur déterminant en sa faveur. Il était peu coûteux.

Le sirop de maïs à haute teneur en fructose a trouvé un partenaire tout désigné, soit les aliments transformés. Étant liquide, il pouvait facilement être incorporé à ceux-ci. Mais les avantages ne s'arrêtaient pas là. Prenez en considération que le sirop de maïs:

- est plus sucré que le glucose;
- prévient les brûlures de congélation;
- aide au brunissement;
- se mélange facilement;
- prolonge la durée de conservation;

- garde le pain moelleux ;
- a un faible indice glycémique.

Bientôt, le sirop de maïs à haute teneur en fructose s'est frayé un chemin dans presque tous les aliments transformés. Sauces à pizza, soupes, pains, biscuits, gâteaux, ketchup, sauces, nommez-les, ils contenaient probablement du sirop de maïs à haute teneur en fructose. Il était bon marché et les grandes entreprises de transformation alimentaire se souciaient des coûts plus que de toute autre chose. Les fabricants de produits alimentaires se sont empressés d'utiliser du sirop de maïs à haute teneur en fructose dès qu'ils en ont eu la chance.

Le fructose a un indice glycémique extrêmement faible. Le saccharide et le sirop de maïs à haute teneur en fructose, qui contient environ 55 % de fructose, ont un bien meilleur indice glycémique que le glucose. En outre, le fructose ne provoque qu'une légère hausse de la glycémie si on le compare au glucose, ce qui a mené bien des gens à voir le fructose comme un édulcorant sans danger. Le fructose est également le principal sucre dans les fruits, ce qui ajoute à son aura. Un sucre de fruits naturel qui ne provoque pas une augmentation de la glycémie ? Ça semble bon pour la santé. Y avait-il un loup dans la bergerie ? Vous pouvez parier votre vie là-dessus. La différence entre le glucose et le fructose vous tuera littéralement.

Les vents ont commencé à tourner en 2004, quand le Dr George Bray, du Pennington Biomedical Research Center de l'Université de Louisiane a démontré que l'augmentation de l'obésité était reflétée étroitement par l'augmentation de l'utilisation de sirop de maïs à haute teneur en fructose (voir la figure 14.1[15]). Dans la conscience collective, le sirop de maïs à haute teneur en fructose est devenu un problème de santé majeur. D'autres ont souligné, avec raison, que l'utilisation du sirop de maïs à haute teneur en fructose avait augmenté proportionnellement à la diminution de l'utilisation de saccharide. L'augmentation de l'obésité reflétait vraiment l'augmentation de la consommation totale de fructose, qu'il provienne des saccharides ou du sirop de maïs à haute teneur en fructose.

Mais pourquoi le fructose est-il si nocif?

Figure 14.1 Les taux d'obésité ont augmenté proportionnellement à la consommation de sirop de maïs à haute teneur en fructose

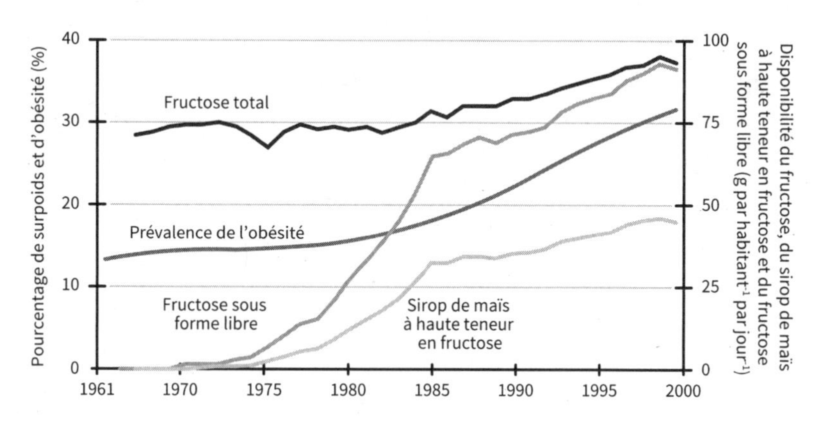

LE MÉTABOLISME DU FRUCTOSE

Alors que les dangers du fructose alimentaire subissaient un examen de plus en plus rigoureux, les chercheurs se sont précipités pour enquêter. Le glucose et le fructose diffèrent à bien des égards. Tandis que presque toutes les cellules du corps peuvent utiliser le glucose comme source d'énergie, aucune cellule ne peut utiliser le fructose. Le glucose a besoin d'insuline pour être bien absorbé, mais pas le fructose. Une fois dans le corps, le fructose peut être métabolisé seulement par le foie. Le glucose peut être dispersé dans le corps pour être utilisé comme source d'énergie, tandis que le fructose est ciblé comme un missile guidé au foie.

Des quantités excessives de fructose provoquent une forte pression sur le foie puisque aucun autre organe ne peut l'aider. C'est la différence entre appuyer avec un marteau ou avec la pointe d'une aiguille : beaucoup moins de pression est nécessaire si elle est dirigée vers un point précis.

Dans le foie, le fructose est rapidement métabolisé en glucose, en lactose et en glycogène. Le corps s'occupe de la consommation de glucose excédentaire grâce à plusieurs voies métaboliques clairement définies comme le stockage du glycogène et la lipogenèse de novo (création de nouveau gras). Aucun système de la sorte n'existe pour le fructose. Plus vous mangez, plus vous métabolisez. L'essentiel est que le fructose excédentaire est transformé en gras dans le foie. Des taux élevés de fructose vont causer une stéatose hépatique. La stéatose hépatique est absolument cruciale au développement de la résistance à l'insuline dans le foie.

Le fait que le fructose soit une cause directe de la résistance à l'insuline a été découvert il y a longtemps. D'aussi loin que 1980, des expériences ont prouvé que le fructose (mais pas le glucose) cause le développement de la résistance à l'insuline chez les humains[16]. On a donné à des sujets en bonne santé 1 000 calories de glucose ou de fructose de plus par jour. Le groupe qui avait reçu du glucose n'a montré aucun changement sur le plan de la sensibilité à l'insuline. Le groupe qui avait reçu du fructose, cependant, a montré une détérioration de 25 % de la sensibilité à l'insuline, après seulement sept jours !

Une étude de 2009 a montré que le prédiabète pouvait être provoqué chez des volontaires en bonne santé en seulement huit semaines. Les sujets en bonne santé ont consommé 25 % de leurs calories quotidiennes sous forme de Kool-Aid édulcoré avec du glucose ou du fructose. Même si cette quantité peut sembler élevée, un bon nombre de personnes consomment cette proportion élevée de sucre dans leur alimentation[17]. Avec son faible indice glycémique, le fructose causait une moins grande augmentation de la glycémie.

Le groupe qui avait reçu du fructose, mais pas celui qui avait reçu du glucose, a développé un prédiabète en huit semaines. Les taux d'insuline de même que les mesures de la résistance à l'insuline étaient nettement plus élevés dans le groupe qui avait reçu du fructose.

Donc, seulement six jours de consommation excessive de fructose causent une résistance à l'insuline. En huit semaines, le prédiabète est en train d'établir une tête de pont. Que se passe-t-il après des décennies de consommation excessive de fructose ? La surconsommation de fructose conduit directement à la résistance à l'insuline.

LES MÉCANISMES

L'insuline est normalement sécrétée quand nous mangeons. Elle dirige une partie du glucose entrant afin qu'il soit utilisé comme source d'énergie et une autre partie afin qu'il soit emmagasiné pour être utilisé plus tard. À court terme, le glucose est emmagasiné dans le foie sous forme de glycogène, mais l'espace de stockage dans le foie est limité. Une fois qu'il est rempli, le glucose excédentaire est emmagasiné sous forme de gras, c'est-à-dire que le foie commence à fabriquer du gras à partir du glucose grâce à la lipogenèse de novo.

Après un repas, quand les taux d'insuline se mettent à chuter, ce processus est renversé. Comme il n'y a plus d'énergie provenant de la nourriture, l'énergie emmagasinée doit être récupérée. Les réserves de glycogène et de gras dans le foie sont retransformées en glucose et distribuées au reste du corps comme source d'énergie. Le foie agit comme un ballon. Quand l'énergie entre, il se remplit. Quand de l'énergie est nécessaire, il se dégonfle. Équilibrer les moments où l'on mange et les moments de jeûne dans la journée assure qu'aucun gras n'est perdu ou gagné.

Mais que se passe-t-il si le foie est déjà rempli de gras? L'insuline tente de forcer plus de gras et de sucre à pénétrer dans le foie, même s'il est déjà plein de gras et de sucre. Comme il est difficile de gonfler un ballon qui est déjà rempli d'air, l'insuline a de la difficulté à faire pénétrer plus de gras dans un foie gras. Le corps est maintenant résistant aux efforts de l'insuline puisque des taux normaux ne sont pas suffisants pour faire pénétrer le sucre dans le foie. Voilà : une résistance à l'insuline dans le foie.

Le foie, comme un ballon surgonflé, va essayer d'expulser le sucre dans la circulation. Des taux d'insuline constamment élevés sont donc nécessaires pour le garder emmagasiné dans le foie. Si les taux d'insuline commencent à chuter, le gras et le sucre emmagasinés commencent à sortir. Pour compenser, le corps continue de hausser les taux d'insuline.

Par conséquent, la résistance à l'insuline mène à des taux d'insuline plus élevés. Des taux d'insuline plus élevés suscitent le stockage du sucre et du gras dans le foie, ce qui cause un bourrage de gras dans le foie déjà gras, causant ainsi encore plus de résistance à l'insuline, un cercle vicieux classique. Le saccharide, un mélange de 50 % de glucose et 50 % de fructose, joue donc un double rôle dans l'obésité. Le glucose est un glucide raffiné qui stimule directement l'insuline. La surconsommation de fructose cause une stéatose hépatique, ce qui produit une résistance à l'insuline. À long terme, la résistance à l'insuline cause une augmentation des taux d'insuline, ce qui fait augmenter la résistance à l'insuline.

Le saccharide stimule la production d'insuline à court et à long terme. De cette façon, le saccharide est deux fois pire que le glucose. L'effet du glucose est évident si l'on se fie à l'indice glycémique, mais l'effet du fructose est complètement caché. Ce fait a trompé les scientifiques et les a fait minimiser l'importance du rôle des saccharides dans l'obésité.

Mais l'effet particulièrement engraissant du sucre a finalement été démasqué. Couper les sucres et les friandises a toujours été la première étape pour la perte de poids dans pratiquement tous les régimes de l'histoire. Les sucres ne sont pas seulement des calories vides ou des glucides raffinés. Ils sont beaucoup plus dangereux puisqu'ils stimulent à la fois l'insuline et la résistance à l'insuline.

L'autre effet particulièrement engraissant du sucre est dû à la stimulation de la résistance à l'insuline du fructose, qui s'envenime pendant des années ou même des décennies avant de devenir évident. Des études sur l'alimentation à court terme passent complètement à côté de cet effet, comme on peut le voir dans une analyse systémique récente. On a analysé un bon nombre d'études qui duraient moins d'une semaine et on a conclu que le fructose n'avait pas d'effet particulier, à part ses calories[18]. Cette façon de faire est semblable au fait d'analyser des études sur le tabagisme qui auraient duré quelques semaines et de conclure que le tabagisme ne cause pas le cancer du poumon. Les effets du sucre, tout comme l'obésité, se développent sur des décennies et non des jours.

Cela explique le paradoxe apparent des Asiatiques qui mangent beaucoup de riz. Les études *INTERMAP*, menées dans les années 1990, ont permis d'observer que les Chinois consommaient de très grandes quantités de riz blanc, mais qu'ils ne souffraient pas beaucoup d'obésité. La clé était que leur consommation de saccharides était extrêmement faible, ce qui minimisait le développement de la résistance à l'insuline.

Une fois que leur consommation de saccharides a commencé à augmenter, ils ont commencé à développer une résistance à l'insuline. Comme cela s'ajoutait à leur apport déjà élevé en glucides (riz blanc), il s'agissait là d'une recette pour la catastrophe à laquelle ils font maintenant face avec le diabète.

QUE FAIRE ?

Si vous voulez éviter de prendre du poids, retirez tous les sucres ajoutés de votre alimentation. Sur ce fait, au moins, tout le monde est d'accord. Ne les remplacez pas par des édulcorants artificiels ; comme nous le verrons dans le prochain chapitre, ils sont tout aussi néfastes.

Malgré la morosité de l'épidémie d'obésité, je suis en fait optimiste, car je crois que nous avons pris un nouveau tournant. Enfin, les preuves s'accumulent. L'incessante augmentation des cas d'obésité aux États-Unis a commencé à ralentir, et dans certains États, pour la première fois, le nombre de cas d'obésité a commencé à décliner[19]. Selon le Center for Disease Control, le taux de nouveaux cas de diabète de type 2 commence également à ralentir[20]. La diminution des sucres alimentaires joue un rôle non négligeable dans cette victoire.

15. L'ILLUSION DES BOISSONS DIÈTE

Par une chaude nuit de juin 1879, le chimiste russe Constantin Fahlberg s'est attablé pour souper et a mordu dans une miche de pain remarquablement sucrée. Ce qui était remarquable était qu'aucun sucre n'avait été utilisé pour faire ce pain. Plus tôt cette journée-là, alors qu'il travaillait sur des dérivés de goudron de houille dans le laboratoire, un composé expérimental incroyablement sucré s'était éparpillé sur ses mains et avait trouvé son chemin jusqu'aux miches de pain. Courant au laboratoire, il goûta tout ce qui lui tomba sous la main. Il venait de découvrir la saccharine, le premier édulcorant artificiel au monde.

À LA RECHERCHE D'ÉDULCORANTS

Initialement synthétisée comme additif pour les boissons pour les diabétiques, la saccharine est devenue de plus en plus populaire[1], et ensuite, d'autres composés sucrés et faibles en calories ont été synthétisés.

Le cyclamate a été découvert en 1937, mais on a par la suite arrêté de l'utiliser aux États-Unis en 1970 à cause de préoccupations relatives au cancer de la vessie. L'aspartame

(NutraSweet) a été découvert en 1965. Environ 200 fois plus sucré que le sucrose, l'aspartame est tristement célèbre parmi les édulcorants pour son potentiel cancérigène chez les animaux. Néanmoins, il a été approuvé en 1981. La popularité de l'aspartame a depuis été éclipsée par l'acésulfame-K, suivi de l'actuel champion, le sucralose. Les boissons gazeuses diète sont la source la plus évidente de ces produits chimiques dans notre alimentation, mais les yogourts, les barres collation, les céréales pour petit-déjeuner et bien d'autres aliments transformés « sans sucre » en contiennent également.

Les boissons gazeuses diète contiennent très peu de calories et pas de sucre. Il semble donc judicieux de remplacer une boisson gazeuse ordinaire par une boisson diète afin de réduire notre apport en sucre et perdre quelques livres. À cause des préoccupations grandissantes relativement à l'excès de sucre, les fabricants de produits alimentaires ont réagi en lançant près de 6 000 nouveaux produits sucrés artificiellement. L'apport en édulcorants artificiels a augmenté sensiblement aux États-Unis (voir la figure 15.1)[2] ; de 20 % à 25 % des adultes américains ingèrent régulièrement ces produits chimiques, surtout dans les boissons.

Figure 15.1 La consommation d'édulcorants artificiels par personne a augmenté; en 2004, elle était plus de 12 fois ce qu'elle était en 1965.

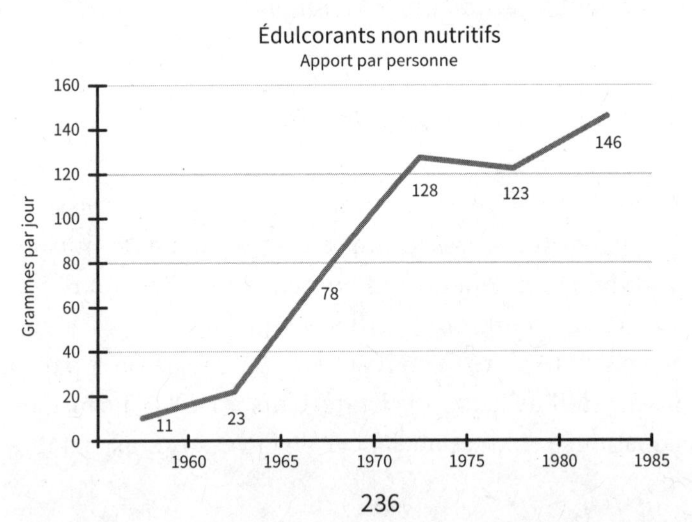

Après des débuts modestes de 1960 à 2000, la consommation de boissons diète a augmenté de plus de 400 %. Le Coke diète a longtemps été la deuxième boisson gazeuse la plus populaire, tout juste derrière le Coca Cola. En 2010, les boissons diète comptaient pour 42 % des ventes de Coca Cola aux États-Unis. Par contre, malgré un enthousiasme initial, l'utilisation d'édulcorants artificiels a récemment plafonné, principalement à cause de préoccupations quant à la sécurité. Des sondages indiquent que 64 % des personnes interrogées avaient des inquiétudes par rapport à leurs effets sur la santé, et 44 % faisaient un effort délibéré pour réduire leur apport ou les éviter carrément[3].

La recherche était donc lancée pour trouver un édulcorant plus « naturel » faible en calories. Le sirop d'agave a connu un regain de popularité. Le sirop d'agave est transformé à partir de l'agave, qui est originaire du sud-ouest des États-Unis, du Mexique et de certaines parties de l'Amérique du Sud. On pensait que l'agave était plus sain que le sucre à cause de son indice glycémique plus faible. Le Dr Mehmet Oz, un cardiologue connu à la télévision américaine, a brièvement fait l'article des bienfaits du sirop d'agave pour la santé avant de faire volte-face quand il s'est rendu compte qu'il s'agissait de fructose (à 80 %)[4]. Le faible indice glycémique était tout simplement dû à la teneur élevée en fructose.

Le prochain produit important à apparaître sur le marché est le stevia. Le stevia est extrait des feuilles de la *Stevia rebaudiana*, une plante originaire de l'Amérique du Sud. Il est 300 fois plus sucré que le sucre ordinaire et a un effet minime sur le glucose. Beaucoup utilisé au Japon depuis les années 1970, il est récemment devenu disponible en Amérique du Nord. Le sirop d'agave et les édulcorants dérivés du stevia sont hautement transformés. À cet égard, ils ne sont pas plus sains que le sucre en soi : un composé naturel dérivé des betteraves à sucre.

À LA RECHERCHE DE PREUVES

En 2012, l'American Diabetes Association et l'American Heart Association ont publié une déclaration commune[5] pour appuyer l'utilisation d'édulcorants à faible teneur en calories pour aider à perdre du poids et améliorer la santé. L'American Diabetes Association affirme sur son site web que « les aliments et les boissons qui utilisent des édulcorants artificiels sont une autre option qui peut aider à faire disparaître les fringales pour des aliments sucrés[6] ». Mais les preuves sont étonnamment rares.

Présumer que les édulcorants artificiels faibles en calories sont bénéfiques pose un problème immédiat et évident. La consommation d'aliments dits « diète » par personne a monté en flèche dans les dernières décennies. Si les boissons diète réduisent considérablement l'obésité ou le diabète, pourquoi ces deux épidémies sont-elles toujours aussi intenses ? La seule conclusion logique est que les boissons diète n'aident pas vraiment.

Il y a d'importantes études épidémiologiques qui appuient tout cela. L'American Cancer Society a mené une enquête auprès de 78 694 femmes[7] afin de prouver que les édulcorants artificiels avaient un effet bénéfique sur le poids. L'enquête a plutôt prouvé exactement le contraire. Après un ajustement pour le poids initial, sur une période d'un an, celles qui utilisaient des édulcorants artificiels étaient considérablement plus susceptibles de prendre du poids, même si le gain était modeste (moins de 2 livres).

La Dre Sharon Fowler, du Health Sciences Center de l'Université du Texas à San Antonio, a analysé en 2008[8] de façon prospective les résultats de l'étude *San Antonio Heart Study*, où 5 158 adultes ont été suivis pendant huit ans. Elle a découvert que, au lieu de réduire l'obésité, les boissons diète augmentaient considérablement le risque d'un époustouflant 47 %. Elle écrit : « Ces découvertes soulèvent la question de savoir si l'utilisation des édulcorants artificiels alimente ou combat l'épidémie grandissante d'obésité.»

Les mauvaises nouvelles se sont accumulées pour les boissons diète. Pendant les dix années qu'a duré la *Northern Manhattan Study*[9], la Dre Hannah Gardener, de l'Université de Miami, a constaté en 2012 que boire des boissons diète était associé à une augmentation de 43 % des risques d'événements vasculaires (accidents vasculaires cérébraux et crises cardiaques). Après l'*Atherosclerosis Risk in Communities Study* (*ARIC*)[10], on a constaté en 2008 une augmentation de 34 % de l'incidence du syndrome métabolique chez les individus qui consomment des boissons diète, ce qui concorde avec les données de la *Framingham Heart Study*[11], qui a permis de constater en 2007 une incidence de 50 % plus élevée du syndrome métabolique. En 2014, le Dr Ankus Vyas, des Hospitals and Clinics de l'Université de l'Iowa[12], a présenté une étude qui avait suivi 59 614 femmes sur 8,7 ans dans le cadre de la *Women's Health Initiative Observational Study*. L'étude a révélé une augmentation de 30 % du risque d'événements cardiovasculaires (crises cardiaques et accidents vasculaires cérébraux) chez celles qui buvaient deux boissons diète par jour ou plus. Les bienfaits en ce qui concernait les crises cardiaques, les accidents vasculaires cérébraux, le diabète et le syndrome métabolique étaient tout aussi insaisissables. Les édulcorants artificiels ne sont pas bénéfiques. Ils sont néfastes. Très néfastes.

Malgré une réduction du sucre, les boissons diète ne réduisent pas le risque d'obésité, de syndrome métabolique, d'accidents vasculaires cérébraux ou de crises cardiaques. Mais pourquoi? Parce que c'est l'insuline, et non les calories, qui est le facteur déterminant dans les cas d'obésité et de syndrome métabolique.

La question importante est la suivante: les édulcorants artificiels augmentent-ils les taux d'insuline? Le sucralose[13] fait augmenter les taux d'insuline de 20 %, quoiqu'il ne contienne pas de calories ni de sucre. Cet effet a également été démontré pour d'autres édulcorants artificiels, même l'édulcorant « naturel » stevia. Bien qu'ils aient un effet minime sur la glycémie, l'aspartame et le stevia font augmenter les taux d'insuline encore plus que le sucre ordinaire[14]. On doit s'attendre à ce que les édulcorants artificiels qui font augmenter les taux d'insuline soient néfastes et non bénéfiques. Les édulcorants artificiels peuvent faire baisser l'apport en calories et en sucre, mais pas l'insuline. Pourtant, l'insuline est un facteur déterminant dans le gain de poids et le diabète.

Les édulcorants artificiels peuvent également causer des dommages en augmentant les fringales. Le cerveau peut avoir une impression d'insatisfaction parce qu'il sent le sucré sans les calories, ce qui peut par la suite causer une surcompensation et une augmentation de l'appétit et des envies de manger[15]. Des études d'IRM fonctionnelle démontrent que le glucose active entièrement le centre du plaisir dans le cerveau, mais pas le sucralose[16]. L'activation incomplète peut stimuler des envies d'aliments sucrés afin d'activer entièrement les centres du plaisir. En d'autres termes, vous pouvez développer une habitude de manger des aliments sucrés, ce qui mène à la suralimentation. En effet, la plupart des essais cliniques randomisés démontrent qu'il n'y a pas de diminution de l'apport calorique avec l'utilisation d'édulcorants artificiels[17].

La plus grande preuve d'échec provient de deux essais cliniques randomisés récents. Le Dr David Ludwig, de l'Université Harvard, a divisé en deux groupes au hasard des adolescents en surpoids[18]. Un groupe a reçu de l'eau et des boissons diète tandis que l'autre groupe a continué de consommer les mêmes boissons qu'avant. Après deux ans, le groupe qui consommait des boissons diète consommait beaucoup moins de sucre que le groupe témoin. C'est bien, mais ce n'est pas la question qui nous intéresse. Boire des boissons diète fait-il une différence dans l'obésité chez les adolescents ? La réponse courte est non. Il n'y avait pas de différence significative entre les deux groupes sur le plan pondéral.

Une autre étude randomisée à plus court terme impliquant 163 femmes obèses à qui l'on a donné aléatoirement de l'aspartame n'a pas démontré d'amélioration sur le plan de la perte de poids sur une période de dix-neuf semaines[19]. Mais une étude[20] impliquant 641 enfants de poids normal a démontré une perte de poids statistiquement significative associée à l'utilisation d'édulcorants artificiels. Cependant, la différence n'était pas aussi spectaculaire que ce qu'on avait espéré. Après dix-huit mois, il n'y avait qu'une différence de 1 livre (0,45 kg) entre le groupe qui avait consommé des édulcorants artificiels et le groupe témoin.

Des renseignements contradictoires comme ceux-ci génèrent souvent de la confusion dans les sciences de la nutrition. Une étude démontre un bienfait alors qu'une autre démontre exactement le contraire. Généralement, le facteur déterminant est qui a financé l'étude. Les chercheurs ont observé dix-sept revues différentes sur les boissons sucrées et le gain de poids[21]. Ils ont découvert que 83,3 % des études financées par des entreprises alimentaires ne montraient aucun lien entre les boissons sucrées et le gain de poids. Mais les études financées de façon indépendante montraient tout le contraire ; 83,3 % des études indiquaient une relation forte entre les boissons sucrées et le gain de poids.

L'HORRIBLE VÉRITÉ

Donc, l'arbitre final doit être le bon sens. Réduire les sucres alimentaires est certainement bénéfique. Mais cela ne signifie pas que remplacer les sucres par des produits chimiques artificiels, anthropiques et douteux est une bonne idée. Certains pesticides et herbicides sont également considérés comme propres à la consommation humaine. Cependant, nous ne devrions pas tenter coûte que coûte d'en consommer plus.

La réduction des calories est le principal avantage des édulcorants artificiels. Mais les calories ne sont pas le facteur déterminant de l'obésité ; c'est l'insuline. Puisque les édulcorants artificiels font également augmenter les taux d'insuline, on ne tire aucun profit de leur usage. Manger des produits chimiques qui ne sont pas des aliments (comme l'aspartame, le sucralose ou l'acésulfame-K) n'est pas une bonne idée. Ils sont synthétisés dans de grosses cuves et ajoutés aux aliments parce qu'ils sont sucrés et qu'ils ne vous tuent pas. De petites quantités de colle ne nous tueront pas non plus. Nous ne devrions pas en manger pour autant.

Au bout du compte, ces produits chimiques ne vous aident pas à perdre du poids et peuvent en fait vous en faire prendre. Ils risquent de causer des envies de manger qui peuvent entraîner une surconsommation d'aliments sucrés. Et manger continuellement des aliments sucrés, même s'ils ne contiennent pas de calories, peut nous mener à avoir une forte envie de manger d'autres aliments sucrés.

Les essais cliniques randomisés confirment notre expérience personnelle et notre bon sens. Oui, boire des boissons diète diminuera votre apport en sucre. Mais non, cela ne vous aidera pas à perdre du poids. Vous le saviez probablement déjà. Pensez à toutes ces personnes que vous voyez boire des boissons diète. Connaissez-vous une seule personne qui a dit avoir perdu beaucoup de poids en buvant des boissons diète ?

Une seule personne ?

16. LES GLUCIDES ET LES FIBRES PROTECTRICES

Les modestes glucides sont entourés de controverse. Sont-ils bons ou mauvais ? Du milieu des années 1950 aux années 1990, ils étaient les « gentils », les héros. Faibles en gras, ils étaient censés être notre salut de l'« épidémie » de maladies du cœur. Puis, l'offensive Atkins, vers la fin des années 1990, a réattribué les rôles et ils sont devenus les « méchants ». Plusieurs évitaient tous les glucides, même les légumes et les fruits. Alors, les glucides sont-ils bons ou mauvais ?

L'insuline et la résistance à l'insuline sont les facteurs déterminants de l'obésité. Les glucides raffinés, comme le sucre blanc et la farine blanche, causent la plus grande augmentation des taux d'insuline. Ces aliments sont assez engraissants, mais cela ne signifie pas nécessairement que tous les glucides sont aussi néfastes. Les « bons » glucides (fruits entiers et légumes) sont considérablement différents des « mauvais » (sucre et farine). Le brocoli ne vous fera probablement pas engraisser, peu importe la quantité que vous mangerez. Mais manger même de petites quantités de sucre peut certainement causer un gain de poids. Pourtant, les deux sont des glucides. Comment les distinguer ?

L'INDICE GLYCÉMIQUE ET LA CHARGE GLYCÉMIQUE

Le Dr David Jenkins, de l'Université de Toronto, a commencé à s'attaquer à ce problème en 1981 à l'aide de l'indice glycémique. Les aliments étaient classés selon leur capacité à faire augmenter les taux de glucose dans le sang. Puisque les protéines et les graisses alimentaires ne causent pas une hausse appréciable de la glycémie, ils ont été exclus de l'indice glycémique, qui ne mesure que les aliments qui contiennent des glucides. Pour ces aliments, l'indice glycémique et l'effet insulinostimulant sont fortement corrélés.

L'indice glycémique utilise des portions identiques de 50 grammes de glucides. Par exemple, prenez des aliments comme des carottes, du melon d'eau, des pommes, du pain, des crêpes, une friandise et du gruau, mesurez une portion de chaque pour qu'elle contienne 50 grammes de glucides, puis mesurez l'effet sur la glycémie. Ensuite, comparez les aliments à l'étalon de référence, le glucose, qui a une valeur de 100.

Toutefois, une portion standard peut ne pas contenir 50 grammes de glucides. Par exemple, le melon d'eau a un indice glycémique très élevé de 72, mais ne contient que 5 % de masse en glucides. L'essentiel du poids du melon d'eau est de l'eau. Vous devriez manger 1 kilogramme (2,2 lb !) de melon d'eau pour obtenir 50 grammes de glucides, beaucoup plus que ce qu'une personne consomme normalement. Une tortilla de maïs, par contre, a un indice glycémique de 52. La tortilla contient 48 % de masse de glucide. Vous n'auriez donc qu'à consommer 104 grammes de tortilla (à peu près ce qu'une personne mange pendant un repas) pour avoir 50 grammes de glucides.

L'indice de charge glycémique est une tentative de corriger cette distorsion en ajustant par rapport à la taille des portions. Le melon d'eau a une charge glycémique très faible de 5 alors qu'une tortilla de maïs a une charge glycémique élevée de 25. Mais que vous utilisiez l'indice ou la charge glycémique, vous trouverez qu'il y a une distinction claire entre les glucides raffinés et les aliments traditionnels non raffinés. Les aliments raffinés occidentaux ont un indice et une charge glycémiques très élevés. Les aliments entiers traditionnels ont une charge glycémique faible, bien qu'ils contiennent une quantité semblable de glucides, un facteur qui les différencie (voir la figure 16.1[1]). Les glucides ne sont pas fondamentalement engraissants. Leur toxicité est due à la façon dont ils sont transformés.

Figure 16.1 Charge glycémique de certains aliments courants

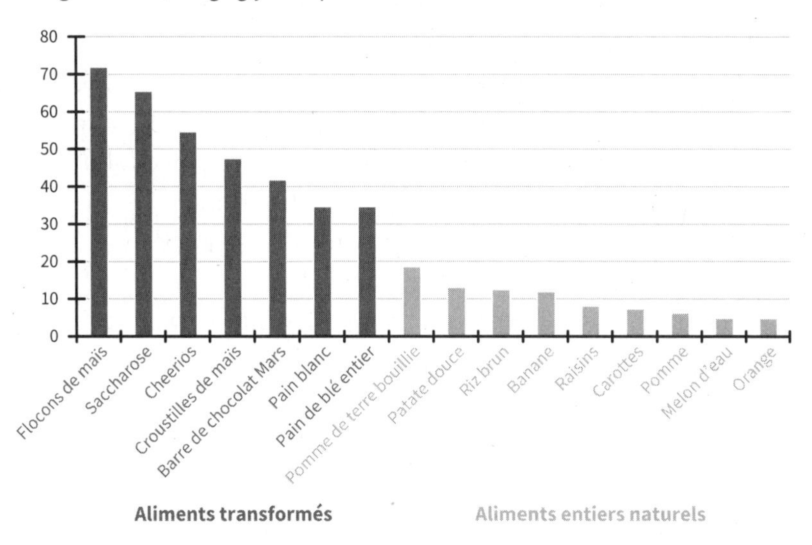

La transformation des aliments augmente de façon significative leur indice glycémique en purifiant et en concentrant les glucides. La suppression du gras, des fibres et des protéines signifie que les glucides peuvent être digérés et absorbés très rapidement. Dans l'exemple du blé, les machines modernes, qui ont presque entièrement remplacé la mouture sur meule de pierre, pulvérisent le blé en une poudre blanche très fine que nous connaissons comme la farine. Les consommateurs de cocaïne savent que les poudres très fines sont absorbées dans la circulation sanguine beaucoup plus rapidement que les gros grains, ce qui entraîne un *high* plus euphorique, à la fois dans le cas de la cocaïne et du glucose. Le blé raffiné cause une hausse rapide de la glycémie. Les taux d'insuline suivent.

Transformer ou raffiner encourage la surconsommation. Par exemple, pour faire un verre de jus d'orange, vous aurez besoin de quatre ou cinq oranges. Il est très facile de boire un verre de jus, mais manger cinq oranges n'est pas si facile. En retirant tout ce qui n'est pas un glucide, nous avons tendance à surconsommer ce qui reste. Si nous avions à manger toutes les fibres associées à cinq oranges, nous y penserions à deux fois. Le même principe s'applique aux grains et aux légumes.

Il s'agit d'un problème d'équilibre. Nos corps se sont adaptés à l'équilibre de nutriments provenant des aliments naturels. En raffinant les aliments et en n'en consommant que certaines parties, l'équilibre est entièrement détruit. Les gens ont mangé des glucides non raffinés pendant des milliers d'années sans obésité ni diabète. Ce qui a changé, et récemment, est que nous mangeons majoritairement des grains raffinés comme glucides de choix.

LE BLÉ : LE GRAIN DE CHOIX EN OCCIDENT

Le blé a longtemps été le symbole de la nutrition. Le blé, le riz et le maïs sont les premiers aliments cultivés pour l'alimentation dans l'histoire de l'humanité. Pourtant, de nos jours, avec la sensibilité au gluten et l'obésité, le blé se retrouve isolé. Mais qu'est-ce qui rend le blé si néfaste?

Comme nous l'avons vu au chapitre 9, le blé est cultivé depuis l'Antiquité. Mais dans les années 1950, des inquiétudes malthusiennes quant à la surpopulation et à la famine mondiale ont refait surface. Norman Borlaug, qui gagnera plus tard le prix Nobel de la paix, a commencé à expérimenter avec des variétés de blé à rendement supérieur, donnant ainsi naissance au blé nain.

Aujourd'hui, on estime que 99 % de tout le blé cultivé dans le monde est de variété naine ou demi-naine. Mais le Dr Borlaug a cultivé des souches naturellement présentes alors que ses successeurs se sont rapidement tournés vers les nouvelles technologies pour améliorer les mutations. Les nouvelles variétés de blé n'ont pas fait l'objet d'essais de sécurité et on a simplement supposé qu'elles étaient sans danger dans cette nouvelle ère atomique.

Il est évident que les variétés modernes de blé nain ne sont pas les mêmes qu'il y a cinquante ans. La *Broadbalk Wheat Experiment*[2] a documenté les changements sur le plan du contenu nutritionnel dans les cinquante dernières années. Même si la production a grimpé en flèche pendant la révolution verte, le contenu en micronutriments s'est effondré. Le blé moderne n'est tout simplement pas aussi nutritif que dans les générations précédentes. Il ne peut certainement pas s'agir d'une bonne nouvelle.

Un autre indice du caractère changeant du blé est l'énorme augmentation de la prévalence de la maladie cœliaque, qui est une réaction à la protéine gluten qui endommage l'intestin grêle. Le blé est de loin la source prédominante de gluten dans l'alimentation en Occident, souvent par un facteur de 100 ou plus. En comparant des échantillons de sang archivés d'hommes membres des Forces aériennes sur une période de cinquante ans, les chercheurs ont découvert que la prévalence de la maladie cœliaque semble avoir quadruplé[3]. Serait-ce une conséquence des nouvelles variétés de blé ? On n'a pas encore répondu de façon satisfaisante à cette question, mais la possibilité est troublante.

Les méthodes de transformation ont considérablement changé au cours des siècles. Les grains de blé étaient traditionnellement moulus à l'aide de grosses meules alimentées par des animaux ou des humains. Le moulin à farine a remplacé la meule de pierre traditionnelle. Le son, le finot, le germe et les huiles sont efficacement et complètement retirés, ce qui ne laisse que l'amidon blanc pur. La plupart des vitamines, des protéines, des fibres et des gras sont retirés, de même que la balle et le son. La farine est moulue en une poudre si fine que son absorption dans l'intestin est extrêmement rapide. L'accélération de l'absorption du glucose amplifie l'effet de l'insuline. Les farines de blé et de grains entiers retiennent une partie du son et du germe, mais causent le même problème sur le plan de l'absorption.

Les féculents sont des centaines de sucres liés ensemble. La plupart (75 %) des féculents que l'on trouve dans la farine blanche sont organisés sous forme de chaînes ramifiées appelées amylopectine ; le reste est sous forme d'amylose. Il existe plusieurs classes d'amylopectine : A, B et C. Les légumineuses sont particulièrement riches en amylopectine C, qui est très mal digérée. Quand les glucides non digérés passent dans le côlon, la flore intestinale produit des gaz. Puisque les fèves et les légumineuses sont très riches en glucides, elles ne sont pas bien absorbées.

L'amylopectine B, que l'on trouve dans les bananes et les pommes de terre, est intermédiaire sur le plan de l'absorption. L'amylopectine A est la plus facilement digérée et on la retrouve, vous l'aurez deviné, dans le blé. Le blé est converti en glucose de façon plus efficace que pratiquement tous les autres féculents.

En revanche, malgré toutes les inquiétudes dont il est question dans ce chapitre, les études d'observation démontrent de façon cohérente que les grains entiers nous protègent de l'obésité et du diabète. Où est la coupure ? La réponse est dans les fibres.

LES BIENFAITS DES FIBRES

La fibre est la partie non digestible des aliments, habituellement des glucides. Les types courants de fibres comprennent la cellulose, l'hémicellulose, les pectines, les bêta-glucanes, les fructosanes et les gommes.

Les fibres sont classées comme étant solubles ou insolubles selon leur capacité à se dissoudre dans l'eau. Les fèves, le son d'avoine, les avocats et les baies sont de bonnes sources de fibres solubles. Les grains entiers, le germe de blé, les fèves, les graines de lin, les légumes à feuilles et les noix sont de bonnes sources de fibres insolubles. Les fibres peuvent également être classées comme fermentables ou non fermentables. Les bactéries normales du gros intestin peuvent faire fermenter certaines fibres non digérées en acides gras à chaîne courte comme l'acétate, le butyrate et le propionate, qui peuvent être utilisés comme source d'énergie. Les fibres peuvent également avoir d'autres effets bénéfiques sur les hormones, y compris une baisse de la sortie du glucose du foie[4]. Généralement, les fibres solubles sont plus fermentables que les fibres insolubles.

On suppose que les fibres ont de multiples mécanismes sur le plan de la santé, mais leur importance est grandement méconnue. Les aliments riches en fibres requièrent plus de mastication, ce qui peut aider à réduire l'apport alimentaire. Horace Fletcher (1849-1919) croyait fermement que mastiquer chaque bouchée cent fois était la cure pour combattre l'obésité et augmenter la force musculaire. Cette façon de faire lui a permis de perdre 40 livres (18 kg), et le « régime Fletcher » est devenu une méthode populaire pour perdre du poids au début du XXe siècle.

Les fibres peuvent réduire la sapidité des aliments et ainsi réduire l'apport alimentaire. Les fibres font gonfler les aliments et diminuent leur densité énergétique. Les fibres solubles absorbent l'eau pour former un gel, ce qui augmente encore le volume. Cet effet aide à remplir l'estomac, ce qui accroît la satiété. (La distension de l'estomac peut indiquer un sentiment de satiété grâce au nerf vague.) Une augmentation du volume peut aussi signifier que l'estomac prend plus de temps à se vider. Par conséquent, après un repas riche en fibres, la glycémie et les taux d'insuline augmentent plus lentement. Dans certaines études, la moitié de la variance dans la réponse glycémique aux féculents dépendait de la teneur en fibres[5].

Dans le gros intestin, l'augmentation du volume des selles peut mener à une plus grande excrétion de calories. En revanche, la fermentation dans le côlon peut produire des acides gras à chaîne courte[6]. Environ 40 % des fibres alimentaires peuvent être métabolisées de cette manière. Une étude a démontré qu'une alimentation pauvre en fibres causait une augmentation de 8 % de l'absorption calorique[7]. En gros, les fibres peuvent réduire l'apport alimentaire, ralentir l'absorption des aliments dans l'estomac et l'intestin grêle, et aider les aliments à passer rapidement à travers le gros intestin ; des effets potentiellement bénéfiques pour le traitement de l'obésité.

L'apport en fibres a chuté considérablement au cours des derniers siècles. On estime que l'alimentation à la période paléolithique en contenait de 77 à 120 grammes par jour[8]. On estime que les régimes traditionnels contiennent 50 grammes de fibres alimentaires par jour[9]. En revanche, l'alimentation américaine moderne en contient aussi peu que 15 grammes par jour[10]. En effet, même les *Dietary Guidelines for Healthy North American Adults* de l'American Heart Association ne recommandent que de 25 à 30 grammes par jour[11]. Cependant, le retrait des fibres alimentaires est un élément essentiel de la transformation des aliments. Et améliorer la texture, le goût et la consommation des aliments fait directement augmenter les profits des entreprises alimentaires.

Les fibres ont attiré l'attention du public dans les années 1970, et en 1977, les nouveaux *Dietary Guidelines* recommandaient de « manger des aliments contenant une quantité adéquate d'amidon et de fibres ». Avec cette recommandation, on avait inscrit les fibres au panthéon de la sagesse nutritionnelle. Les fibres étaient bonnes pour vous. Mais il était difficile de démontrer exactement de quelle façon.

On a d'abord cru qu'un apport élevé en fibres réduisait les risques de cancer du côlon. Les études ultérieures ont été des déceptions amères. Une étude prospective faisant partie de la *Nurses' Health Study*[12] a suivi 88 757 femmes pendant seize ans et n'a trouvé aucun bienfait sur le plan de la réduction du risque de cancer du côlon. De la même manière, une étude randomisée réalisée en 2000 sur l'apport élevé en fibres n'a pas pu démontrer de réduction des lésions précancéreuses appelées adénomes[13].

Si les fibres n'aidaient pas à réduire le cancer, peut-être qu'elles étaient bénéfiques pour réduire les maladies du cœur. En 1989, le *Diet and Reinfarction Trial* a divisé aléatoirement 2033 hommes ayant eu une crise cardiaque en trois groupes suivant des régimes alimentaires différents[14]. À la grande surprise des chercheurs, le régime faible en gras de l'American Heart Association ne semblait pas du tout réduire le risque. Et le régime riche en fibres ? Aucun avantage.

En revanche, le régime méditerranéen, riche en matières grasses, était bénéfique, comme le Dr Ancel Keys l'avait soupçonné des années auparavant. Des essais cliniques récents, comme le *PREDIMED*[15], confirment les avantages de manger plus de matières grasses naturelles comme les noix et l'huile d'olive. Manger plus de gras est donc bénéfique.

Mais il était difficile de se débarrasser du sentiment que, d'une certaine façon, les fibres étaient bonnes. Plusieurs études de corrélation, menées auprès des Pimas et des autochtones du Canada, associent un indice de masse corporelle plus faible à un apport plus élevé en fibres[16, 17, 18]. Plus récemment, l'étude *CARDIA*[19], une étude d'observation de dix ans, a démontré que ceux qui mangeaient plus de fibres avaient moins de risques de prendre du poids. Des études à court terme démontrent que les fibres augmentent la satiété, réduisent la faim et causent une diminution de l'apport calorique[20]. Des essais cliniques randomisés sur les suppléments de fibres démontrent un effet relativement modeste sur le plan de la perte de poids, avec une perte de poids moyenne de 2,9 à 4,2 livres (1,3 à 1,9 kg) sur une période allant jusqu'à douze mois. Des études à plus long terme ne sont pas disponibles.

LES FIBRES : DES FACTEURS ANTINUTRITIONNELS

Quand on examine les avantages nutritionnels des aliments, on pense habituellement aux vitamines, aux minéraux et aux nutriments qu'ils contiennent. Nous pensons aux composants des aliments qui nourrissent le corps. Mais ce n'est pas le cas pour les fibres. Pour comprendre les effets des fibres, la clé est de se rendre compte qu'il s'agit plus de facteurs antinutritionnels que de nutriments, d'où ses avantages. Les fibres peuvent réduire l'absorption et la digestion. Les fibres soustraient au lieu d'ajouter. Dans le cas des sucres et de l'insuline, c'est un bienfait. Les fibres solubles réduisent l'absorption des glucides, ce qui entraîne une diminution de la glycémie et des taux d'insuline.

Dans une étude[21], des patients souffrant de diabète de type 2 ont été divisés en deux groupes. On leur a donné un repas liquide standardisé ; un groupe étant le groupe témoin tandis que l'autre groupe recevait des fibres ajoutées. Le groupe ayant reçu un repas liquide avec des fibres ajoutées a démontré une baisse des pics d'insuline et de glucose, malgré le fait que les deux groupes consommaient exactement la même quantité de glucides et de calories. Puisque l'insuline est le facteur principal de l'obésité et du diabète, sa réduction est bénéfique. En substance, les fibres agissent comme un «antidote» aux glucides qui, dans cette analogie, constituent le poison. (Les glucides, même les sucres, ne sont pas littéralement toxiques, mais la comparaison est utile pour comprendre l'effet des fibres.)

Ce n'est pas une coïncidence si tous les aliments d'origine végétale, dans leur état naturel, non raffiné, contiennent des fibres. Dame nature a préemballé l'«antidote» avec le «poison». Ainsi, les sociétés traditionnelles peuvent suivre un régime alimentaire riche en glucides sans preuve d'obésité ou de diabète de type 2. Une différence fondamentale est que les glucides consommés par les sociétés traditionnelles ne sont pas raffinés ou transformés, ce qui entraîne un apport très élevé en fibres.

Les régimes occidentaux sont caractérisés par un trait distinctif, et il ne s'agit pas de la quantité de gras, de sel, de glucides ou de protéines. Il s'agit de la grande *transformation* des aliments. Prenez par exemple les marchés asiatiques traditionnels, remplis de viandes et de légumes frais. Un bon nombre de cultures asiatiques achètent des aliments frais quotidiennement, et la transformation pour accroître la durée de conservation n'est pas nécessaire ou bienvenue. En revanche, les marchés nord-américains ont des rangées complètes débordant d'aliments en boîte, transformés. Plusieurs autres rangées sont réservées aux aliments transformés congelés. Les Nord-Américains vont faire des emplettes pour les semaines et même les mois à venir. Le grand distributeur Costco, par exemple, dépend de cette pratique.

Les fibres et les matières grasses, ingrédients clés, sont retirés lors du processus de raffinage: les fibres, pour améliorer la texture et rendre le goût «meilleur», et les graisses naturelles, pour accroître la durée de conservation puisque les gras ont tendance à devenir rances. Nous ingérons donc le «poison» sans l'«antidote», l'effet protecteur des fibres étant éliminé de la plupart des aliments que nous consommons.

Tandis que les glucides entiers, non raffinés, contiennent pratiquement toujours des fibres, les protéines alimentaires et les gras n'en contiennent presque pas. Nos corps ont évolué pour digérer ces aliments sans avoir besoin des fibres : sans le « poison », l'« antidote » n'est pas nécessaire. Encore une fois, dame nature prouve qu'elle est plus sage que nous.

Retirer les protéines et les gras de l'alimentation peut mener à la surconsommation. Il existe des hormones naturelles de la satiété (peptide YY, cholécystokinine) qui réagissent aux protéines et au gras. Manger des glucides purs n'active pas ces systèmes, ce qui mène à la surconsommation (le phénomène du second estomac).

Les aliments naturels ont un équilibre de nutriments et de fibres. Au cours des millénaires, nous avons évolué de manière à pouvoir les consommer. Le problème ne réside pas dans les composants spécifiques des aliments, mais plutôt dans l'équilibre général. Par exemple, supposons que nous fassions un gâteau avec du beurre, des œufs, de la farine et du sucre. Nous décidons de retirer complètement la farine et de plutôt doubler la quantité d'œufs. Le gâteau a mauvais goût. Les œufs ne sont pas nécessairement mauvais. La farine n'est pas nécessairement bonne, mais l'équilibre n'y est pas. C'est la même chose pour les glucides. L'ensemble des glucides non raffinés, avec les fibres, le gras, les protéines et les glucides ne sont pas nécessairement néfastes. Mais tout retirer sauf les glucides détruit l'équilibre précaire et les rend néfastes pour la santé humaine.

LES FIBRES ET LE DIABÈTE DE TYPE 2

L'obésité et le diabète de type 2 sont des maladies causées par un excès d'insuline. La résistance à l'insuline se développe avec le temps, et elle est le résultat de taux d'insuline constamment élevés. Si les fibres peuvent protéger des taux élevés d'insuline, elles devraient donc nous protéger du diabète de type 2, non? C'est exactement ce que les études démontrent[22].

Les *Nurses' Health Studies* I et II ont suivi les dossiers diététiques de milliers de femmes sur plusieurs décennies et ont confirmé l'effet protecteur de l'apport en fibres de céréales[23, 24]. Les femmes dont le régime alimentaire avait un indice glycémique élevé, mais qui consommaient de grandes quantités de fibres de céréales étaient protégées contre le diabète de type 2. En bref, ce régime alimentaire est simultanément riche en «poison» et en «antidote». Ils s'annulent mutuellement sans résultat net. Les femmes dont le régime alimentaire avait un indice glycémique faible (faible en «poison»), mais également faible en fibres (faible en «antidote») étaient également protégées. Encore une fois, les deux s'annulent.

Mais la combinaison mortelle d'un régime alimentaire à indice glycémique élevé (riche en «poison») et à faible apport en fibres (faible en «antidote») augmente les risques de diabète de type 2 d'un terrifiant 75 %. Cette combinaison reflète exactement les conséquences de la transformation des glucides: la transformation cause une augmentation de l'indice glycémique, mais réduit le contenu en fibres.

L'importante étude *Health Professionals Follow-up Study* a suivi 42 759 hommes sur six ans et a obtenu fondamentalement les mêmes résultats[25]. Un régime alimentaire à charge glycémique élevée («poison») et pauvre en fibres («antidote») augmente le risque de diabète de type 2 de 217 %.

La *Black Women's Health Study* a démontré qu'un régime à indice glycémique élevé était associé à une augmentation de 23 % du risque de diabète de type 2. Un apport élevé en fibres, en revanche, était associé à une réduction de 18 % du risque de diabète.

À l'état naturel, entier et non transformé, les glucides, à l'exception du miel, contiennent toujours des fibres, ce qui est précisément la raison pour laquelle les aliments vides et la nourriture rapide sont néfastes. La transformation et l'ajout de produits chimiques changent les aliments en une forme que notre corps n'a pas appris à supporter. C'est précisément pourquoi ces aliments sont toxiques.

Un autre aliment traditionnel peut aider à protéger des méfaits modernes des taux élevés d'insuline : le vinaigre.

LES SECRETS DU VINAIGRE

Le mot vinaigre tire son origine des mots latins *vinum acer*, qui signifient « vin aigre ». Le vin laissé intact se transforme en vinaigre (acide acétique). Les peuples anciens ont rapidement découvert la polyvalence du vinaigre. L'utilisation du vinaigre comme substance nettoyante est toujours répandue. Les guérisseurs traditionnels exploitaient les propriétés antimicrobiennes du vinaigre avant l'arrivée des antibiotiques en l'utilisant pour nettoyer les plaies. Le vinaigre non filtré contient de la « mère », qui est constituée des protéines, des enzymes et des bactéries utilisées pour faire le vinaigre.

Le vinaigre est utilisé depuis longtemps pour préserver les aliments par macération. Comme boisson, le goût acidulé et aigre du vinaigre n'a jamais gagné en popularité, même si l'on rapporte que Cléopâtre buvait du vinaigre dans lequel on avait dissous des perles. Cependant, le vinaigre reste populaire comme condiment pour les frites, comme composant pour les sauces (vinaigre balsamique) et comme ingrédient dans la préparation du riz à sushi (vinaigre de riz).

Le vinaigre dilué est un tonique traditionnel pour la perte de poids. On trouve des mentions de ce remède dès 1825. Le poète anglais Lord Byron a popularisé le vinaigre comme tonique pour la perte de poids et on rapporte qu'il pouvait manger pendant des jours des biscuits et des pommes de terre trempés dans le vinaigre[26]. Les autres façons d'utiliser le vinaigre sont d'en avaler plusieurs cuillerées à thé avant les repas ou de le boire, dilué dans de l'eau, au coucher. Le vinaigre de cidre semble avoir gagné en popularité puisqu'il contient à la fois du vinaigre (acide acétique) et des pectines provenant du cidre (un type de fibres solubles).

Il n'existe pas de données à long terme sur l'utilisation du vinaigre pour perdre du poids. Cependant, des études à court terme sur les humains suggèrent que le vinaigre peut aider à réduire la résistance à l'insuline[27]. Deux cuillères à thé de vinaigre prises avec un repas riche en glucides abaissaient la glycémie et l'insuline jusqu'à 34 %, et en prendre juste avant le repas était plus efficace que de le prendre cinq heures avant les repas[28]. L'ajout de vinaigre au riz à sushi abaissait l'indice glycémique du riz blanc de presque 40 %[29]. L'ajout de légumes marinés et de soja fermenté (natto) réduisait également de façon significative l'indice glycémique du riz. De la même manière, le fait de substituer les concombres marinés aux concombres frais avec le riz a permis de démontrer une baisse de 35 % de l'indice glycémique[30].

Les pommes de terre, servies froides et préparées en salade avec du vinaigre, ont un indice glycémique considérablement plus faible que des pommes de terre ordinaires. Le fait de les garder au froid peut favoriser le développement d'amidon résistant, et le vinaigre ajoute aux bienfaits. L'indice glycémique et l'indice d'insuline ont été réduits respectivement de 43 % et de 31 %[31]. La quantité totale de glucides est la même dans tous les cas. Le vinaigre ne supplante pas les glucides, mais semble exercer un effet protecteur sur la réponse insulinique.

Des diabétiques de type 2 qui ont bu deux cuillères à soupe de vinaigre de cidre dilué dans de l'eau au coucher ont réduit leur glycémie matinale à jeun[32]. Des doses plus élevées de vinaigre semblent aussi augmenter la satiété, ce qui cause un apport calorique légèrement moins élevé pour le reste de la journée (environ 200 à 275 calories de moins). On a également observé cet effet avec les produits à base d'arachides. Il est intéressant de noter que les arachides ont provoqué une diminution de 55 % de la réponse glycémique[33].

On ne sait pas comment l'acide acétique produit ces effets bénéfiques. L'acide pourrait interférer avec la digestion des féculents en inhibant l'amylase salivaire. Le vinaigre pourrait également ralentir la vidange gastrique. Les données sont contradictoires ; au moins une étude démontre une diminution de 31 % de la réponse glycémique, mais aucun délai significatif sur le plan de la vidange gastrique[34].

L'utilisation de vinaigrettes à base d'huile et de vinaigre est associée à un risque plus faible de maladies cardiovasculaires. Le bienfait était originellement attribué à l'effet de l'acide alpha-linolénique alimentaire. Cependant, le Dr Frank B. Hu, de l'Université Harvard, souligne que la mayonnaise, qui contient des quantités similaires d'acide alpha-linolénique, ne semble pas fournir la même protection contre les maladies cardiovasculaires[35]. Peut-être que la différence ici est la consommation de vinaigre. Bien que loin d'être concluante, cette hypothèse est certainement intéressante. Mais ne vous attendez pas à une perte de poids rapide grâce à l'utilisation du vinaigre. Même ses adeptes soutiennent n'avoir bénéficié que d'une légère perte de poids.

LE PROBLÈME AVEC L'INDICE GLYCÉMIQUE

La classification des aliments contenant des glucides à l'aide de l'indice glycémique était logique et couronnée de succès. Initialement conçu pour les patients diabétiques, l'indice les a aidés à faire des choix alimentaires. Cependant, pour le traitement de l'obésité, les régimes alimentaires à indice glycémique faible ont connu un succès mitigé. Les bienfaits pour la perte de poids ont été insaisissables. Et c'est parce qu'il y a un problème particulièrement insurmontable avec l'indice glycémique.

Le glucose dans le sang ne cause pas un gain de poids. Mais les hormones, particulièrement l'insuline et le cortisol, oui.

L'insuline cause l'obésité. Le but devrait donc être d'abaisser les taux d'insuline et non la glycémie. L'arrière-pensée est que le glucose est le seul stimulateur de la sécrétion d'insuline, ce qui se révèle complètement faux. Un bon nombre de facteurs peuvent causer une hausse ou une baisse de l'insuline, particulièrement les protéines.

17. LES PROTÉINES

Au milieu des années 1990, alors que l'humeur populaire se retournait contre les pauvres glucides mal-aimés, une réaction de rejet a pris naissance dans la communauté médicale. « Les régimes faibles en glucides ne sont pas équilibrés sur le plan nutritionnel », bredouillaient les médecins. Cela semblait convenable. Il n'existe après tout que trois macronutriments : les protéines, les lipides et les glucides. Une restriction sévère de l'un d'entre eux provoque le risque d'avoir un régime « déséquilibré ». Bien sûr, les autorités dans le domaine de la nutrition n'avaient pas de remords semblables à propos de la réduction sévère des graisses alimentaires. Mais cela n'est pas la véritable question. Bien sûr qu'un régime alimentaire de la sorte est déséquilibré. La préoccupation la plus importante est de savoir si un tel régime est malsain.

Aux fins du présent argument, supposons que les régimes faibles en glucides soient déséquilibrés. Cela signifie-t-il que les nutriments contenus dans les glucides sont essentiels à la santé humaine ?

Certains nutriments sont considérés essentiels à notre alimentation parce que notre corps ne peut les synthétiser. Sans des sources alimentaires de ces nutriments, nous sommes en mauvaise santé. Il existe des acides gras essentiels, comme les acides gras oméga-3 et oméga-6, et des acides aminés essentiels, comme la phénylalanine, la valine et la thréonine. Mais il n'existe pas de glucides ou de sucres essentiels. Ils ne sont pas essentiels à la survie.

Les glucides ne sont que de longues chaînes de sucres. Il n'y a rien d'intrinsèquement nutritif dans les glucides. Les régimes faibles en glucides qui se concentrent sur le retrait des grains raffinés et des sucres de l'alimentation devraient être fondamentalement sains. Peut-être qu'ils sont déséquilibrés, mais ils ne sont pas malsains.

Une autre critique formulée au sujet des régimes faibles en glucides est qu'une bonne partie de la perte de poids initiale est de l'eau, ce qui est vrai. Un apport élevé en glucides cause une hausse de l'insuline, et l'insuline stimule les reins pour réabsorber l'eau. Abaisser le taux d'insuline cause donc une excrétion du surplus d'eau. Mais pourquoi cela est-il mauvais ? Qui voudrait bien avoir les chevilles enflées ?

À la fin des années 1990, quand la « nouvelle » approche faible en glucides a fusionné avec la religion prédominante du faible en gras, le régime Atkins 2.0 est apparu : une approche faible en glucides, faible en gras et riche en protéines. Tandis que le régime Atkins original était riche en gras, ce nouveau régime bâtard était riche en protéines. La plupart des aliments riches en protéines ont également tendance à être riches en matières grasses. Mais cette nouvelle approche nécessitait de manger beaucoup de poitrines de poulet désossées et sans la peau ainsi que des omelettes aux blancs d'œufs. Quand vous étiez fatigués de manger ces mets, il y avait toujours les barres de protéines et les boissons protéinées. Un bon nombre de personnes s'inquiétaient du fait qu'un régime riche en protéines pouvait potentiellement causer des dommages aux reins.

Les régimes alimentaires riches en protéines ne sont pas recommandés pour ceux qui souffrent d'une maladie rénale chronique puisque la capacité à gérer les produits de digestion des protéines est perturbée. Cependant, chez les personnes ayant une fonction rénale normale, il n'y a aucune inquiétude. Plusieurs études récentes ont conclu qu'un régime riche en protéines n'est pas associé à des effets nocifs notables sur la fonction rénale[1]. Les inquiétudes par rapport aux lésions rénales étaient exagérées.

Le problème le plus important concernant les régimes riches en protéines était qu'ils ne fonctionnaient pas pour la perte de poids. Mais pourquoi ? Le raisonnement semble solide. L'insuline cause le gain de poids. Réduire l'apport en glucides raffinés cause une baisse de la glycémie et de l'insuline. Mais tous les aliments causent une sécrétion d'insuline. L'approche Atkins 2.0 supposait que les protéines alimentaires ne causaient pas une augmentation de l'insuline puisqu'elles ne causent pas une hausse de la glycémie. Cette notion était erronée.

La réponse insulinique à des aliments spécifiques peut être mesurée et classée. L'indice glycémique mesure la hausse de la glycémie en réponse à une portion standard. L'indice insulinique, créé par Susanne Holt en 1997, mesure la réponse insulinique à une portion standard, et cela s'avère assez différent de l'indice glycémique[2]. Rien d'étonnant à ce que les glucides raffinés causent une hausse des taux d'insuline. Ce qui semblait stupéfiant était que les protéines alimentaires puissent causer une hausse similaire. L'indice glycémique ne considère pas du tout les protéines ou les lipides parce qu'ils ne causent pas une hausse du glucose, et cette approche ignore essentiellement les effets engraissants de deux des trois grands macronutriments. L'insuline peut augmenter indépendamment de la glycémie.

Avec les glucides, il y a une corrélation marquée entre la glycémie et les taux d'insuline. Mais dans l'ensemble, la glycémie n'était responsable que de 23 % de la variabilité de la réponse insulinique. La grande majorité de la réponse insulinique (77 %) n'a rien à voir avec la glycémie. L'insuline, et non le glucose, est le facteur déterminant du gain de poids, et cela change tout.

C'est exactement là que les régimes basés sur l'indice glycémique font fausse route. Ils ont ciblé la réponse glycémique en présumant que l'insuline reflète le glucose. Mais ce n'est pas le cas. Vous pouvez faire diminuer la réponse glycémique, mais vous ne pouvez pas nécessairement diminuer la réponse insulinique. Finalement, c'est la réponse insulinique qui compte.

Quels facteurs, à part le glucose, influencent la réponse insulinique? Il faut prendre en considération l'effet incrétine et la phase céphalique.

L'EFFET INCRÉTINE ET LA PHASE CÉPHALIQUE

On pense souvent que la glycémie est le seul stimulus pour la sécrétion d'insuline. Mais nous savons depuis longtemps que cela est faux. En 1966, des études ont démontré que l'administration orale ou intraveineuse de l'acide aminé leucine cause une sécrétion d'insuline[3]. Ce fait embarrassant a rapidement été oublié, jusqu'à ce qu'il soit redécouvert plusieurs décennies plus tard[4].

En 1986, le Dr Michael Nauck a remarqué quelque chose d'étrange[5]. La réponse glycémique d'un sujet est identique, que la dose de glucose soit administrée oralement ou par intraveineuse. Mais malgré une glycémie identique, les taux d'insuline du sujet varient grandement. Chose étonnante, la réponse insulinique au glucose administré par voie orale est beaucoup plus forte.

L'administration par voie orale n'a presque jamais la puissance d'une administration par voie intraveineuse. Les perfusions ont une biodisponibilité de 100 %, ce qui signifie que toute la perfusion est acheminée vers le sang. Pris par voir orale, bien des médicaments ne sont pas complètement absorbés ou sont partiellement désactivés par le foie avant d'atteindre la circulation sanguine. Pour cette raison, l'administration par voie intraveineuse a tendance à être beaucoup plus efficace.

Cependant, dans cette situation, l'opposé était vrai. Le glucose administré par voie orale était de loin plus apte à stimuler l'insuline. En outre, ce mécanisme n'avait rien à voir avec la glycémie. Ce phénomène n'avait pas été décrit auparavant. Des efforts de recherche intensifs ont révélé que l'estomac produit des hormones appelées incrétines, qui augmentent la sécrétion d'insuline. Puisque le glucose administré par intraveineuse contourne l'estomac, il n'y a pas d'effet incrétine. L'effet incrétine compte pour 50 % à 70 % de la sécrétion d'insuline après l'administration de glucose par voie orale.

Plutôt que de n'être qu'un mécanisme d'absorption et d'excrétion de la nourriture, le tube digestif, avec ses cellules nerveuses, ses récepteurs et ses hormones, fonctionne presque comme un « deuxième cerveau ». Les deux hormones incrétines décrites jusqu'ici sont le glucagon-like peptide 1 (GLP-1) et le peptide insulinotrope dépendant du glucose (GIP). Ces deux hormones sont désactivées par l'hormone dipeptidyl peptidase-4. Les incrétines sont sécrétées dans l'estomac et dans l'intestin grêle en réponse à la nourriture. Le GLP-1 et le GIP augmentent la sécrétion d'insuline par le pancréas. Les lipides, les acides aminés et le glucose stimulent tous la production d'incrétine, et ainsi, causent une augmentation des taux d'insuline. Même les édulcorants non nutritifs, qui ne contiennent pas de calories, peuvent stimuler la réponse insulinique. Par exemple, le sucralose, chez les humains, cause une hausse de 22 % de l'insuline[6].

L'effet incrétine commence quelques minutes après l'ingestion de nutriments et atteint un sommet après environ soixante minutes. Les incrétines ont un autre effet important ; elles causent un délai de l'évacuation du contenu de l'estomac dans l'intestin grêle, ce qui ralentit l'absorption du glucose.

La phase céphalique est une autre voie de sécrétion d'insuline indépendante du glucose. Le corps anticipe de la nourriture aussitôt qu'elle est dans votre bouche et bien avant que les nutriments n'atteignent l'estomac. Par exemple, garder dans sa bouche une solution de sucrose et de saccharine et la recracher causera une hausse du taux d'insuline[7]. Bien que l'importance de la phase céphalique soit inconnue, elle met en évidence le fait important qu'il existe plusieurs voies de sécrétion d'insuline qui ne dépendent pas du glucose.

La découverte de ces nouvelles voies était électrisante. L'effet incrétine explique comment les acides gras et les acides aminés jouent aussi un rôle dans la stimulation de l'insuline. Tous les aliments, pas seulement les glucides, stimulent l'insuline. Ainsi, tous les aliments peuvent causer un gain de poids, d'où la confusion majeure avec les calories. Les aliments riches en protéines peuvent causer un gain de poids : pas à cause de leur contenu calorique, mais plutôt à cause de leur effet insulinostimulant. Si les glucides ne sont pas les seuls ou même les stimulants majeurs de l'insuline, alors la restriction des glucides peut ne pas toujours être aussi bénéfique que nous le pensions. Substituer des protéines insulinostimulantes à des glucides insulinostimulants ne produit pas d'avantages nets. Les graisses alimentaires, par contre, ont tendance à avoir l'effet insulinostimulant le plus faible.

LES PRODUITS LAITIERS, LA VIANDE ET L'INDICE INSULINIQUE

Les protéines diffèrent grandement dans leur capacité à stimuler la sécrétion d'insuline[8], les produits laitiers étant des stimuli particulièrement puissants[9]. Les produits laitiers affichent également le plus grand écart entre les effets sur la glycémie et sur l'insuline. Ils ont un indice glycémique extrêmement faible (de 15 à 30), mais un indice insulinique très élevé (de 90 à 98). Le lait contient des sucres, principalement sous forme de lactose. Cependant, quand il est testé, le lactose pur a un effet minime sur l'indice glycémique et insulinique.

Le lait contient deux grands types de protéines laitières : la caséine (80 %) et le lactosérum (20 %). Le fromage contient surtout de la caséine. Le lactosérum est le sous-produit provenant du caillé lors de la fabrication du fromage. Les culturistes utilisent souvent des suppléments de protéines de lactosérum parce qu'ils sont riches en acides aminés à chaîne ramifiée, qui est importante pour la formation des muscles. Les protéines laitières, particulièrement le lactosérum, sont responsables de la hausse des taux d'insuline, encore plus que le pain de blé entier, surtout à cause de l'effet incrétine[10]. Les suppléments de protéines de lactosérum causent une hausse du GLP-1 de 298 %[11].

L'indice insulinique démontre une grande variabilité, néanmoins il existe quelques tendances générales. L'augmentation de la consommation de glucides mène à une augmentation de la sécrétion d'insuline. Cette relation est la base de plusieurs régimes faibles en glucides et à faible indice glycémique, et explique la propension bien connue des féculents et des aliments sucrés à causer l'obésité.

Les aliments gras peuvent également stimuler l'insuline, mais les gras purs, comme l'huile d'olive, ne stimulent pas l'insuline ou la glycémie. Cependant, peu d'aliments sont consommés comme gras purs. Il se peut que les composants protéiques des aliments gras déclenchent la réponse insulinique. Il est également intéressant de noter que le gras a tendance à avoir une courbe dose-réponse linéaire. Des quantités de plus en plus élevées de gras ne stimulent pas une plus grande réponse insulinique. Malgré la valeur calorique plus élevée du gras, il stimule moins l'insuline que les glucides ou les protéines.

La surprise vient ici des protéines alimentaires. La réponse insulinique est très variable. Tandis que les protéines végétales causent une hausse minime de l'insuline, les protéines de lactosérum et la viande (y compris les fruits de mer) causent une hausse significative de la sécrétion d'insuline. Mais les produits laitiers et la viande sont-ils engraissants ? C'est une question compliquée. Les hormones incrétines ont plusieurs effets, dont l'un est de stimuler la sécrétion d'insuline. Les incrétines ont également un effet majeur sur la satiété.

LA SATIÉTÉ

Les incrétines jouent un rôle important dans le contrôle de la vidange gastrique. Normalement, l'estomac retient les aliments et les mélange avec de l'acide gastrique avant de lentement déverser le contenu. Le GLP-1 cause un ralentissement significatif de la vidange de l'estomac. L'absorption des nutriments est également ralentie, ce qui cause une glycémie et un taux d'insuline plus faibles. En outre, cet effet crée une sensation de satiété que nous percevons comme le sentiment d'« être pleins ».

Une étude menée en 2010[12] a comparé l'effet de quatre protéines différentes, les œufs, la dinde, le thon et le lactosérum, sur les taux d'insuline des participants. Comme prévu, le lactosérum a causé le plus haut taux d'insuline. Quatre heures après, on a convié les participants à un buffet. Le groupe qui avait reçu des protéines de lactosérum a mangé beaucoup moins que les autres groupes. Les protéines de lactosérum avaient supprimé leur appétit et augmenté leur satiété. En d'autres mots, ces sujets étaient « pleins » (voir la figure 17.1[13]).

Figure 17.1 Apport énergétique quatre heures après avoir mangé des protéines

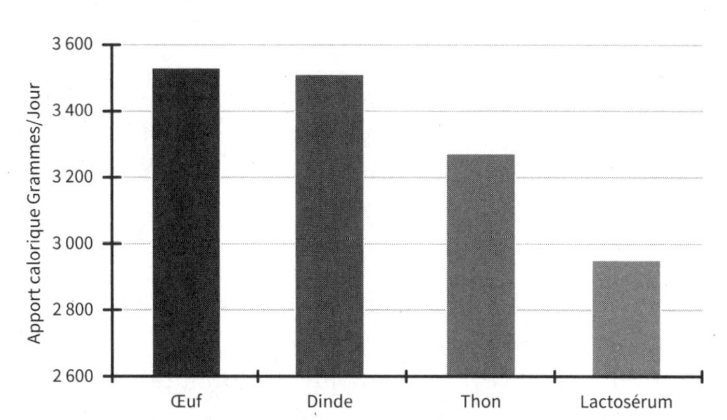

Les incrétines produisent donc deux effets opposés. La hausse de l'insuline encourage le gain de poids, mais l'augmentation de la satiété le supprime, ce qui est conforme à l'expérience personnelle. Les protéines animales ont tendance à vous faire sentir pleins plus longtemps, le lactosérum ayant l'effet de satiété le plus long. Comparez deux portions égales sur le plan calorique : un petit steak et une boisson gazeuse sucrée. Lequel vous garde plein plus longtemps ? Sans contredit, le gagnant est le steak. Il crée plus de satiété. Le steak va « rester » dans votre estomac. Vous sentez « l'effet incrétine » qui ralentit la vidange de l'estomac. La boisson gazeuse, en revanche, ne reste pas longtemps dans votre estomac et, peu après, vous avez faim.

Ces deux effets opposés (l'insuline encourage le gain de poids, mais la satiété encourage la perte de poids) sont à l'origine d'un exaspérant débat à propos de la viande et des produits laitiers. La question est de savoir quel effet est le plus puissant. Il est possible que l'incrétine spécifique stimulée puisse être importante pour déterminer le gain ou la perte de poids. Par exemple, la stimulation sélective du GLP-1 par un médicament tel que l'exénatide produit une perte de poids, puisque l'effet satiété l'emporte sur l'effet gain de poids.

Donc, nous devons prendre toutes les protéines séparément étant donné que les effets de chacune sur le poids varient considérablement. Les principales protéines étudiées sont les protéines de viande et les protéines laitières et il y a deux éléments principaux à considérer : l'effet incrétine et la portion de protéines alimentaires.

LES VIANDES

Traditionnellement, on croyait que la consommation de viande causait un gain de poids parce que celle-ci est riche en protéines, en lipides et en calories[14]. Cependant, depuis quelque temps, un bon nombre de personnes croient que la viande cause une perte de poids parce qu'elle est faible en glucides. Quelle affirmation est vraie ? Il s'agit d'une question difficile parce que les seules données disponibles proviennent d'études d'association, qui sont sujettes à interprétation et qui ne permettent pas d'établir un lien de causalité.

Inaugurée en 1992, l'*European Prospective Investigation into Cancer and Nutrition* était une immense étude de cohorte prospective regroupant 521 448 volontaires de dix pays européens. Après cinq ans de suivi, les résultats ont révélé que l'ensemble de viandes différentes consommées, aussi bien que la consommation de viande rouge, de volaille et des viandes transformées séparément, étaient associées de façon significative à un gain de poids, même après un ajustement de l'apport calorique total[15, 16]. Manger trois portions de viande supplémentaires par jour est associé à 1 livre (0,45 kg) de plus sur le plan du gain de poids sur une année, même après un contrôle des calories.

En Amérique du Nord, des données combinées sont disponibles et proviennent des *Nurses' Health Studies* I et II et de la *Health Professionals Follow-up Study*[17]. Les viandes rouges transformées et non transformées étaient associées à un gain de poids. Chaque portion additionnelle de viande par jour augmentait le poids corporel d'environ 1 livre (0,45 kg). Cet effet dépassait l'effet de gain de poids provoqué par les friandises et les desserts ! Donc, dans l'ensemble, l'effet d'accroissement du poids semble ici prédominant. Il existe des facteurs contributifs possibles.

Premièrement, la majorité du bœuf est élevé dans des parcs d'engraissement et est nourri aux grains. Les vaches sont des ruminants qui mangent naturellement des herbes. Ce changement dans leur alimentation change le caractère de la viande[18]. La viande d'animaux sauvages est semblable au bœuf d'animaux nourris à l'herbe, mais pas au bœuf d'animaux nourris aux grains. Les bovins en parc ont besoin de grandes doses d'antibiotiques. Les poissons d'élevage ont également peu de choses en commun avec les poissons sauvages. Les poissons d'élevage se nourrissent d'aliments granulés qui contiennent souvent des grains et d'autres substituts bas de gamme à leur alimentation naturelle.

Deuxièmement, tandis que nous comprenons les bienfaits de manger des aliments « entiers », nous n'appliquons pas ces connaissances à la viande. Nous ne mangeons que des viandes musculaires plutôt que l'animal entier, risquant ainsi une surconsommation de viandes musculaires. Nous jetons généralement la plupart des abats rouges, le cartilage et les os, ce qui ressemble au fait de boire le jus d'un fruit tout en jetant la pulpe. Mais le bouillon d'os, le foie, les reins et le sang font partie de l'alimentation humaine traditionnelle. Les aliments de base traditionnels comme la tourte à la viande de bœuf et aux rognons, le boudin et le foie ont disparu. Des aliments exotiques comme les tripes, le fuseau de porc, la queue de bœuf et la langue de bœuf survivent toujours.

Les abats rouges ont tendance à être les parties les plus grasses des animaux. En se concentrant presque exclusivement sur les muscles des animaux comme source de nourriture, nous mangeons de façon préférentielle des protéines plutôt que du gras.

LES PRODUITS LAITIERS

C'est une autre histoire dans le cas des produits laitiers. Bien que leur consommation cause de fortes hausses des taux d'insuline, de grandes études d'observation n'établissent pas de lien entre les produits laitiers et le gain de poids. En fait, les produits laitiers protègent du gain de poids, comme on l'a démontré dans la *Swedish Mammography Cohort*[19]. En particulier, le lait entier, le lait sur, le fromage et le beurre étaient associés à un moins grand gain de poids, mais pas le lait faible en gras. L'étude prospective sur dix ans *CARDIA*[20] a démontré que l'apport le plus élevé en produits laitiers est associé à la plus faible incidence d'obésité et de diabète de type 2. D'autres grandes études démographiques[21, 22] ont confirmé ce lien.

Les données des *Nurses' Health Studies* et de la *Health Professionals Follow-up Study*[23] démontrent que, globalement, le gain de poids moyen sur une période de quatre ans était de 3,35 livres (1,5 kg), près de 1 livre (0,45 kg) par année. Le lait et le fromage avaient un effet essentiellement neutre sur le poids. Le yogourt semblait particulièrement amincissant, possiblement à cause du processus de fermentation. Le beurre avait un léger effet sur le gain de poids.

Pourquoi y a-t-il une si grande différence entre les produits laitiers et la viande ? Une différence est la taille des portions. Manger plus de viande est facile. Vous pourriez manger un gros steak ou un demi-poulet grillé ou encore un gros bol de chili. Cependant, augmenter sa consommation de protéines laitières au même niveau est plus difficile. Pouvez-vous manger un gros morceau de fromage comme souper ? Et boire plusieurs gallons de lait ? Manger deux gros pots de yogourt pour dîner? Péniblement. Il est difficile d'augmenter sa consommation de produits laitiers de façon significative sans recourir aux *shakes* à base de protéine de lactosérum et autres aliments artificiels. Un verre de lait de plus par jour ne suffit pas. Donc, même si les protéines laitières sont particulièrement efficaces pour stimuler l'insuline, les petites portions ne font pas une énorme différence dans l'ensemble.

En consommant de grandes quantités de lait écrémé, de viandes maigres et de barres de protéines, les amateurs du régime Atkins stimulaient involontairement leur sécrétion d'insuline de la même manière qu'avant. Remplacer les glucides par de grandes quantités de viandes maigres, souvent des viandes transformées, n'était pas une stratégie gagnante[24]. Réduire le sucre et le pain blanc était un bon conseil. Mais les remplacer par des viandes froides ne l'était pas. En outre, à cause de l'augmentation de la fréquence des repas, la protection provenant de l'effet incrétine avait diminué.

LA THÉORIE HORMONALE DE L'OBÉSITÉ

Nous pouvons maintenant modifier la théorie hormonale de l'obésité pour inclure l'effet incrétine afin d'avoir un tableau plus complet, tel qu'illustré dans la figure 17.2.

Les protéines animales sont très variables, mais viennent avec l'effet protecteur de la satiété. Et nous ne devrions pas ignorer le pouvoir protecteur de l'effet incrétine. Le ralentissement de la motilité gastrique augmente la satiété. Nous nous sentons «pleins» et mangeons moins au repas suivant, ou nous sautons un repas, tout simplement, pour nous donner le temps de digérer. Ce comportement est instinctif. Quand les enfants n'ont pas faim, ils ne mangent pas. Les animaux sauvages démontrent la même retenue. Mais nous nous sommes entraînés à ignorer notre propre sentiment de satiété pour manger aux heures de repas, que nous ayons faim ou non.

Figure 17.2 La théorie hormonale de l'obésité

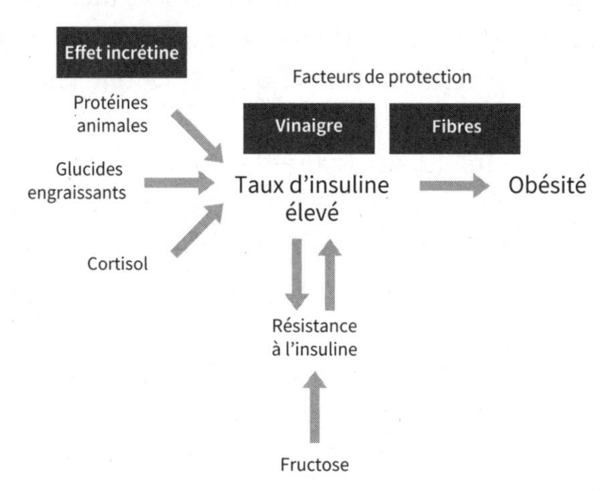

Voici un petit conseil pour perdre du poids, un conseil qui devrait pourtant être évident, mais qui ne l'est pas. Si vous n'avez pas faim, ne mangez pas. Votre corps vous dit que vous ne devriez pas manger. Après un gros repas, comme nous en mangeons à Noël, nous nous sentons paranoïaques à l'idée de sauter le prochain parce que nous avons une peur irrationnelle de perturber notre métabolisme en manquant ne serait-ce qu'un seul repas. Nous contournons donc l'effet protecteur des incrétines en planifiant strictement trois repas par jour, coûte que coûte.

Il reste beaucoup à apprendre. Le glucose dans le sang ne compte que pour 23 % de la réponse insulinique. Les graisses alimentaires et les protéines ne comptent que pour un autre 10 %. Près de 67 % de la réponse insulinique est toujours inconnue, ce qui est cruellement proche des 70 % de l'obésité imputable à l'hérédité, tel qu'on l'a décrite dans le chapitre 2. On soupçonne que les autres facteurs sont la présence de fibres alimentaires, un ratio amylose/amylopectine élevé, la préservation des propriétés botaniques (aliments entiers), la présence d'acides organiques (fermentation), l'ajout de vinaigre (acide acétique) et l'ajout de piments rouges (capsaïcine).

Des arguments simplistes, du genre « Les glucides font engraisser ! » ou « Les calories font engraisser ! » ou « Les viandes rouges font engraisser ! » ou encore « Le sucre fait engraisser ! » ne permettent pas de saisir pleinement la complexité du problème de l'obésité chez l'humain. La théorie hormonale de l'obésité fournit un cadre théorique pour comprendre l'interaction avec la maladie.

Tous les aliments stimulent l'insuline, donc tous les aliments peuvent être engraissants, et c'est là que la confusion autour des calories apparaît. Puisque tous les aliments peuvent faire prendre du poids, nous avons imaginé que tous les aliments pouvaient être mesurés à l'aide d'une seule unité de mesure : la calorie. Mais la calorie était la mauvaise unité. Les calories ne causent pas l'obésité. La responsable est plutôt l'insuline. Sans cadre théorique pour comprendre l'insuline, il était impossible de comprendre les incohérences des données épidémiologiques. L'approche faible en gras et en calories s'est révélée inefficace. L'approche riche en protéines s'est par la suite révélée inefficace. Un bon nombre de personnes sont donc retournées à l'approche inefficace de la réduction des calories.

Mais une nouvelle approche, le régime paléo, que l'on appelle parfois le « régime de l'homme des cavernes », gagnait en popularité. Seuls les aliments qui étaient disponibles à l'époque paléolithique ou à l'Antiquité peuvent être consommés. Les gens qui suivent ce régime évitent tous les aliments transformés, les aliments auxquels on a ajouté du sucre, les produits laitiers, les grains, les huiles végétales, les édulcorants et l'alcool. Cependant, les fruits, les légumes, les noix, les épices, les herbes, les viandes, les fruits de mer et les œufs sont acceptables. Le régime paléo ne limite pas l'apport en glucides, en protéines ou en lipides. Plutôt, la consommation d'aliments transformés est limitée. Souvenez-vous que la seule caractéristique distinctive du régime alimentaire occidental est la transformation des aliments et non le contenu en macronutriments. La toxicité n'est pas due aux aliments en soi, mais à leur transformation.

Le régime riche en gras et faible en glucides ou riche en bons gras et faible en glucides (*Low Carb, Healthy Fat*, LCHF) est similaire et se concentre sur les vrais aliments. La principale différence est que le régime LCHF permet la consommation de produits laitiers et qu'il est plus strict avec la consommation de fruits à cause des glucides qu'ils contiennent. L'approche LCHF a une certaine logique puisque les produits laitiers ne sont généralement pas associés à un gain de poids. Ce fait permet un plus grand choix d'aliments et, espérons-le, une meilleure conformité à long terme.

Le régime paléo/LCHF est basé sur la simple observation que les humains peuvent manger une grande variété d'aliments sans devenir obèses ni développer le diabète. Ces aliments peuvent être consommés sans qu'on ait à compter les calories, les glucides ou à utiliser un journal alimentaire, un podomètre ou tout autre moyen artificiel. Vous ne faites que manger quand vous avez faim et vous ne mangez pas quand vous êtes «plein». Cependant, les aliments ne sont pas transformés et ont été consommés par les humains depuis des milliers d'années sans causer de maladie. Ils ont résisté à l'épreuve du temps. Ce sont les aliments sur lesquels nous devrions baser notre alimentation.

Il n'y a pas d'aliments intrinsèquement mauvais, seulement des aliments transformés. Plus vous vous éloignez des vrais aliments, plus vous êtes en danger. Devriez-vous manger une barre de protéines? Non. Devriez-vous manger des substituts de repas? Non. Devriez-vous avaler des repas prêts à boire? Absolument pas. Devriez-vous manger des viandes transformées, des gras transformés ou des glucides transformés ? Non, non et non.

Idéalement, nous devrions tous manger du bœuf d'animaux nourris à l'herbe et des fraises cultivées biologiquement, mais soyons honnêtes. Il y aura des moments où nous mangerons des aliments transformés parce qu'ils sont bon marché, disponibles et, avouons-le, délicieux (pensez à la crème glacée). Cependant, au cours des siècles, nous avons développé d'autres stratégies alimentaires, comme le jeûne, pour nous détoxifier et nous purifier. Ces stratégies se sont perdues dans la nuit des temps. Nous allons redécouvrir ces secrets antiques, mais pour l'instant, tenons-nous-en aux vrais aliments.

Les aliments naturels contiennent une quantité significative de gras saturés. Ce fait mène naturellement à la question : est-ce que tous ces gras saturés vont obstruer mes artères ? Ne me mèneront-ils pas à une crise cardiaque ? La réponse courte est non.

Mais pourquoi ? C'est ce que nous allons voir dans le chapitre suivant.

18. LA PHOBIE DU GRAS

On reconnaît de plus en plus que la campagne du «faible en gras» était basée sur peu de preuves scientifiques et peut avoir causé des conséquences non intentionnelles sur la santé.
Les Drs Frank Hu et Walter Willett,
chercheurs à l'Université Harvard, 2001

Un des piliers des sciences contemporaines de la nutrition, le Dr Ancel Keys (1904-2004) a obtenu son premier doctorat en océanographie et en biologie, et un second en physiologie de l'Université de Cambridge. Il a passé presque tout le reste de sa carrière à l'Université du Minnesota, où il a joué un rôle clé dans la définition du contexte nutritionnel contemporain.

Pendant la Seconde Guerre mondiale, le Dr Keys dirigeait l'élaboration des rations K, qui sont devenues la base de l'alimentation militaire aux États-Unis. Il a étudié les effets d'une restriction calorique sévère dans le célèbre *Minnesota Starvation Experiment* (dont il est question dans le chapitre 3). Cependant, son fait d'armes est considéré comme étant la *Seven Countries Study*, une étude d'observation à long terme de l'alimentation et des maladies du cœur.

Dans les années suivant la Seconde Guerre mondiale, la famine et la malnutrition étaient les défis nutritionnels majeurs. Mais le Dr Keys a été frappé par une curieuse incohérence. Les Américains, malgré une meilleure alimentation, souffraient de taux croissants de crises cardiaques et d'accidents vasculaires cérébraux. Même si l'Europe était ravagée par la guerre, ces taux y demeuraient bas[1]. En 1951, le Dr Keys a remarqué que les ouvriers italiens avaient de faibles taux de maladies du cœur. Le régime méditerranéen, comme il l'a observé, était notablement plus faible en gras (20 % des calories) que le régime américain de l'époque (environ 45 % des calories)[2]. Le plus frappant, par contre, était le faible taux de consommation d'aliments d'origine animale et de gras saturés. Il a formulé l'hypothèse que les taux de cholestérol élevés causaient les maladies du cœur et qu'un faible apport en gras était un facteur protecteur. En 1959, il a publié ses recommandations alimentaires pour la prévention des maladies cardiovasculaires[3]. Les plus importantes de ses recommandations étaient les suivantes.

- N'engraissez pas ; si vous faites de l'embonpoint, perdez du poids (plus facile à dire qu'à faire !).
- Limitez les gras saturés : le gras dans le bœuf, le porc, l'agneau, les saucisses, la margarine et les graisses alimentaires solides, les gras dans les produits laitiers.
- Préférez les huiles végétales aux gras solides, mais gardez votre consommation de gras sous la barre des 30 % de vos calories.

Ces recommandations ont survécu, relativement intactes, et ont défini l'orthodoxie alimentaire pendant les cinquante années suivantes. En 1977, elles ont été consacrées dans les *Dietary Guidelines for Americans*[4]. Le principal message, à l'époque comme maintenant, est que tous les gras sont mauvais, mais particulièrement les gras saturés. On pensait que les graisses alimentaires « obstruaient les artères » et causaient les crises cardiaques.

L'ambitieuse *Seven Countries Study* comparait les taux de maladies coronariennes et plusieurs régimes et facteurs liés au style de vie entre les pays. En 1970, à l'aide de données collectées sur cinq ans, l'étude en était venue à certaines conclusions principales concernant le gras[5] :

- les taux de cholestérol prédisent le risque de maladies cardiaques ;
- la quantité de gras saturés dans l'alimentation prédit les taux de cholestérol ;
- les matières grasses mono-insaturées protègent des maladies cardiaques ;
- le régime méditerranéen protège des maladies cardiaques.

De façon significative, le gras alimentaire total n'était pas lié aux maladies du cœur. Plutôt, les graisses saturées étaient dangereuses, mais les matières grasses mono-insaturées étaient un facteur de protection. Le cholestérol diététique n'était également pas identifié comme un facteur de risque pour les maladies du cœur.

Les maladies du cœur sont causées par l'athérosclérose ; le processus par lequel les artères du cœur se rétrécissent et durcissent à cause de l'accumulation de plaques. Mais l'athérosclérose n'est pas simplement le résultat d'un cholestérol élevé qui obstrue les artères. L'opinion actuelle veut que la plaque se développe en réponse à une blessure : les parois de l'artère sont endommagées, ce qui cause une inflammation et, par la suite, une infiltration de cholestérol et de cellules inflammatoires dans les parois de l'artère, en plus de la prolifération de cellules de muscle lisse. Le rétrécissement de l'artère peut causer des douleurs thoraciques (aussi appelées angine de poitrine). Quand les plaques se rompent, un caillot sanguin se forme et bloque brusquement l'artère. Le manque d'oxygène subséquent cause une crise cardiaque. Les crises cardiaques et les accidents vasculaires cérébraux sont principalement des maladies inflammatoires plutôt qu'un simple problème de taux de cholestérol élevé.

Cependant, cette compréhension du phénomène est arrivée beaucoup plus tard. Dans les années 1950, on imaginait que le cholestérol circulait et se déposait dans les artères, comme de la boue dans un tuyau (d'où l'image des graisses alimentaires qui bouchent les artères). On croyait que manger des gras saturés causait une hausse des taux de cholestérol et que des taux élevés de cholestérol causaient les crises cardiaques. Cette série de conjectures était connue sous le nom d'hypothèse alimentation-cœur. Les régimes alimentaires riches en gras saturés causaient une hausse des taux de cholestérol, ce qui provoquait les maladies du cœur.

Le foie fabrique la grande majorité, 80 % environ, du cholestérol sanguin, alors que seulement 20 % provient de l'alimentation. Le cholestérol est souvent présenté comme un poison nuisible qui doit être éliminé, mais rien n'est plus faux. Le cholestérol est l'élément de base dans les membranes qui entourent toutes les cellules de notre corps. En fait, il est si vital que toutes les cellules, à l'exception de celles du cerveau, ont la capacité d'en fabriquer. Si vous réduisez le cholestérol dans votre alimentation, votre corps en produira tout simplement davantage.

Il y avait deux problèmes majeurs avec la *Seven Countries Study*, même s'ils n'étaient pas évidents à l'époque. Premièrement, il s'agissait d'une étude de corrélation. Ainsi, ses résultats ne pouvaient prouver un lien de causalité. Les études de corrélation sont dangereuses parce qu'il est très facile d'établir des conclusions causales par erreur. Cependant, elles sont souvent les seules sources de données à long terme. Il est toujours important de se rappeler qu'elles ne peuvent que générer des hypothèses qui, elles, devront être testées dans des essais cliniques plus rigoureux. On a prouvé que les bienfaits du régime faible en gras sur le cœur étaient faux seulement en 2006 avec la publication de l'étude *Low-Fat Dietary Pattern and Risk of Cardiovascular Disease*[6], trente ans après l'entrée dans les traditions de l'approche faible en gras. À ce moment, comme un super pétrolier, le mouvement

« faible en gras » était sur une telle lancée qu'il était impossible de le renverser.

Le lien entre les maladies du cœur et l'apport en gras saturés *ne prouve pas* que les gras saturés *causent* les maladies du cœur. Certains avaient reconnu immédiatement cette erreur fatale[7] et s'étaient opposés à des changements radicaux des recommandations alimentaires se basant sur des preuves aussi peu solides. Le lien apparemment fort entre les maladies du cœur et la consommation de gras saturés était fabriqué à partir de citations et de répétitions et non de preuves scientifiques irréfutables. Il y avait plusieurs interprétations possibles de la *Seven Countries Study*. Les protéines animales, les gras saturés et le sucre étaient *tous* liés aux maladies du cœur. Un apport élevé en saccharose pouvait tout aussi facilement expliquer la corrélation, comme le Dr Keys lui-même l'avait reconnu.

Il est également possible que des apports élevés en protéines animales, en gras saturés et en sucre ne soient que des marqueurs de l'industrialisation. Dans les pays plus industrialisés, on a tendance à manger plus de produits animaux (viandes et produits laitiers) et à avoir des taux plus élevés de maladies du cœur. Peut-être était-ce les aliments transformés. Toutes ces hypothèses peuvent provenir des mêmes données. Mais la conclusion a été l'hypothèse alimentation-cœur, et s'en est suivie la croisade pour une alimentation faible en gras.

Le second problème majeur est le triomphe non intentionnel du « nutritionnisme », un terme popularisé par le journaliste et auteur Michael Pollan[8]. Plutôt que de parler des aliments individuellement (épinards, bœuf, crème glacée), le nutritionnisme réduit les aliments à seulement trois macronutriments : les glucides, les protéines et les lipides. Ils étaient par la suite subdivisés : gras saturé, graisses saturées, graisses non saturées, gras trans, glucides simples, glucides complexes, etc. Ce genre d'analyse simpliste ne tient pas compte des centaines de nutriments et d'éléments phytochimiques dans les aliments qui affectent tous notre métabolisme. Le nutritionnisme ignore la complexité des sciences de l'alimentation et de la biologie humaine.

Un avocat, par exemple, n'est pas que 88 % de gras, 16 % de glucides et 5 % de protéines avec 4,9 grammes de fibres. Ce type de réductionnisme nutritionnel a fait en sorte que les avocats étaient classés pendant des décennies parmi les « mauvais » aliments à cause de leur teneur en gras, pour être reclassés aujourd'hui parmi les « super aliments ». Sur le plan nutritionnel, un morceau de caramel écossais ne peut raisonnablement être comparé au chou kale simplement parce qu'ils contiennent la même quantité de glucides. Sur le plan nutritionnel, une cuillerée à thé de margarine riche en gras trans ne peut raisonnablement être comparée à un avocat simplement parce qu'ils contiennent la même quantité de matières grasses.

Le Dr Keys a affirmé de façon non intentionnelle que tous les gras saturés, tous les gras insaturés, tout le cholestérol alimentaire, etc., sont semblables. Cette erreur fondamentale a mené à des décennies de recherches tendancieuses. Le nutritionnisme ne considère pas les aliments de façon individuelle, chacun avec ses traits positifs et négatifs. Sur le plan nutritionnel, le chou kale n'équivaut pas au pain blanc, même s'ils contiennent tous deux des glucides.

Ces deux erreurs de jugement subtiles mais fondamentales ont mené à l'acceptation générale de l'hypothèse alimentation-cœur, même si les preuves étaient précaires. La plupart des graisses animales naturelles sont principalement composées de graisses saturées. En revanche, les huiles végétales comme l'huile de maïs sont principalement des acides gras oméga-6 polyinsaturés.

Après être restée relativement stable de 1900 à 1950, la consommation de graisse animale a entamé un déclin implacable. La conversation a commencé à changer à la fin des années 1990 à cause de la popularité des régimes plus riches en matières grasses. La conséquence non intentionnelle de la réduction des gras saturés était que l'apport en acides gras oméga-6 a augmenté de manière significative. En termes de pourcentage des calories, les glucides ont commencé à augmenter. (Pour être plus précis, il s'agissait de conséquences escomptées. Les glucides étaient préjudiciables à la santé de façon non intentionnelle.)

Les oméga-6 sont une famille d'acides gras polyinsaturés qui sont convertis en médiateurs hautement inflammatoires appelés éicosanoïdes. La forte hausse de l'utilisation d'huiles végétales peut être imputée aux avancées technologiques des années 1900, qui ont permis l'apparition des méthodes modernes de production. Puisque le maïs n'est pas naturellement riche en huile, la consommation humaine normale d'huiles oméga-6 avait été assez faible. Mais maintenant, nous pouvions transformer littéralement des tonnes de maïs afin d'en retirer des quantités utilisables.

Les acides gras oméga-3 sont une autre famille de gras polyinsaturés qui sont principalement anti-inflammatoires. Les graines de lin, les noix de Grenoble et les poissons gras comme les sardines et le saumon en sont de bonnes sources. Les acides gras oméga-3 diminuent les thromboses (caillots sanguins) et protégeraient des maladies du cœur. De faibles taux de maladies du cœur ont initialement été décrits chez les Inuits et ensuite chez la plupart des populations qui s'alimentent de poisson.

Un ratio élevé d'oméga-6 par rapport aux oméga-3 augmente l'inflammation, ce qui peut aggraver les maladies cardiovasculaires. On estime que les humains ont évolué en consommant une alimentation qui était presque égale en acides gras oméga-6 et en acides gras oméga-3[9]. Cependant, le ratio actuel dans l'alimentation occidentale serait plus près de 15:1 à 30:1. Soit nous mangeons trop peu d'oméga-3, soit trop d'oméga-6, ou vraisemblablement, les deux. En 1990, les recommandations alimentaires canadiennes ont été les premières à reconnaître l'importance des deux types d'acides gras. Les graisses animales avaient été remplacées par les huiles végétales riches en oméga-6 hautement inflammatoires qui avaient été annoncées comme « favorisant la santé du cœur ». C'est ironique puisque l'athérosclérose est maintenant considérée comme une maladie inflammatoire.

Pour remplacer le beurre, les Américains se sont de plus en plus tournés vers ce plastique comestible : la margarine. Avec de grandes campagnes publicitaires conçues pour jouer sur ses origines végétales, la margarine, riche en gras trans, était au bon endroit au bon moment. Conçue en 1869 comme substitut bon marché du beurre, elle était à l'origine fabriquée à partir de suif de bœuf et de lait écrémé. La margarine est naturellement d'un blanc peu appétissant, mais est teinte en jaune. Les fabricants de beurre n'étaient pas contents et ont marginalisé la margarine pendant des décennies à l'aide de tarifs douaniers et de lois. La percée de la margarine est arrivée avec la Seconde Guerre mondiale et la pénurie de beurre qui a suivi. La plupart des taxes et des lois contre la margarine ont été abrogées puisque le beurre était rarement disponible de toute façon.

Cette action a ouvert la voie à la grande renaissance de la margarine des années 1960 et 1970, alors que la guerre contre les gras saturés gagnait du terrain. Comble de l'ironie, cette solution « santé », pleine de gras trans, tuait les gens. Heureusement, des groupes de défense des consommateurs ont forcé le retrait des gras trans des tablettes des magasins.

Il s'agit en fait d'un petit miracle si les huiles végétales sont considérées comme « santé ». Retirer de l'huile de légumes non gras requiert une quantité considérable de transformation industrielle, y compris le pressurage, l'extraction au solvant, le raffinage, la démucilagination, la décoloration et la désodorisation. Il n'y a rien de naturel dans la margarine et elle n'a pu devenir populaire que pendant une période où « artificiel » signifiait « sain ». Nous buvions alors du jus d'orange artificiel dont le Tang. Nous donnions à nos enfants du lait en poudre. Nous buvions des boissons gazeuses sucrées artificiellement. Nous nous faisions du Jell-O. Nous pensions être plus intelligents que dame nature ; peu importe ce qu'elle avait fait, nous pouvions la surpasser. Fini, le beurre naturel. Vive la margarine produite industriellement, artificiellement colorée et remplie de gras trans ! Finies, les graisses animales naturelles. Vive les huiles végétales extraites au solvant, décolorées et désodorisées ! Que pouvait-il arriver de mal ?

L'HYPOTHÈSE ALIMENTATION-CŒUR

En 1948, l'Université Harvard a démarré une étude prospective à l'échelle communautaire qui s'étendait sur une décennie et portait sur les régimes et les habitudes des habitants de la ville de Framingham, au Massachusetts. Tous les deux ans, tous les résidents se soumettaient à un dépistage comportant des tests sanguins et des questionnaires. Des taux élevés de cholestérol dans le sang avaient été associés aux maladies du cœur. Mais qu'est-ce qui avait causé cette augmentation ? L'hypothèse directrice voulait qu'un apport élevé en graisses alimentaires soit un facteur principal dans la hausse des taux de cholestérol. Au début des années 1960, les résultats de la *Framingham Diet Study* étaient disponibles. Espérant trouver un lien définitif entre l'apport en gras saturés, le cholestérol sanguin et les maladies du cœur, les chercheurs n'ont plutôt trouvé… rien du tout.

Il n'y avait aucune corrélation. Les graisses saturées ne causaient pas une augmentation du cholestérol sanguin. L'étude concluait qu'il n'y avait « pas de lien entre le pourcentage de calories provenant des matières grasses et le taux de cholestérol sérique ni entre le ratio de graisses végétales par rapport aux graisses animales et le taux de cholestérol sérique ».

L'apport en graisses saturées causait-il une augmentation du risque de maladies du cœur ? En un mot, non. Voici les conclusions de ce bijou oublié : « Bref, rien ne suggère qu'il existe un lien entre l'alimentation et l'apparition subséquente de coronaropathie dans le groupe d'étude[10]. »

Ce résultat négatif a été confirmé à maintes reprises dans les cinquante années suivantes. Mais malgré toutes les recherches[11], il n'y avait pas de lien perceptible entre les graisses alimentaires et le cholestérol sanguin. Certains essais, comme le *Puerto Rico Heart Health Program*, étaient immenses, avec plus de 10 000 patients. D'autres essais duraient plus de vingt ans. Les résultats étaient toujours les mêmes. On ne pouvait lier l'apport en graisses saturées aux maladies du cœur[12].

Mais les chercheurs avaient gobé le morceau. Ils croyaient tellement en leur hypothèse qu'ils étaient prêts à ignorer les résultats de leur propre étude. Par exemple, dans la *Western Electric Study*[13], une étude souvent citée, les auteurs notent que « la quantité d'acides gras saturés dans l'alimentation n'était pas associée de façon significative au risque de décès d'origine coronaire ». Cette absence de lien, cependant, n'a pas dissuadé les auteurs de conclure que « les résultats soutiennent la conclusion selon laquelle la composition lipidique de l'alimentation affecte la concentration de cholestérol sérique et le risque de décès d'origine coronaire ».

Toutes ces constatations auraient dû enterrer l'hypothèse alimentation-cœur. Mais aucune donnée ne pouvait dissuader les purs et durs que les graisses alimentaires causaient les maladies du cœur. Les chercheurs voyaient ce qu'ils voulaient voir. Plutôt, les chercheurs ont sauvé l'hypothèse et ont enterré les résultats. Malgré l'effort et les dépenses énormes, la *Framingham Diet Study* n'a jamais été publiée dans une revue scientifique à comité de lecture. À la place, les résultats ont été compilés et ont silencieusement été mis de côté, ce qui nous a condamnés à cinquante ans de «faible en gras», d'épidémie de diabète et d'obésité.

Il y avait également le problème des gras trans artificiels.

LES GRAS TRANS

Les gras trans portent ce nom parce qu'ils sont saturés d'hydrogène. Cela les rend chimiquement stables. Les gras polyinsaturés, comme la plupart des huiles végétales, ont des «trous» où il «manque» d'hydrogène. Ils sont moins stables sur le plan chimique et ont donc tendance à rancir et ont une courte durée de conservation. La solution était de créer des gras trans artificiels.

Il existe des gras trans naturels. Les produits laitiers contiennent de 3 % à 6 % de gras trans naturels[14]. Le bœuf et l'agneau en contiennent un peu moins de 10 %. Cependant, on estime que ces gras trans naturels ne sont pas préjudiciables à la santé humaine.

En 1902, Wilhelm Normann a découvert qu'il était possible d'injecter des bulles d'hydrogène dans l'huile végétale pour la saturer, transformant ainsi un gras polyinsaturé en gras saturé. Sur les étiquettes des aliments, on les appelle souvent «huile végétale partiellement hydrogénée». Il est moins probable que le gras trans devienne rance. Les gras trans sont semi-solides à température ambiante et s'étendent donc facilement tout en ayant une meilleure impression en bouche. Les gras trans étaient idéaux pour la friture. Vous pouvez les utiliser encore et encore sans avoir à les changer.

Surtout, ils étaient bon marché. En utilisant des restes de graines de soja provenant de l'alimentation des animaux, les industriels pouvaient les transformer autant que possible et toujours obtenir de l'huile végétale. Un peu d'hydrogène, un peu de chimie, et boum, des gras trans. Et s'ils tuaient des millions de personnes à cause des maladies du cœur ? Ces connaissances allaient venir des années plus tard.

Les gras trans ont atteint leur vitesse de croisière dans les années 1960, alors que les gras saturés étaient montrés du doigt comme étant la cause principale des maladies du cœur. Les fabricants de gras trans n'ont pas tardé à souligner qu'ils étaient transformés à partir de gras polyinsaturés, les gras « favorisant la santé du cœur ». Les gras trans gardaient un peu de leur apparence saine, même s'ils tuaient des gens à droite et à gauche. La margarine, un autre aliment complètement artificiel, a adopté les gras trans comme une amoureuse passionnée.

La consommation de gras saturés, soit le beurre, la graisse de bœuf ou de cochon, a diminué progressivement. McDonald est passé d'une friture à l'aide de suif de bœuf « malsaine » à une friture à base d'huiles végétales remplies de gras trans. Les cinémas sont passés d'une friture à base d'huile de coco naturellement saturée à des gras trans artificiellement saturés. Les autres sources majeures de gras trans comprenaient les aliments frits et surgelés, les produits de boulangerie emballés, les craquelins, la graisse alimentaire végétale et la margarine.

L'année 1990 a marqué le début de la fin pour les gras trans quand des chercheurs néerlandais ont noté que la consommation de ceux-ci augmentait le LDL (lipoprotéine de faible densité ou « mauvais » cholestérol) et diminuait le HDL (lipoprotéine de haute densité ou « bon » cholestérol) chez les sujets[15]. Un examen plus poussé des effets sur la santé a mené à une estimation selon laquelle une augmentation de la consommation de gras trans de 2 % entraîne une énorme augmentation de 23 % du risque de maladies du cœur[16]. En 2000, le vent avait résolument tourné. La plupart des consommateurs évitaient activement les gras trans ; le Danemark, la Suisse et l'Islande les ont interdits.

La reconnaissance des dangers associés aux gras trans a mené à une réévaluation des études antérieures sur les gras saturés. Les études avaient classé les gras trans avec les gras saturés. Les chercheurs ont fait leur possible pour décortiquer les effets des gras trans, et cela a changé tout ce que nous pensions savoir à propos des gras saturés.

UN EFFET PROTECTEUR CONTRE LES MALADIES DU CŒUR ET LES AVC

Une fois que l'effet faussé des gras trans a été pris en considération, les études ont systématiquement démontré qu'un apport élevé en graisses alimentaires n'était pas nocif[17]. L'énorme *Nurses' Health Study* a suivi 80 082 infirmières et infirmiers sur une période de quatorze ans. Après avoir retiré l'effet des gras trans, cette étude a conclu que « l'apport total en gras n'est pas significativement lié au risque de maladies coronariennes[18] ». Le cholestérol alimentaire était également sûr. La *Swedish Malmo Diet and Cancer Study*[19] et une méta-analyse de 2014 publiées dans *Annals of Internal Medicine*[20] en sont venues à des conclusions similaires.

Et les bonnes nouvelles pour les gras saturés ont continué. Le Dr Ronald M. Krauss a publié une analyse minutieuse de 21 études comprenant 347 747 patients et n'a trouvé « aucune preuve significative qui permettrait de conclure que les gras alimentaires saturés sont associés à un risque plus élevé de maladies d'origine coronaire[21] ». En fait, il y avait même un léger effet protecteur contre les accidents vasculaires cérébraux. Les effets protecteurs des gras saturés ont également été constatés dans une étude s'échelonnant sur quatorze ans et comprenant 58 543 personnes, la *Japan Collaborative Cohort Study for Evaluation of Cancer*, et dans une étude s'échelonnant sur dix ans et comprenant 43 757 hommes, la *Health Professionals Follow-up Study*[22, 23, 24].

Ironiquement, les margarines remplies de gras trans se sont toujours prétendues bénéfiques pour la santé du cœur puisqu'elles étaient faibles en gras saturés. Les données de suivi à vingt ans de l'étude Framingham ont révélé que la consommation de margarine était associée à plus de crises cardiaques. En revanche, manger plus de beurre était associé à moins de crises cardiaques[25, 26].

Une étude s'échelonnant sur dix ans à Oahu, Hawaii[27], a constaté que les gras saturés avaient un effet protecteur par rapport au risque d'accident vasculaire cérébral. Les données de suivi à vingt ans de l'étude Framingham ont confirmé ces bienfaits[28]. Ceux qui mangeaient le plus de gras saturés avaient le moins d'accidents vasculaires cérébraux, mais les gras polyinsaturés (huiles végétales) n'étaient pas bénéfiques. Les gras mono-insaturés (huile d'olive) protégeaient également des accidents vasculaires cérébraux, un résultat régulièrement constaté au fil des décennies.

LES GRAISSES ALIMENTAIRES ET L'OBÉSITÉ

Les preuves quant à l'existence d'un lien entre les graisses alimentaires et l'obésité sont cohérentes : il n'y a pas le moindre lien. Les principales préoccupations quant aux graisses alimentaires ont toujours été les maladies du cœur. Les inquiétudes concernant l'obésité y ont seulement été ajoutées.

Quand on a décidé que les graisses alimentaires étaient les « méchants », les dissonances cognitives ont commencé. Les glucides alimentaires ne pouvaient pas être bons (parce qu'ils sont faibles en gras) et mauvais (parce qu'ils sont engraissants) à la fois. Sans que personne s'en rende compte, il a été décidé que les glucides n'étaient plus engraissants : les calories étaient engraissantes. Le gras alimentaire, avec sa haute densité calorique, devait donc également être mauvais pour le gain de poids. Cependant, il n'y avait aucune donnée pour soutenir cette hypothèse.

Même le *National Cholesterol Education Program* reconnaît que « le pourcentage total de matières grasses dans l'alimentation, indépendamment de l'apport calorique, n'a pas été documenté comme ayant un lien avec le poids corporel[29] ». Traduction : malgré cinquante ans passés à tenter de prouver que les graisses alimentaires causent l'obésité, nous ne pouvons toujours pas trouver de preuves. Ces données sont difficiles à trouver parce qu'*elles n'ont jamais existé.*

Un examen détaillé de toutes les études sur les produits laitiers riches en matières grasses ne fait aucun lien avec l'obésité[30], le lait entier, la crème sure et le fromage offrant plus d'avantages que les produits laitiers faibles en gras[31]. Manger des matières grasses ne vous rend pas gros, mais vous protège plutôt de l'embonpoint. Manger des matières grasses avec d'autres aliments a tendance à faire diminuer les pics de glucose et d'insuline[32]. On peut alors s'attendre à ce que les graisses alimentaires protègent de l'obésité.

Des milliers d'articles littéralement ont revu ces données, et c'est peut-être le Dr Walter Willet, de la Harvard T.H. Chan School of Public Health, qui le résume le mieux dans un article de synthèse publié en 2002 intitulé « Dietary Fat Plays a Major Role in Obesity : No[33] ». Considéré comme l'un des plus éminents spécialistes dans le domaine de la nutrition, il écrit : « Les régimes riches en gras ne sont pas à l'origine de la prévalence élevée d'excès de graisse dans les pays occidentaux ; la réduction du pourcentage d'énergie provenant des matières grasses n'aura aucun bienfait notable et pourrait exacerber le problème. L'insistance sur la réduction totale des gras a été une sérieuse distraction dans les efforts mis en place pour contrôler l'obésité et améliorer la santé en général. »

L'échec du modèle faible en gras a été révélé au grand jour dans le *Women's Health Initiative Dietary Modification Trial*[34].

On a assigné de façon aléatoire à presque 50 000 femmes un régime faible en matières grasses ou un régime régulier. Sur sept ans, le régime faible en matières grasses et à calories réduites n'a produit aucun bienfait sur le plan de la perte de poids. Il n'y avait pas non plus de bienfaits sur le plan de la santé du cœur. L'incidence du cancer, des maladies du cœur ou des accidents vasculaires cérébraux n'était pas réduite. Il n'y avait pas de bienfaits sur le plan cardiovasculaire. Il n'y avait pas de bienfaits sur le plan de la perte de poids. Les régimes faibles en gras étaient un échec total. L'empereur était nu.

SIXIÈME PARTIE
LA SOLUTION

19. QUOI MANGER

On peut tirer deux conclusions importantes de toutes les études sur l'alimentation qui ont été menées au fil des années. Premièrement : tous les régimes fonctionnent. Deuxièmement : tous les régimes sont des échecs.

Qu'est-ce que je veux dire par là ? La perte de poids suit une courbe bien connue de toute personne ayant suivi un régime. Qu'il s'agisse du régime méditerranéen, du régime Atkins ou même du bon vieux régime faible en gras et en calories, tous les régimes semblent entraîner une perte de poids à court terme. Bien sûr, la quantité de poids perdue diffère ; certains régimes produisent une plus grande perte de poids que d'autres. Mais ils semblent tous fonctionner. Cependant, après six à douze mois, la perte de poids atteint un plateau, qui est suivi d'un regain implacable, malgré la conformité diététique. Par exemple, dans le *Diabetes Prevention Program*[1], d'une durée de dix ans, il y avait une perte de poids de 15,4 livres (7 kg) après un an. Le redouté plateau puis le regain de poids suivaient.

Donc, tous les régimes sont voués à l'échec. La question est de savoir pourquoi.

Une perte de poids permanente est en fait un processus en deux étapes. Il y a un problème à court terme et un problème à long terme (ou qui dépend du temps). La région hypothalamique du cerveau détermine le poids de consigne, le thermostat du gras. (Pour plus de renseignements sur le poids de consigne, consultez les chapitres 6 et 10.) L'insuline agit pour fixer le poids de consigne plus haut. À court terme, nous pouvons suivre divers régimes pour abaisser notre poids corporel. Cependant, une fois que celui-ci se situe en dessous du poids de consigne, le corps active des mécanismes pour regagner ce poids. C'est le problème à long terme.

Cette résistance à la perte de poids a été prouvée scientifiquement et empiriquement[2]. Des gens obèses qui avaient perdu du poids avaient besoin de moins de calories parce que leur métabolisme avait ralenti dramatiquement et le désir de manger s'est accéléré. Le corps résiste activement à la perte de poids à long terme.

LA NATURE MULTIFACTORIELLE DES MALADIES

La nature multifactorielle de l'obésité est le chaînon manquant. Il n'y a pas de cause unique de l'obésité. Les calories causent-elles l'obésité ? Oui, partiellement. Les glucides causent-ils l'obésité ? Oui, partiellement. Les fibres nous protègent-elles de l'obésité ? Oui, partiellement. La résistance à l'insuline cause-t-elle l'obésité ? Oui, partiellement. Le sucre cause-t-il l'obésité ? Oui, partiellement (voir le chapitre 17, figure 17.2). Tous ces facteurs convergent sur plusieurs voies hormonales qui mènent à un gain de poids, et l'insuline est la voie la plus importante. Les régimes faibles en glucides réduisent l'insuline. Les régimes faibles en calories restreignent tous les aliments et, ce faisant, réduisent l'insuline. Le régime paléo et le régime faible en calories et riche en matières grasses (faibles en aliments raffinés et transformés) réduisent l'insuline. Les régimes de soupe au chou réduisent l'insuline. Les régimes qui réduisent les récompenses sous forme de nourriture réduisent l'insuline.

Pratiquement toutes les maladies du corps humain sont multifactorielles. Prenez par exemple les maladies cardiovasculaires. Les antécédents familiaux, l'âge, le sexe, le tabagisme, l'hypertension artérielle et l'activité physique influencent tous, peut-être pas de façon égale, le développement des maladies du cœur. Le cancer, les accidents vasculaires cérébraux, la maladie d'Alzheimer et l'insuffisance rénale chronique sont toutes des maladies multifactorielles.

L'obésité est également une maladie multifactorielle. Ce dont nous avons besoin, c'est d'un cadre, d'une structure, d'une théorie cohérente pour comprendre de quelle façon tous ses facteurs s'imbriquent. Trop souvent, notre modèle actuel de compréhension de l'obésité présume qu'il n'y a qu'une seule vraie cause et que toutes les autres sont des prétendantes au trône. Des débats sans fin s'ensuivent. Un excès de calories cause l'obésité. Non, un excès de glucides. Non, trop de graisses saturées. Non, trop de viandes rouges. Non, trop d'aliments transformés. Non, trop de produits laitiers riches en matières grasses. Non, trop de blé. Non, trop de sucre. Non, trop d'aliments savoureux. Non, trop de repas mangés à l'extérieur. La liste est longue. Toutes ces hypothèses sont partiellement correctes.

Les partisans du « faible en calories » dénigrent les partisans du régime faible en calories et riche en matières grasses. Le mouvement faible en calories et riche en matières grasses ridiculise les végétaliens. Les végétaliens se moquent des partisans du paléo. Les disciples du paléo ridiculisent les adeptes du « faible en gras ». Tous les régimes fonctionnent parce qu'ils ciblent un aspect différent de la maladie. Mais aucun d'entre eux ne fonctionne bien longtemps parce qu'aucun d'entre eux ne cible la maladie dans son ensemble. Sans une compréhension de la nature multifactorielle de l'obésité, qui est primordiale, nous sommes condamnés à un cycle incessant de blâme.

La plupart des essais sur les régimes alimentaires sont foncièrement viciés par cette vision bornée. Les essais qui comparent un régime faible en glucides à un régime faible en calories ont tous posé la mauvaise question. Ces deux régimes ne sont pas mutuellement exclusifs. Et si les deux étaient valides ? Il devrait alors y avoir une perte de poids similaire. Les régimes faibles en glucides diminuent l'insuline. Une réduction des taux d'insuline cause une réduction de l'obésité. Cependant, tous les aliments font monter l'insuline dans une certaine mesure. Puisque les glucides raffinés comptent souvent pour au moins 50 % du régime américain, les régimes faibles en calories entraînent généralement une diminution de l'apport en glucides. Donc, les régimes faibles en calories, en restreignant la quantité totale d'aliments consommés, fonctionnent toujours pour faire baisser les taux d'insuline. Les deux fonctionnent, du moins, à court terme.

C'est exactement ce que le professeur Frank Sacks, de l'Université Harvard, a confirmé dans son étude randomisée de quatre régimes différents[3]. Malgré des différences sur le plan du contenu en glucides, en lipides et en protéines, quoique relativement mineures, la perte de poids était semblable. La plus grande perte de poids est survenue à six mois, avec un regain de poids par la suite. Une méta-analyse de 2014 sur les essais sur les régimes alimentaires est parvenue à une conclusion semblable[4]. « La différence entre les régimes individuels sur le plan de la perte de poids était minimale. » Bien sûr, il peut arriver qu'un régime fasse mieux qu'un autre. La différence est habituellement de moins de 2 livres (1 kg environ) et s'estompe souvent en l'espace d'un an. Soyons réalistes. Nous avons essayé le « faible en calories, faible en gras ». Ça n'a pas fonctionné. Nous avons essayé le régime Atkins aussi. Il n'a pas entraîné la perte de poids aisée qu'il avait promise.

On interprète parfois ces résultats pour leur faire dire qu'on peut tout manger, mais avec modération, ce qui n'effleure même pas la complexité du gain de poids chez les humains. La « modération » est une réponse facile, une tentative délibérée d'éviter le dur travail de recherche de vérité. Par exemple, devrions-nous manger du brocoli avec la même modération que nous mangeons de la crème glacée ? Bien sûr que non. Devrions-nous boire du lait avec la même modération que nous buvons des boissons sucrées ? Bien sûr que non. Une vérité reconnue depuis longtemps est que la consommation de certains aliments doit être strictement réduite, y compris les boissons sucrées et les bonbons. La restriction de la consommation d'autres aliments, comme le chou kale ou le brocoli, par exemple, n'est pas nécessaire.

D'autres ont conclu à tort que « tout tourne autour des calories ». En fait, ce n'est pas le cas. Les calories ne sont qu'un seul facteur de la maladie multifactorielle qu'est l'obésité. Regardons la vérité en face. Les régimes faibles en calories ont été tentés encore et encore. Ils échouent chaque fois.

Il y a d'autres réponses qui ne sont pas vraiment des réponses. En voici quelques-unes : « Il n'y a pas de régime idéal » ou « Optez pour le régime qui vous convient le mieux » ou « Le meilleur régime est celui que vous pouvez suivre ». Mais si les soi-disant experts en nutrition ne connaissent pas le bon régime, comment pouvez-vous le connaître ? Le régime standard américain est-il le meilleur régime pour moi parce que c'est le régime que je peux suivre ? Ou un régime de céréales sucrées et de pizza ? Manifestement pas.

Dans le cas des maladies cardiovasculaires, par exemple, « Optez pour le traitement qui vous convient » ne serait jamais considéré comme un conseil satisfaisant. Si les facteurs liés au style de vie comme arrêter de fumer et augmenter son activité physique réduisent tous deux les maladies du cœur, nous devrions nous efforcer de faire les deux plutôt que d'essayer de choisir l'un ou l'autre. Nous ne dirions pas : « Le meilleur mode de vie pour éviter les maladies du cœur est celui que vous pouvez adopter. » Malheureusement, les soi-disant experts dans le domaine de l'obésité ont cette opinion.

La vérité est que plusieurs chemins mènent vers l'obésité. Le thème commun est le déséquilibre hormonal qu'est l'hyper-insulinémie. Pour certains patients, le sucre ou les glucides raffinés sont le principal problème. Les régimes faibles en glucides peuvent mieux fonctionner dans ce cas. Pour d'autres, le problème principal peut être la résistance à l'insuline. Changer le moment des repas ou jeûner de façon intermittente peut être plus bénéfique. Pour d'autres encore, la synthèse du cortisol est dominante. Des techniques de réduction du stress ou la correction du manque de sommeil peuvent être primordiaux. Le manque de fibres peut être un facteur essentiel pour d'autres.

La plupart des régimes s'attaquent à une partie du problème à la fois. Mais pourquoi ? Dans le cadre des traitements contre le cancer, par exemple, plusieurs types de chimiothérapie et de radiothérapie sont combinés. Les probabilités de réussite sont beaucoup plus élevées avec une approche globale. Dans le cas des maladies cardiovasculaires, plusieurs traitements médicamenteux fonctionnent ensemble. On utilise les médicaments pour traiter l'hypertension artérielle, l'hypercholestérolémie, le diabète et le tabagisme, le tout en même temps. Traiter l'hypertension artérielle ne signifie pas ignorer le tabagisme. Dans le cas des infections difficiles à traiter, comme le VIH, différents médicaments antiviraux sont combinés pour une efficacité maximum.

La même approche est nécessaire pour s'attaquer au problème multidimensionnel de l'obésité. Plutôt que de cibler un seul point de la cascade de l'obésité, nous devons avoir plusieurs cibles et plusieurs traitements. Nous n'avons pas besoin de choisir un camp. Plutôt que de comparer les stratégies alimentaires, par exemple, un régime faible en calories par rapport à un régime faible en glucides, pourquoi ne pas combiner les deux ? Rien ne nous empêche de le faire.

Il est également important de personnaliser l'approche pour s'attaquer à la cause des taux d'insuline élevés. Par exemple, si un manque de sommeil chronique est à l'origine du gain de poids, une diminution de la consommation de grains raffinés n'aidera probablement pas. Si un apport trop élevé en sucre est le problème, la méditation de pleine conscience ne sera pas particulièrement utile.

L'obésité est un problème hormonal de régulation du gras. L'insuline est la principale hormone responsable du gain de poids, donc le traitement rationnel est d'abaisser les taux d'insuline. Il existe plusieurs manières de parvenir à ce résultat, et nous devrions tirer profit de chacune d'elles. Dans le reste de ce chapitre, je tracerai les grandes lignes d'une approche par étapes pour atteindre ce but.

ÉTAPE 1 : RÉDUISEZ VOTRE CONSOMMATION DE SUCRES AJOUTÉS

Le sucre stimule la sécrétion d'insuline, mais il est beaucoup plus sinistre que cela. Le sucre est particulièrement engraissant parce qu'il cause une hausse de l'insuline à la fois dans l'immédiat et à long terme. Le sucre est composé de façon égale de glucose et de fructose, comme nous l'avons mentionné au chapitre 14, et le fructose contribue directement à la résistance à l'insuline dans le foie. Avec le temps, la résistance à l'insuline mène à des taux d'insuline élevés.

Donc, le saccharose et le sirop de maïs à haute teneur en fructose sont exceptionnellement engraissants, bien plus que d'autres aliments. Le sucre est particulièrement engraissant parce qu'il produit directement la résistance à l'insuline. N'ayant aucune qualité rédemptrice sur le plan nutritionnel, les sucres ajoutés sont habituellement l'un des premiers aliments à éliminer de tout régime.

Un bon nombre d'aliments naturels, non transformés, contiennent du sucre. Par exemple, les fruits contiennent du fructose et le lait contient du lactose. Les sucres présents naturellement et les sucres ajoutés sont distincts. Les deux différences clés sont la quantité et la concentration.

Évidemment, vous devriez d'abord retirer le bol de sucre de votre table. Il n'y a aucune raison d'ajouter du sucre aux aliments ou aux boissons. Mais les sucres sont souvent cachés dans la préparation des aliments, ce qui signifie qu'éviter le sucre est souvent difficile et vous pouvez en ingérer des quantités surprenantes sans même le savoir. Les sucres sont souvent ajoutés aux aliments pendant la transformation ou la cuisson, ce qui expose ceux qui suivent un régime à de nombreux pièges potentiels. Premièrement, les sucres peuvent être ajoutés en quantités illimitées. Deuxièmement, le sucre peut être présent dans les aliments transformés en plus grande concentration que dans les aliments naturels. Certains aliments transformés sont du sucre pratiquement à 100 %. Cette condition n'existe pas dans les aliments naturels, à l'exception peut-être du miel. Les bonbons ne sont souvent rien de plus que du sucre aromatisé. Troisièmement, le sucre peut être ingéré seul, ce qui peut porter certaines personnes à trop manger de sucreries, puisqu'il n'y a rien dans ces aliments qui vous fera sentir « plein ». Souvent, il n'y a pas de fibres alimentaires pour contrebalancer les effets néfastes. Pour ces raisons, nos efforts sont axés sur la réduction des sucres ajoutés plutôt que des sucres naturels dans notre alimentation.

Lisez les étiquettes

Presque omniprésent dans les aliments raffinés et transformés, le sucre n'est pas toujours étiqueté comme tel. Les autres noms comprennent : saccharose, glucose, fructose, maltose, dextrose, mélasse, amidon hydrolysé, miel, sucre inverti, sucre de canne, glucose-fructose, sirop de maïs à haute teneur en fructose, cassonade, édulcorant à base de maïs, sirop de riz, de maïs, de canne, d'érable, de malt, de table, de palme et nectar d'agave. Ces pseudonymes sont une tentative de cacher la présence de grandes quantités de sucres ajoutés. Une tromperie populaire est d'utiliser plusieurs pseudonymes différents sur l'étiquette de l'aliment. Cette astuce empêche le mot « sucre » d'apparaître comme premier ingrédient.

L'ajout de sucre aux aliments transformés en augmente la saveur comme par magie, à très peu de frais. Les sauces sont des délinquants en série. Les sauces barbecue, aux prunes, au miel et à l'ail, les sauces hoisin, les sauces aigres-douces et autres sauces d'accompagnement contiennent de grandes quantités de sucre. La sauce à spaghetti peut contenir jusqu'à 10 à 15 grammes de sucre (3 à 4 cuillères à thé). Le sucre contre l'acidité des tomates et peut ne pas être manifeste pour vos papilles gustatives. Les sauces à salade commerciales et les condiments comme le ketchup et la relish contiennent souvent beaucoup de sucre. Le fait est que, si c'est emballé, ça contient probablement du sucre ajouté.

Demander quelle quantité de sucre est acceptable est comme demander combien de cigarettes sont acceptables. Idéalement, aucun sucre ajouté serait idéal, mais cela n'arrivera probablement jamais. Malgré cela, consultez la section suivante pour trouver des suggestions raisonnables.

Que faire avec les desserts

La majorité des desserts sont faciles à identifier et à éliminer de votre alimentation. Les desserts, pour la plupart, sont du sucre auquel on a ajouté des arômes. Les exemples comprennent les gâteaux, les poudings, les biscuits, les tartes, les mousses, la crème glacée, les sorbets, les bonbons et les barres de friandise.

Que pouvez-vous faire à propos des desserts? Suivez l'exemple des sociétés traditionnelles. Les meilleurs desserts sont les fruits frais de saison, préférablement produits localement. Un bol de baies de saison ou de cerises avec de la crème fouettée est un moyen délicieux de terminer un repas. Alternativement, un petit plat de noix et de fromages constitue également une façon satisfaisante de terminer un repas, sans le fardeau des sucres ajoutés.

Le chocolat noir contenant plus de 70 % de cacao, consommé avec modération, est une gâterie étonnamment saine. Le chocolat même est fait à partir de fèves de cacao et ne contient naturellement pas de sucre. (Cependant, la plupart des chocolats au lait contiennent de grandes quantités de sucre.) Le chocolat noir ou mi-sucré contient moins de sucre que le chocolat au lait ou le chocolat blanc. Le chocolat noir contient également des quantités significatives de fibres et d'antioxydants comme les polyphénols et les flavanols. Des études sur la consommation de chocolat noir indiquent qu'il peut aider à réduire la pression artérielle[5], la résistance à l'insuline[6] et les maladies du cœur[7]. En revanche, la plupart des laits au chocolat ne sont guère plus que des bonbons. La quantité de cacao est trop petite pour être bénéfique.

Les noix, consommées avec modération, constituent un autre bon choix comme gâterie après le souper. La plupart des noix regorgent de gras mono-insaturés sains, contiennent peu ou pas de glucides et sont également riches en fibres, ce qui augmente leurs bienfaits potentiels. Les noix de macadamia, les noix de cajou et les noix de Grenoble peuvent toutes être savourées. Un bon nombre d'études démontrent un lien entre une grande consommation de noix et une meilleure santé, y compris sur le plan des maladies du cœur[8] et du diabète[9]. Les pistaches, riches en gamma-tocophérol, un antioxydant, et en vitamines comme le manganèse, le calcium, le magnésium et le sélénium sont largement consommées dans le régime méditerranéen. Une étude espagnole récente a démontré qu'ajouter 100 pistaches par jour à l'alimentation améliore les taux de glucose à jeun, les taux d'insuline et la résistance à l'insuline[10].

Cela ne veut pas dire que le sucre ne peut pas être une gâterie occasionnelle. La nourriture a toujours joué un rôle majeur dans les célébrations : les anniversaires, les mariages, les remises de diplômes, Noël, l'Action de grâce, etc. Le mot clé ici est *occasionnel*. Les desserts ne doivent pas être consommés chaque jour.

Soyez conscients, cependant, que si votre but est de perdre du poids, la première étape importante doit être de restreindre sévèrement votre consommation de sucre. Ne remplacez pas le sucre par des édulcorants artificiels puisqu'ils font augmenter l'insuline autant que le sucre et sont aussi susceptibles de causer l'obésité. (Voir le chapitre 15.)

Ne grignotez tout simplement pas

La collation santé est une des plus grandes tromperies de la perte de poids. Le mythe selon lequel « grignoter est sain » a atteint le statut de légende. Si nous étions censés « paître », nous serions des vaches. Le grignotage est diamétralement opposé à pratiquement toutes les traditions alimentaires. Même aussi récemment que dans les années 1960, la plupart des gens mangeaient seulement trois repas par jour. La constante stimulation de l'insuline mène à la résistance à l'insuline. (Pour en savoir plus sur les dangers du grignotage, consultez les chapitres 10 et 11.)

La solution ? Arrêtez de passer votre temps à manger.

Les collations ne sont souvent guère que des desserts à peine déguisés. La plupart contiennent des quantités prodigieuses de farine et de sucre raffinés. Ces commodités préemballées ont envahi les tablettes des supermarchés. Les biscuits, les muffins, les poudings, le Jell-O, les roulés aux fruits, les pâtes de fruits, les barres de chocolat, les barres de céréales et les barres muesli sont à éviter. Les galettes de riz, que l'on dit faibles en gras, compensent le manque de goût par le sucre. Les fruits en conserve ou transformés cachent des tonnes de sucre derrière l'image du fruit santé. Une portion de compote de pommes de Mott's contient 5,5 cuillères à thé de sucre (22 g). Une portion de pêches en conserve contient 4,5 cuillères à thé de sucre (18 g).

Les collations sont-elles nécessaires ? Non. Posez-vous simplement la question. Avez-vous réellement faim ou est-ce que vous vous ennuyez ? Tenez les collations complètement hors de votre vue. Si vous avez l'habitude de manger des collations, remplacez-les par une habitude moins destructrice pour votre santé. Peut-être qu'une tasse de thé vert en après-midi pourrait devenir votre nouvelle habitude. Il y a une réponse simple à la question de savoir quoi manger à l'heure de la collation. Rien. Ne mangez pas de collations. Point. Simplifiez-vous la vie.

Rendez le déjeuner facultatif

Le déjeuner est, sans l'ombre d'un doute, le repas le plus controversé de la journée. On entend souvent dire qu'il faut manger quelque chose, n'importe quoi, aussitôt que l'on sort du lit. Mais le déjeuner doit être déclassé pour passer de « repas le plus important de la journée » à « repas ». Différents pays ont différentes traditions en ce qui concerne le déjeuner. Le gros déjeuner « continental » contraste fortement avec le « petit-déjeuner » des Français. Le mot clé ici est « petit ».

Le plus gros problème est que, tout comme les collations, les aliments pour déjeuner ne sont souvent que des desserts déguisés et contiennent de grandes quantités de glucides hautement transformés et de sucre. Les céréales, particulièrement les céréales pour enfants, sont parmi les pires délinquants. En moyenne, elles contiennent 40 % plus de sucre que les céréales pour adultes[11]. Il n'est pas surprenant que presque toutes les céréales pour enfants contiennent du sucre; pour une dizaine d'entre elles, plus de 50 % de leur poids est du sucre. Seulement 5,5 % des céréales respectaient la norme du «faible en sucre». Dans l'alimentation des enfants de moins de huit ans, les céréales se rangent seulement derrière les bonbons, les biscuits, la crème glacée et les boissons sucrées comme source de sucre alimentaire.

Une règle simple à suivre est la suivante: ne mangez pas de céréales sucrées pour déjeuner. Si vous devez manger des céréales, optez pour des céréales qui contiennent moins de 0,8 cuillère à thé (4 g) de sucre par portion.

Un bon nombre d'aliments pour le déjeuner qui proviennent de la boulangerie sont aussi particulièrement problématiques: les muffins, les gâteaux, les pains aux raisins et les pains aux bananes. Non seulement ils contiennent de grandes quantités de glucides raffinés, mais ils contiennent souvent des sucres et des confitures sucrées. Le pain contient souvent du sucre et il est mangé avec des confitures et des gelées sucrées. Le beurre d'arachide contient aussi souvent des sucres ajoutés.

Les yogourts traditionnels et les yogourts grecs sont des aliments nutritifs. Cependant, les yogourts commerciaux sont faits avec de grandes quantités de sucres ajoutés et d'arômes de fruits. Une portion de yogourt aux fruits Yoplait contient presque 8 cuillères à thé de sucre (31 g). Le gruau est un autre aliment traditionnel et sain. L'avoine entière et l'avoine épointée sont de bons choix et requièrent une longue cuisson puisqu'elles contiennent une quantité significative de fibres qui ont besoin de chaleur et de temps pour se décomposer. Évitez le gruau instantané. Il est hautement transformé et raffiné, ce qui permet la cuisson rapide, et il contient de grandes quantités de sucre ajouté ainsi que des arômes. La plupart des éléments nutritifs ont disparu. Le gruau instantané de Quaker peut contenir jusqu'à

3,25 cuillères à thé de sucre (13 g) par portion. La crème de blé instantanée pose le même problème. Une seule portion contient 4 cuillères à thé (16 g) de sucre. Les flocons d'avoine et les fruits déshydratés, les mueslis et les barres de céréales tentent de se faire passer comme « santé ». Ils sont pourtant souvent très sucrés et contiennent des grains de chocolat ou des guimauves.

Les œufs, auparavant bannis pour cause d'inquiétudes à propos du cholestérol, peuvent être préparés de multiples façons : brouillés, tournés, miroir, durs, à la coque, pochés, etc. Les blancs d'œufs sont riches en protéines et le jaune contient un bon nombre de vitamines et de minéraux, y compris la choline et le sélénium. Les œufs sont une source particulièrement bonne de lutéine et de zéaxanthine, des antioxydants qui peuvent aider à protéger contre des problèmes oculaires comme la dégénérescence maculaire et les cataractes[12]. Le cholestérol contenu dans les œufs peut aider votre taux de cholestérol en changeant les particules de cholestérol en particules plus grosses, moins athérogènes[13]. En fait, de grandes études épidémiologiques n'ont pas permis d'établir un lien entre l'augmentation de la consommation d'œufs à une augmentation des maladies du cœur[14, 15]. Surtout, mangez des œufs parce qu'ils sont des aliments délicieux, entiers et non transformés.

En pensant à quoi manger pour le déjeuner, rappelez-vous ceci : si vous n'avez pas faim, ne mangez rien. Il est parfaitement acceptable de rompre votre jeûne à midi en mangeant du saumon grillé et une salade d'accompagnement. Mais il n'y a rien de fondamentalement mal avec le fait de déjeuner le matin non plus. C'est un repas comme les autres. Cependant, dans la folie du matin, un bon nombre de personnes ont tendance à se rabattre sur les aliments commodément préemballés, hautement transformés et très sucrés. Mangez des aliments entiers et non transformés à tous les repas, y compris au déjeuner. Et si vous n'avez pas le temps de manger? Ne mangez pas. Encore une fois, simplifiez-vous la vie.

Les boissons : pas de sucre ajouté

La boisson sucrée est la source numéro un de sucre ajouté. Il s'agit de toutes les boissons gazeuses, des thés sucrés, des jus de fruits, des punchs aux fruits, de l'eau vitaminée, des smoothies, des *shakes*, des limonades, des laits au chocolat ou des laits aromatisés, des cafés glacés aromatisés et des boissons énergisantes. Les boissons chaudes comme les chocolats chauds, les mokaccinos, les cafés moka ainsi que les cafés et les thés sucrés peuvent être inclus. Les boissons alcoolisées à la mode ajoutent une quantité significative de sucre à votre alimentation, y compris des boissons comme la limonade alcoolisée, les vins-panachés, les cidres ainsi que des boissons plus traditionnelles comme le Baileys Irish Cream, les margaritas, les daiquiris, les piña coladas, les vins de dessert, les vins de glace, le xérès et les liqueurs.

Et l'alcool en tant que tel? L'alcool provient de la fermentation de sucres et d'amidons de sources variées. La levure mange les sucres et les convertit en alcool. Les sucres résiduels donnent une boisson plus sucrée. Les vins de dessert sont évidemment remplis de sucre et ne sont pas recommandés.

Cependant, une consommation modérée de vin rouge ne cause pas une augmentation de l'insuline et n'altère pas la sensibilité à l'insuline. Le vin rouge peut donc être consommé[16]. Le fait de consommer jusqu'à deux verres par jour n'est pas associé à un gain de poids majeur[17] et peut améliorer la sensibilité à l'insuline[18]. L'alcool en tant que tel, même l'alcool provenant de la bière, semble avoir un effet minime sur la sécrétion d'insuline et sur la résistance à l'insuline. On dit parfois que vous pouvez engraisser à cause des aliments que vous mangez avec l'alcool plutôt qu'à cause de l'alcool lui-même. Il y a peut-être un fond de vérité dans cette affirmation, mais les preuves sont rares.

Alors, que peut-on boire ? La meilleure boisson est vraiment de l'eau plate ou de l'eau gazeuse. Des tranches de citron, d'orange ou de concombre sont des ajouts rafraîchissants. Plusieurs boissons traditionnelles délicieuses sont également disponibles, comme indiqué ci-dessous.

Le café : plus santé que l'on pensait

À cause de sa grande teneur en caféine, le café est parfois considéré comme néfaste pour la santé. Cependant, des études récentes en sont venues à la conclusion contraire[19], peut-être du fait que le café est une bonne source d'antioxydants[20], de magnésium, de lignanes[21] et d'acide chlorogénique[22].

Le café, même décaféiné, semble protéger contre le diabète de type 2. Dans une revue effectuée en 2009, on a constaté que chaque tasse de café additionnelle quotidienne abaissait le risque de diabète de 7 %, même jusqu'à six tasses par jour[23]. Dans la *European Prospective Investigation into Cancer and Nutrition*, on estimait que boire au moins trois tasses de café ou de thé par jour réduisait le risque de diabète de type 2 de 42 %[24]. La *Singapore Chinese Health Study*[25] a démontré une réduction du risque de 30 %.

La consommation de café est associée à une réduction de 10 % à 15 % de la mortalité totale[26]. Des études à grande échelle[27] ont démontré que la plupart des principales causes de décès, y compris les maladies du cœur, étaient réduites. Le café peut protéger des maladies neurologiques comme la maladie d'Alzheimer[28, 29], la maladie de Parkinson[30, 31], la cirrhose[32] et le cancer du foie[33]. Mais la prudence s'impose : bien que ces études de corrélation soient éloquentes, elles ne prouvent pas les bienfaits. Cependant, elles suggèrent que le café pourrait ne pas être aussi néfaste que nous l'imaginions.

Conservez les grains de café dans un contenant hermétique, à l'écart de l'humidité, de la chaleur et de la lumière excessives. La saveur se perd rapidement après le broyage et il est donc profitable de dépenser plus pour un bon moulin à café. Broyez les grains immédiatement avant d'infuser le café. Quand il fait très chaud, le café glacé est simple et peu coûteux ; il suffit de faire du café régulier et de le placer au réfrigérateur pendant la nuit. Vous pouvez utiliser de la cannelle, de l'huile de coco, de l'extrait de vanille, de l'extrait d'amande et de la crème pour aromatiser votre café tout en conservant sa nature saine. Évitez d'ajouter du sucre ou d'autres édulcorants.

C'est toujours l'heure du thé

Après l'eau, le thé est la boisson la plus populaire au monde. Il existe plusieurs variétés de thé de base. Le thé noir est le plus courant, comptant pour près de 75 % de la consommation totale. Les feuilles récoltées sont complètement fermentées, ce qui donne au thé sa couleur noire caractéristique. Le thé noir a tendance à contenir plus de caféine que les autres variétés. Le thé oolong est semi-fermenté, ce qui signifie qu'il subit une période de fermentation moins longue. Le thé vert n'est pas fermenté. Les feuilles fraîchement récoltées sont immédiatement soumises à un processus d'injection de vapeur pour stopper la fermentation, ce qui donne au thé vert un goût plus délicat et floral. Le thé vert est naturellement plus pauvre en caféine que le café, ce qui en fait la boisson idéale pour ceux qui sont sensibles aux effets stimulants du café.

Le thé vert contient de grandes concentrations d'un puissant groupe d'antioxydants appelés catéchines, notamment l'épigallocatéchine-3-gallate. Les catéchines pourraient jouer un rôle dans l'inhibition des enzymes digestives des glucides, ce qui cause une diminution des taux de glucose[34] et la protection des cellules bêta du pancréas[35].

La fermentation (dans le cas du thé noir) change les catéchines en une variété de théaflavines[36], ce qui rend le potentiel antioxydant du thé vert et du thé noir comparable. On croit également que les polyphénols du thé vert stimulent le métabolisme[37], ce qui peut aider à brûler le gras[38]. Un bon nombre de bienfaits ont été attribués à la consommation de thé vert, y compris une plus grande oxydation des graisses pendant l'exercice[39], une augmentation de la dépense énergétique au repos[40] et une diminution du risque de plusieurs types de cancer[41].

Une méta-analyse d'études confirme que le thé vert aide à la perte de poids, même si le bienfait est plutôt modeste: de l'ordre de 2 à 4 livres (1 à 2 kg)[42]. Des études, y compris la *Singapore Chinese Health Study*, ont démontré que boire du thé réduit le risque de diabète de type 2 de 14 % à 18 %[43, 44].

Tous les thés peuvent être bus chauds ou froids. Il y a une infinité de variétés de thé disponibles pour tous les goûts. On peut ajouter du goût à l'aide de zeste de citron, de zeste d'orange, de cannelle, de cardamome, de gousses de vanille, de menthe ou de gingembre.

Les tisanes sont des infusions d'herbes, d'épices ou d'autres matières végétales dans de l'eau chaude. Elles ne sont pas de véritables thés puisqu'elles ne contiennent pas de feuilles de thé. Elles font d'excellentes boissons sans sucre ajouté et peuvent être bues chaudes ou froides. Les variétés sont infinies, parmi les plus populaires on trouve la menthe, la camomille, le gingembre, la lavande, la mélisse, l'hibiscus et la rose musquée. L'ajout de cannelle ou d'autres épices peut rehausser le goût.

Le bouillon d'os

Les traditions culinaires de pratiquement toutes les cultures comprennent de nutritifs et délicieux bouillons d'os. On fait mijoter les os d'animaux et on ajoute des légumes, des herbes et des épices pour la saveur. Le fait de laisser mijoter de quatre à quarante-huit heures libère la plupart des minéraux, de la gélatine et des nutriments. L'ajout d'une petite quantité de vinaigre pendant la cuisson aide à filtrer une partie des minéraux emmagasinés. Les bouillons d'os sont très riches en acides aminés comme la proline, l'arginine et la glycine ainsi qu'en minéraux comme le calcium, le magnésium et le phosphore.

Les os d'animaux sont souvent disponibles dans les épiceries ethniques et sont assez peu coûteux. Ils sont également très pratiques puisqu'ils nécessitent peu de temps de préparation. Ils peuvent être préparés en grandes quantités et congelés par la suite. La plupart des bouillons commerciaux n'ont rien à voir avec les bouillons préparés à la maison. Les bouillons préemballés se servent beaucoup d'arômes artificiels et de GMS pour donner du goût. Les minéraux, les nutriments et la gélatine ne sont pas présents dans un bon nombre de bouillons en conserve.

ÉTAPE 2 : RÉDUISEZ VOTRE CONSOMMATION DE GRAINS RAFFINÉS

Les grains raffinés comme la farine blanche stimulent l'insuline plus que pratiquement tout autre aliment. Si vous réduisez votre consommation de farine et de grains raffinés, vous améliorerez de façon significative votre potentiel de perte de poids. La farine blanche étant vide sur le plan nutritionnel, elle peut être réduite ou même retirée de l'alimentation sans danger. On a supprimé tous les éléments nutritifs des farines blanches enrichies lors de la transformation pour les ajouter par la suite afin de garder une apparence saine.

Le blé entier et les grains entiers sont une amélioration par rapport à la farine blanche puisqu'ils contiennent plus de vitamines et de fibres. La fibre de son aide à protéger contre les pics d'insuline. En revanche, la farine de grains entiers est toujours hautement transformée dans un moulin à farine moderne. La méthode traditionnelle à l'aide d'un broyeur en pierre est préférable. Les particules ultrafines produites par les méthodes de broyage modernes causent une absorption rapide de la farine, même de la farine de blé entier, par l'intestin, ce qui a tendance à faire augmenter l'effet de l'insuline.

Évitez les produits de boulangerie transformés qui sont principalement de la farine et autres féculents : pain, bagels, muffins anglais, chapati, pains naan, petit pain mollet, grissini, biscottes Melba, craquelins, biscuits pour le thé, scones, tortillas, roulés, muffins, biscuits, gâteaux, petits gâteaux et beignes. Les pâtes et les nouilles de toutes les variétés sont également des sources concentrées de glucides raffinés : réduisez-en votre consommation au minimum. Les pâtes de gains entiers, qui sont maintenant largement disponibles, sont un meilleur choix, mais elles sont loin d'être idéales.

Les glucides devraient être consommés à l'état naturel, entiers et non transformés. Un bon nombre de régimes traditionnels sont construits autour des glucides et ne causent pas de problèmes de santé ou d'obésité. Souvenez-vous : la toxicité de la plupart des aliments occidentaux est due à la transformation plutôt qu'aux aliments eux-mêmes. Dans l'alimentation occidentale, les glucides proviennent surtout des grains raffinés, qui sont donc hautement obésogènes. L'aubergine, le chou kale, les épinards, les carottes, le brocoli, les pois, les choux de Bruxelles, les tomates, les asperges, les poivrons, les courgettes, le chou-fleur, les avocats, la laitue, les betteraves, les concombres, les cressons, le chou potager, entre autres, sont tous d'excellentes sources de glucides sains.

Le quinoa, qui est techniquement un grain, mais qui est souvent utilisé comme une céréale, fait partie de ce qu'on appelle les céréales anciennes ; on le surnommait la « mère de toutes les céréales ». Cultivé à l'origine par l'empire inca d'Amérique du Sud, il existe en trois variétés : rouge, blanc et noir. Le quinoa est très riche en fibres, en protéines et en vitamines. En outre, il a un faible indice glycémique et contient beaucoup d'antioxydants comme la quercétine et le kaempférol, que l'on croit être anti-inflammatoires.

Les graines de chia proviennent de l'Amérique du Sud et de l'Amérique centrale et datent de l'époque des Aztèques et des Mayas. Le mot « chia » vient de l'ancien mot maya pour « force ». Les graines de chia sont riches en fibres, en vitamines, en minéraux, en oméga-3, en protéines et en antioxydants. On les fait habituellement tremper dans un liquide puisqu'elles absorbent dix fois leur poids dans l'eau, ce qui forme un gel comestible.

Les fèves sont des glucides riches en fibres qui sont polyvalentes et forment la base de l'alimentation d'un bon nombre de régimes traditionnels. Elles constituent d'excellentes sources de protéines, particulièrement dans les régimes végétariens. Les fèves edamame, répandues dans la cuisine japonaise, fournissent 9 grammes de fibres et 11 grammes de protéines par portion.

ÉTAPE 3 : MODÉREZ VOTRE CONSOMMATION DE PROTÉINES

Contrairement aux grains raffinés, les protéines ne peuvent pas et ne devraient pas être éliminées de votre alimentation. (Pour en savoir davantage sur les protéines, consultez le chapitre 17.) Plutôt, modérez la quantité de protéines dans votre alimentation pour qu'elles constituent de 20 % à 30 % de vos calories totales.

Les régimes excessivement riches en protéines sont déconseillés et sont assez difficiles à suivre puisque les protéines sont rarement mangées seules. Les aliments contenant des protéines, comme les produits laitiers et les viandes, comprennent des quantités significatives de gras. Les protéines végétales, comme les légumineuses, contiennent souvent des quantités significatives de glucides. Donc, les régimes très riches en protéines sont généralement peu appétissants. Ils ont tendance à être composés de blancs d'œufs et de viandes très maigres. À l'évidence, il est difficile de se conformer à un régime alimentaire aussi limité. Certaines personnes se tournent vers les substituts de repas sous forme liquide, sous forme de barres ou vers les protéines en poudre, qui ne sont en fait que de « faux aliments » hautement transformés. Optifast, Slim-Fast, Ensure et Boost ne sont que quelques exemples de produits dans un marché saturé de voleurs nutritionnels. Ces produits n'entraînent pas une perte de poids durable et ils sont conçus pour vous garder accro à leurs mixtures transformées.

ÉTAPE 4 : AUGMENTEZ VOTRE CONSOMMATION DE MATIÈRES GRASSES NATURELLES

Des trois grands macronutriments (glucides, protéines et lipides), les graisses alimentaires sont les moins susceptibles de stimuler l'insuline. Ainsi, les graisses alimentaires ne sont pas fondamentalement engraissantes, mais plutôt potentiellement protectrices. (Pour en savoir davantage sur le gras comme facteur de protection, consultez le chapitre 18). Quand vous choisissez des matières grasses, optez pour une plus grande proportion de matières grasses naturelles. Les matières grasses naturelles et non transformées incluent l'huile d'olive, le beurre, l'huile de coco, le suif de bœuf et le saindoux. Les huiles végétales hautement transformées, riches en acides gras oméga-6 inflammatoires peuvent entraîner certains effets néfastes sur la santé.

Largement reconnu comme sain, le régime méditerranéen est riche en acide oléique, les gras mono-insaturés contenus dans l'huile d'olive. Les olives proviennent de la région méditerranéenne, et on produit de l'huile d'olive depuis aussi longtemps que 4500 av. J.-C. Les olives mûres sont écrasées pour obtenir une pâte dont on extrait l'huile à l'aide d'une presse. Le terme « vierge » se rapporte à l'huile qui est extraite à l'aide de ces moyens mécaniques seulement et est certainement le meilleur choix. D'autres grades d'huile d'olive se servent de méthodes chimiques et devraient être évités. Pour produire des huiles « raffinées », on utilise des produits chimiques et de la chaleur pour extraire l'huile et neutraliser les mauvais goûts, ce qui permet aux producteurs d'utiliser des olives de moins bonne qualité. Sachez que le terme « huile d'olive pure » indique qu'il s'agit d'huiles raffinées. L'huile d'olive extra-vierge n'est pas raffinée, contient des nuances fruitées et répond à des normes de qualité.

Les bienfaits de l'huile d'olive sur la santé sont connus depuis longtemps. L'huile d'olive contient de grandes quantités d'antioxydants, y compris des polyphénols et de l'oléocanthal[45], qui ont des propriétés anti-inflammatoires. Parmi les bienfaits supposés, il y a entre autres une réduction de l'inflammation, une baisse du taux de cholestérol[46], une diminution de la coagulation sanguine[47] et une diminution de la pression artérielle[48]. Ensemble, ces propriétés potentielles peuvent réduire le risque global de maladies cardiovasculaires, y compris les crises cardiaques et les accidents vasculaires cérébraux[49].

La chaleur et la lumière causent l'oxydation, donc l'huile d'olive doit être conservée dans un endroit sombre et frais. Les contenants de verre vert foncé réduisent la lumière entrante afin d'aider à préserver l'huile. Les huiles d'olive légères subissent une fine filtration afin d'enlever une bonne partie de la saveur, de l'arôme et de la couleur. Ce processus les rend plus appropriées pour la cuisson quand l'arôme fruité n'est pas souhaitable.

Les noix sont également très présentes dans le régime méditerranéen. Longtemps bannies à cause de leur haute teneur en gras, elles sont maintenant reconnues pour leurs effets bénéfiques significatifs sur la santé. En plus de contenir de bons gras, les noix sont naturellement riches en fibres et faibles en glucides. Les noix de Grenoble en particulier sont riches en acides gras oméga-3.

Les produits laitiers entiers sont délicieux et peuvent être consommés sans inquiétudes pour le poids. Une revue de 29 essais cliniques randomisés[50] a démontré qu'il n'y avait aucun effet de gain ou de perte de poids. Les produits laitiers entiers sont associés à un risque moins élevé de 62 % de diabète de type 2[51].

Il a récemment été reconnu que les avocats sont très bons pour la santé ainsi qu'un délicieux ajout à tout régime alimentaire. Bien qu'ils ne soient pas sucrés, ils sont les fruits de l'avocatier. Riche en vitamines et particulièrement riche en potassium, l'avocat est unique parmi les fruits parce qu'il est très faible en glucides et riche en acide oléique, une matière grasse mono-insaturée. En outre, il est très riche en fibres solubles et en fibres insolubles.

ÉTAPE 5 : AUGMENTEZ VOTRE CONSOMMATION DE FACTEURS DE PROTECTION

Les fibres peuvent réduire l'effet insulinostimulant des glucides, ce qui en fait un des principaux facteurs de protection contre l'obésité, mais le régime nord-américain moyen est bien loin de l'apport quotidien recommandé. (Pour en savoir davantage sur les fibres comme facteur de protection, consultez le chapitre 16.) De nombreuses études et observations ont confirmé la perte de poids entraînée par la consommation de fibres alimentaires. Les aliments naturels entiers contiennent beaucoup de fibres, mais elles sont souvent retirées pendant la transformation. Les fruits, les baies, les légumes, les grains entiers, les graines de lin, les graines de chia, les fèves, le maïs soufflé, les noix, le gruau et les graines de citrouilles fournissent beaucoup de fibres.

Le glucomannan est une fibre alimentaire soluble, fermentable et très visqueuse qui provient de la racine de l'igname pied d'éléphant, aussi connu sous le nom de konjac, originaire de l'Asie. Le glucomannan peut absorber jusqu'à 50 fois son poids dans l'eau, ce qui en fait une des fibres alimentaires connues les plus visqueuses[52]. Les tubercules de konjac sont utilisés depuis des siècles comme remède à base de plantes médicinales et pour préparer des aliments traditionnels comme la gelée de konjac, le tofu ou les nouilles.

Le vinaigre est également un facteur de protection. Utilisé dans un bon nombre d'aliments traditionnels, il peut aider à réduire les pics d'insuline. Les Italiens mangent souvent du pain trempé dans de l'huile et du vinaigre, un bel exemple de manger un aliment riche en glucides accompagné d'un facteur de protection. Le vinaigre est ajouté au riz à sushi, ce qui réduit son indice glycémique de 20 % à 40 %[53]. Les *fish and chips* sont souvent mangés avec du vinaigre de malt. Le vinaigre de cidre peut être consommé dilué dans de l'eau.

LA DERNIÈRE PIÈCE DU CASSE-TÊTE

Il y a cinq étapes de base pour perdre du poids.

1. Réduisez votre consommation de sucre ajouté.
2. Réduisez votre consommation de grains raffinés.
3. Modérez votre apport en protéines.
4. Augmentez votre consommation de matières grasses naturelles.
5. Augmentez votre consommation de fibres et de vinaigre.

Sur la question de quoi manger, on peut dire que vous connaissiez déjà la réponse. La plupart des régimes sont remarquablement similaires. Il y a plus de points communs que de désaccords. Éliminez les sucres et les grains raffinés. Mangez plus de fibres. Mangez des légumes. Mangez des aliments biologiques. Mangez plus de repas cuisinés à la maison. Évitez la nourriture rapide. Mangez des aliments entiers non transformés. Évitez les couleurs et les saveurs artificielles. Évitez les aliments transformés ou allant au micro-ondes. Que vous suiviez le régime faible en glucides, faible en calories, South Beach, Atkins ou tout autre régime classique, les conseils sont similaires. Bien sûr, il y a des nuances selon chaque régime, particulièrement en ce qui concerne les graisses alimentaires, mais ils ont tendance à être du même avis plutôt qu'en désaccord. Alors, pourquoi toute cette controverse ?

Être d'accord ne fait pas vendre de livres ou de magazines. Nous avons toujours besoin de « découvrir » le plus récent et le meilleur « super aliment ». Les baies d'açaï. Le quinoa. Ou nous avons besoin de « découvrir » le plus récent et le pire « méchant ». Le sucre. Le blé. Le gras. Les glucides. Les calories. Le magazine *Vogue* n'utilise pas de gros titres du genre « Des conseils alimentaires que vous connaissiez déjà ! ». Tous les régimes fonctionnent à court terme. Mais nous avons ignoré le problème à long terme qu'est la résistance à l'insuline. Il manque une pièce au casse-tête ; une solution trouvée il y a bien des siècles. Une pratique qui a été consacrée dans les traditions alimentaires de pratiquement tous les peuples de la Terre. Une tradition qui s'éteint rapidement.

Cette tradition est le sujet du prochain chapitre.

20. QUAND MANGER

Il n'y a de nouveau que ce qui est oublié.
Attribué à Marie-Antoinette

Les régimes à long terme sont futiles. Après la perte de poids initiale, le plateau tant appréhendé apparaît, suivi du regain de poids encore plus appréhendé. Le corps réagit à la perte de poids en essayant de retourner à son poids de consigne original. Nous espérons que notre poids de consigne baissera avec le temps, mais cette diminution tant espérée ne se concrétise pas. Même si nous mangeons tous les bons aliments, nos taux d'insuline demeurent élevés.

Mais nous ne nous sommes attaqués qu'à la moitié du problème. La perte de poids à long terme est en réalité un processus en deux étapes. Deux facteurs majeurs maintiennent nos taux d'insuline élevés. Le premier est les aliments que nous mangeons, et c'est habituellement ce que nous changeons quand nous commençons à suivre un régime. Mais nous ne nous attaquons pas à l'autre facteur: le problème à long terme de la résistance à l'insuline. Ce problème provient du moment des repas.

La résistance à l'insuline garde nos taux d'insuline élevés. Un taux d'insuline élevé maintient notre poids de consigne à un niveau élevé. Inexorablement, notre poids de consigne mine nos efforts pour perdre du poids. Nous commençons à avoir faim davantage. Notre métabolisme (en fait, notre dépense d'énergie totale) diminue sans relâche jusqu'à atteindre un niveau inférieur à notre apport énergétique. Notre poids atteint un plateau et remonte impitoyablement jusqu'à notre poids de consigne original, même si nous continuons de suivre un régime. Manifestement, changer ce que nous mangeons ne suffit pas toujours.

Pour réussir, nous devons briser le cycle de la résistance à l'insuline. Mais comment? La réaction instinctive du corps à la résistance à l'insuline est d'augmenter les taux d'insuline, ce qui, par la suite, crée encore plus de résistance. Pour briser le cycle de la résistance à l'insuline, nous devons avoir des périodes récurrentes où notre taux d'insuline est très faible. (Souvenez-vous qu'on parle de résistance quand les taux d'insuline sont élevés de façon constante.)

Mais comment pousser notre corps à atteindre un état où le taux d'insuline est très faible?

Nous savons que le fait de manger les bons aliments prévient une hausse des taux d'insuline, mais cela n'aidera pas à les faire diminuer. Certains aliments sont mieux que d'autres; néanmoins, tous les aliments augmentent la production d'insuline. Si tous les aliments augmentent les taux d'insuline, le seul moyen pour nous de les faire diminuer est de nous abstenir complètement de consommer des aliments.

La réponse que nous cherchons est, en un mot, le jeûne.

Quand on parle de jeûner pour briser la résistance à l'insuline et perdre du poids, on parle de jeûnes intermittents de vingt-quatre à trente-six heures. Un plan pratique pour le jeûne est inclus dans l'annexe B. Le reste du présent chapitre sera consacré aux préoccupations relatives à la santé quant au jeûne, qui est, selon ce que les études démontrent, une pratique bénéfique.

LE JEÛNE : UN REMÈDE ANCIEN

Plutôt que de chercher un régime miracle exotique, jamais vu pour nous aider à briser la résistance à l'insuline, concentrons-nous plutôt sur une tradition ancienne et éprouvée. Le jeûne est l'un des plus vieux remèdes de l'histoire humaine et a fait partie de pratiquement toutes les cultures et religions de la planète.

Quand on mentionne le jeûne, il y a toujours quelqu'un qui lève les yeux au ciel et demande : « La famine ? C'est ça, la réponse ? » Non. Le jeûne est complètement différent. La famine est l'absence *involontaire* de nourriture. Elle n'est ni délibérée ni contrôlée. Les gens qui meurent de faim ne savent pas quand ils mangeront ni d'où proviendra leur prochain repas. Le jeûne, cependant, est l'abstinence *volontaire* de nourriture pour des raisons spirituelles, pour des raisons de santé ou pour d'autres raisons. Le jeûne peut être fait pour quelque durée que ce soit, de quelques heures à quelques mois. En un sens, le jeûne fait partie de la vie quotidienne. Le terme « déjeuner » réfère au repas qui brise le jeûne, ce que nous faisons tous les jours.

Comme tradition de guérison, le jeûne a une longue histoire derrière lui. Hippocrate de Cos (460-370 av. J.-C.) est considéré comme le père de la médecine moderne. Parmi les traitements qu'il prescrivait et défendait, il y avait la pratique du jeûne et la consommation de vinaigre de cidre. Hippocrate a écrit : « Manger quand on est malade, c'est nourrir la maladie. » L'écrivain et historien de la Grèce antique Plutarque (46-120 apr. J.-C.) partageait cette opinion. Il a écrit : « Plutôt que d'avoir recours à la médecine, jeûnez un jour. » Platon et son élève Aristote étaient également de fervents partisans du jeûne.

Les Grecs de l'Antiquité croyaient que les traitements médicaux pouvaient être découverts en observant la nature. Les humains, comme la plupart des animaux, ne mangent pas quand ils sont malades. Pensez par exemple à la dernière fois que vous avez eu la grippe. La dernière chose que vous vouliez faire était probablement manger. Le jeûne semble être la réaction humaine universelle à plusieurs formes de maladies, et il est enraciné dans le patrimoine humain depuis les débuts de l'humanité. Le jeûne est, en un sens, un instinct.

Les Grecs de l'Antiquité croyaient que le jeûne améliorait les habiletés cognitives. Pensez à la dernière fois que vous avez mangé un gros repas à l'Action de grâce. Vous sentiez-vous énergisé et mentalement alerte après avoir mangé ? Ou vous sentiez-vous plutôt fatigué et abruti ? Probablement la seconde option. Le sang se déplace vers votre système digestif afin de faire face à l'afflux de nourriture, ce qui laisse moins de sang pour les fonctions cérébrales. Le jeûne produit l'effet contraire, ce qui laisse plus de sang pour votre cerveau.

D'autres géants intellectuels étaient également de grands partisans du jeûne. Paracelse (1493-1541), le fondateur de la toxicologie et l'un des trois pères de la médecine occidentale moderne, avec Hippocrate et Galien, a écrit : « Jeûner est le plus grand remède, le médecin intérieur. » Benjamin Franklin (1706-1790), l'un des pères fondateurs des États-Unis, reconnu pour ses grandes connaissances, a écrit à propos du jeûne : « Les meilleures de toutes les médecines sont le jeûne et le repos. »

Le jeûne à des fins spirituelles est largement pratiqué et fait encore partie de presque toutes les grandes religions du monde. Jésus-Christ, Bouddha et le prophète Mahomet croyaient tous au pouvoir du jeûne. En termes spirituels, on l'appelle souvent purification ; sur le plan pratique, c'est du pareil au même. La pratique du jeûne s'est développée de façon indépendante dans les différentes religions et cultures, pas comme une pratique néfaste, mais comme une pratique profondément, fondamentalement bénéfique pour le corps et l'esprit humains[1]. Dans le bouddhisme, la nourriture est souvent consommée seulement le matin et les adeptes jeûnent quotidiennement de midi jusqu'au lendemain matin. En plus, il peut y avoir différents jeûnes où seule l'eau est permise pendant des jours ou des semaines. Les chrétiens grecs orthodoxes peuvent suivre différents jeûnes de cent quatre-vingts à deux cents jours pendant l'année. Le Dr Ancel Keys considérait souvent la Crète comme étant la tête d'affiche pour le régime méditerranéen. Cependant, il excluait un facteur d'une importance essentielle. Une bonne partie de la population de la Crète suivait la tradition grecque orthodoxe du jeûne.

Les musulmans jeûnent du lever au coucher du soleil pendant le mois sacré du ramadan. Le prophète Mahomet encourageait aussi le jeûne chaque semaine, le lundi et le jeudi. Le ramadan diffère des autres protocoles de jeûne parce que les liquides, en plus de la nourriture, sont interdits. Les pratiquants de ce jeûne en particulier souffrent de légère déshydratation. En outre, puisque l'alimentation est permise avant le lever du soleil et après le coucher du soleil, des études récentes[2] indiquent que l'apport calorique quotidien augmente en fait de façon significative pendant cette période. Le gavage, particulièrement à l'aide de glucides raffinés, avant le lever du soleil et après le coucher du soleil annulent les bienfaits du jeûne.

LA RÉACTION DU CORPS AU JEÛNE

Le glucose et le gras sont les principales sources d'énergie du corps. Quand le glucose n'est pas disponible, le corps s'ajuste en utilisant du gras, sans compromettre la santé. Cette compensation fait naturellement partie de l'existence. Les pénuries alimentaires périodiques ont toujours fait partie de l'histoire humaine et nos corps ont évolué pour affronter ces périodes de la vie à l'époque paléolithique. Cette transition de l'état nourri à l'état à jeun se produit en plusieurs phases[3].

1. Alimentation : pendant les repas, les taux d'insuline montent. Cela permet le captage du glucose dans les tissus comme les muscles ou le cerveau pour une utilisation directe de l'énergie. Le glucose excédentaire est emmagasiné sous forme de glycogène dans le foie.
2. Phase post-absorptive (de six à vingt-quatre heures après le début du jeûne) : les taux d'insuline commencent à chuter. La décomposition du glycogène libère du glucose pour fournir de l'énergie. Les réserves de glycogène peuvent durer environ vingt-quatre heures.
3. Gluconéogenèse (de vingt-quatre heures à deux jours) : le foie fabrique du nouveau glucose à partir des acides aminés et du glycérol. Chez les non-diabétiques, les taux de glucose chutent, mais demeurent à l'intérieur de la gamme des valeurs normales.
4. Cétose (de un à trois jours après le début du jeûne) : le gras sous sa forme emmagasinée, les triglycérides, est décomposé en structure de glycérol et en trois chaînes d'acides gras. Le glycérol est utilisé pour la gluconéogenèse. Les acides gras peuvent être utilisés directement comme énergie par plusieurs tissus du corps, mais pas le cerveau. Les cétones, capables de franchir la barrière hémato-encéphalique, sont produites à partir des acides gras pour être utilisées par le cerveau. Les corps cétoniques peuvent fournir jusqu'à 75 % de l'énergie utilisée par le cerveau[4]. Les deux principaux types de cétones produites sont le bêta-hydroxybutyrate et l'acétoacétate, qui peuvent augmenter 70 fois pendant le jeûne[5].
5. Phase de conservation des protéines (après cinq jours) : les taux élevés d'hormone de croissance maintiennent la masse musculaire et les tissus maigres. L'énergie pour la conservation du métabolisme de base est fournie presque entièrement par les acides gras libres et les cétones. L'augmentation des taux de norépinéphrine (adrénaline) prévient la diminution du taux métabolique.

Le corps humain est bien adapté pour affronter l'absence de nourriture. Ce que nous décrivons ici est le processus que subit le corps quand il doit passer de la combustion de glucose (à court terme) à la combustion du gras (à long terme). Le gras est simplement la réserve énergétique alimentaire du corps. En période de pénurie alimentaire, la nourriture emmagasinée (le gras) est naturellement libérée pour combler le vide. Le corps ne «brûle pas de muscle» afin de se nourrir avant que les réserves de gras ne soient épuisées.

Il est primordial de noter que tous ces changements adaptatifs bénéfiques ne se produisent pas avec la stratégie de la réduction des calories.

COMMENT VOS HORMONES S'ADAPTENT AU JEÛNE

L'insuline

Le jeûne est la stratégie la plus efficace et cohérente pour faire diminuer les taux d'insuline, un fait qui a été noté il y a des décennies[6] et qui est largement accepté. Tous les aliments provoquent une hausse de l'insuline. Donc, la méthode la plus efficace pour réduire l'insuline est d'éviter tous les aliments. Les taux de glucose dans le sang demeurent normaux quand le corps passe à la combustion du gras pour obtenir de l'énergie. Cet effet se produit avec des périodes de jeûne aussi courtes que vingt-quatre à trente-six heures. Des jeûnes plus longs font diminuer les taux d'insuline de façon encore plus dramatique. Plus récemment, le jeûne quotidien en alternance a été étudié comme une technique acceptable pour réduire les taux d'insuline[7].

Il a été démontré que jeûner régulièrement, ce qui diminue systématiquement les taux d'insuline, améliore de façon significative la sensibilité à l'insuline[8]. *Cette découverte est la pièce manquante du casse-tête de la perte de poids.* La plupart des régimes restreignent l'apport en aliments qui causent une augmentation de la sécrétion d'insuline, mais ne s'attaquent pas au problème de la résistance à l'insuline. Vous perdez initialement du poids, mais la résistance à l'insuline garde vos taux d'insuline et votre poids de consigne élevés. En jeûnant, vous pouvez réduire efficacement la résistance de votre corps à l'insuline puisque cette résistance requiert des taux constamment élevés.

L'insuline cause une rétention de sel et d'eau dans les reins. Une réduction des taux d'insuline débarrasse le corps du sel et de l'eau excédentaires. Le jeûne est habituellement accompagné d'une perte de poids précoce et rapide. Pendant les cinq premiers jours, la perte de poids est d'environ 1,9 livre (0,9 kg) par jour, ce qui dépasse de beaucoup la perte de poids à laquelle on peut s'attendre avec la méthode de la restriction des calories et ce qui est probablement dû à la diurèse. La diurèse réduit le ballonnement et peut également abaisser légèrement la pression artérielle.

L'hormone de croissance

On sait que l'hormone de croissance augmente la disponibilité et l'utilité des gras comme source d'énergie. Elle aide également à conserver la masse musculaire et la densité osseuse[9]. La sécrétion de l'hormone de croissance est difficile à mesurer de façon exacte à cause de sa libération intermittente, mais elle diminue régulièrement avec l'âge. Un des stimuli les plus puissants de l'hormone de croissance est le jeûne[10]. Au cours d'un jeûne de cinq jours, la sécrétion d'hormone de croissance a plus que doublé. L'effet physiologique net est le maintien des tissus musculaires et osseux pendant la période de jeûne.

L'adrénaline

Le jeûne provoque une hausse des taux d'adrénaline, à partir d'environ vingt-quatre heures. Un jeûne de quarante-huit heures provoque une augmentation de 3,6 % du taux métabolique[11] et non l'appréhendée chute du métabolisme que l'on observe souvent avec la réduction des calories. En réaction à un jeûne de quatre jours[12], la dépense énergétique au repos a augmenté de 14 %. Plutôt que de ralentir le métabolisme, le corps l'accélère. Vraisemblablement, cette accélération sert à nous fournir de l'énergie afin que nous allions trouver de quoi nous nourrir.

Les électrolytes

Un bon nombre de personnes ont peur que le jeûne cause la malnutrition, mais cette inquiétude n'est pas fondée. Le corps emmagasine les gras, pour la plupart d'entre nous, de façon amplement suffisante pour ses besoins. Même les études sur le jeûne prolongé n'ont trouvé aucune preuve de malnutrition ou de carence en micronutriments. Les taux de potassium peuvent diminuer légèrement, mais même pendant un jeûne continu de plus de deux mois, les taux de potassium ne sont pas descendus sous les valeurs normales, même sans l'utilisation de suppléments[13]. Prenez note que cette durée est beaucoup plus longue que celle qui est normalement recommandée sans supervision médicale.

Les taux de magnésium, de calcium et de phosphore sont stables pendant le jeûne[14], vraisemblablement à cause des réserves de ces minéraux dans les os qui, eux, contiennent 99 % du calcium et du phosphore présents dans le corps. Un supplément multivitaminique fournira l'apport quotidien recommandé en micronutriments. Dans un cas, un sujet a maintenu un jeûne thérapeutique pendant 382 jours seulement à l'aide de multivitamines et sans effet néfaste sur sa santé. En fait, cet homme maintenait qu'il se sentait très bien toute la durée du jeûne[15]. Il n'y a pas eu d'épisodes d'hypoglycémie puisque la glycémie se maintenait dans les valeurs normales. La seule inquiétude a été une légère hausse de l'acide urique, ce qui a souvent été décrit quand il est question de jeûne[16].

LES MYTHES À PROPOS DU JEÛNE

Un bon nombre de mythes à propos du jeûne ont été répétés tellement de fois qu'ils sont souvent perçus comme des vérités infaillibles.

- Le jeûne vous fera perdre du muscle/brûler des protéines.
- Le cerveau a besoin de glucose pour fonctionner.
- Le jeûne vous mettra en mode privation/diminuera le métabolisme de base.
- Le jeûne vous accablera à cause de la faim.
- Le jeûne cause une suralimentation quand vous recommencez à manger.
- Le jeûne prive le corps de nutriments.
- Le jeûne cause l'hypoglycémie.
- C'est juste insensé.

Si ces mythes étaient vrais, aucun d'entre nous ne serait en vie aujourd'hui. Pensez aux conséquences de brûler du muscle pour obtenir de l'énergie. Pendant les longs hivers, il y avait un bon nombre de jours où aucune nourriture n'était disponible. Après le premier épisode, vous auriez été sérieusement affaibli. Après plusieurs épisodes répétés, vous seriez devenu si faible que vous auriez été incapable de chasser ou cueillir de la nourriture. Les humains n'auraient jamais survécu en tant qu'espèce. Il serait préférable de se demander pourquoi le corps humain emmagasinerait de l'énergie sous forme de gras s'il brûlait plutôt des protéines. La réponse, bien sûr, est que le corps ne brûle pas de muscle en l'absence de nourriture. Ce n'est qu'un mythe.

Le mode de privation, comme on l'appelle, est le mystérieux croquemitaine toujours évoqué pour nous faire peur et nous empêcher de manquer un seul repas. C'est tout simplement absurde. La décomposition des tissus musculaires se produit quand il n'y a que très peu de gras corporel, environ 4 %, un problème dont la plupart des gens n'ont pas à se préoccuper. Dans ce cas, il n'y a plus de gras corporel à mobiliser pour obtenir de l'énergie et le tissu maigre est consommé. Le corps humain a évolué pour survivre à des famines épisodiques. Le gras est de l'énergie emmagasinée et le muscle est un tissu fonctionnel. Le gras est brûlé en premier. C'est comme si vous emmagasiniez du bois de chauffage, mais décidiez de brûler votre sofa à la place. C'est stupide. Pourquoi présumons-nous que le corps humain est aussi stupide? Le corps préserve la masse musculaire jusqu'à ce que la réserve de graisse devienne si pauvre qu'il n'a pas d'autre choix.

Des études sur le jeûne intermittent, par exemple, démontrent que l'inquiétude par rapport à la perte musculaire est largement mal à propos[17]. Le jeûne intermittent sur soixante-dix jours a diminué le poids corporel de 6 %, mais la masse adipeuse corporelle a diminué de 11,4 %. La masse maigre (y compris les muscles et les os) n'avait pas du tout changé. On a constaté des améliorations significatives des taux de cholestérol LDL et de triglycérides. L'hormone de croissance a augmenté afin de maintenir la masse musculaire. Des études sur le fait de ne consommer qu'un repas par jour[18] ont démontré une perte beaucoup plus importante de gras par rapport à une alimentation constituée de trois repas par jour, même si l'apport calorique était le même. Notablement, aucune preuve de perte musculaire n'a été trouvée.

Il existe un autre mythe persistant selon lequel les cellules cérébrales ont besoin de glucose pour fonctionner correctement. C'est inexact. Les cerveaux humains, uniques parmi les animaux, peuvent utiliser des cétones comme source majeure d'énergie pendant les famines prolongées, ce qui permet la conservation des protéines, comme le muscle squelettique. Encore une fois, pensez aux conséquences, si le glucose était absolument nécessaire à la survie: les humains ne survivraient pas. Après vingt-quatre heures, le glucose serait épuisé. Si notre cerveau n'avait pas d'autre solution de rechange, nous deviendrions des idiots pleurnichards tandis que notre cerveau cesserait de fonctionner. Notre intellect, notre seul avantage sur les animaux sauvages, commencerait à disparaître. Le gras est le moyen pour le corps d'emmagasiner de l'énergie à long terme; il utilise le glucose/glycogène à court terme. Quand les réserves à court terme sont épuisées, le corps se tourne vers les réserves à long terme sans problème. La gluconéogenèse hépatique fournit la petite quantité de glucose nécessaire.

L'autre mythe persistant du mode de famine est qu'il cause une importante diminution du métabolisme de base et un arrêt du fonctionnement de notre corps. Cette réponse, si elle était réelle, serait également un grand désavantage pour la survie de l'espèce humaine. Si la famine épisodique causait une diminution de notre métabolisme, nous aurions moins d'énergie pour chasser ou cueillir de la nourriture. Ayant moins d'énergie, nous aurions moins de chances de nous procurer de la nourriture. Donc, un autre jour passerait et nous deviendrions de plus en plus faibles, encore moins aptes à nous procurer de la nourriture, un cercle vicieux qui ne nous laisserait aucune chance de survie. C'est stupide. En fait, il n'y a aucune espèce animale, l'humain compris, qui a évolué pour avoir besoin de trois repas par jour, tous les jours.

L'origine de ce mythe ne m'est pas évidente. La restriction calorique quotidienne, en fait, mène à une diminution du métabolisme. Les gens ont donc supposé que cet effet serait magnifié si l'apport alimentaire était nul. Ce n'est pas le cas. Une diminution de l'apport alimentaire est compensée par une diminution de la dépense d'énergie. Cependant, si l'apport alimentaire est nul, le corps change de source d'énergie pour passer des aliments aux aliments emmagasinés (gras). Cette stratégie augmente sensiblement la disponibilité de la « nourriture », qui est compensée par une augmentation de la dépense d'énergie.

Alors, que s'est-il passé dans la *Minnesota Starvation Experiment* (voir le chapitre 3)? Ces participants ne jeûnaient pas, ils suivaient plutôt un régime à teneur réduite en calories. Les adaptations hormonales au jeûne ne se sont pas produites. L'adrénaline n'a pas augmenté pour maintenir la dépense d'énergie totale. L'hormone de croissance n'a pas augmenté pour maintenir la masse musculaire maigre. Les cétones n'ont pas été produites pour nourrir le cerveau.

Les mesures physiologiques détaillées montrent que la dépense d'énergie totale augmente pendant un jeûne[19]. Vingt-deux jours de jeûne intermittent n'ont produit aucune baisse mesurable de la dépense d'énergie totale. Il n'y avait pas de mode de famine. Il n'y avait pas de baisse du métabolisme. L'oxydation des graisses a augmenté de 58 % tandis que l'oxydation des glucides a diminué de 53 %. Le corps avait commencé à passer de la combustion de sucre à la combustion de gras, sans baisse d'énergie globale. Quatre jours de jeûne continu ont en fait causé une hausse de la dépense d'énergie totale de 12 %[20]. Les taux de norépinéphrine (adrénaline) ont grimpé en flèche de 117 % pour maintenir l'énergie. Les acides gras ont augmenté de plus de 370 % alors que le corps est passé à la combustion du gras. L'insuline a diminué de 17 %. Les taux de glucose dans le sang ont légèrement baissé, mais sont demeurés dans les valeurs normales.

Des inquiétudes sont soulevées de façon répétitive par rapport au fait que le jeûne peut provoquer une suralimentation. Des études sur l'apport calorique montrent en effet une légère augmentation au repas suivant. Après une journée de jeûne, l'apport calorique moyen a augmenté de 2 436 à 2 914. Mais sur une période de deux jours, il y avait toujours un déficit net de 1 958 calories. L'augmentation des calories la journée suivant un jeûne ne compensait pas le manque de calories pendant la journée de jeûne[21]. Notre propre expérience dans notre clinique démontre que l'appétit a tendance à diminuer plus la durée du jeûne augmente.

LE JEÛNE : DES CAS EXTRÊMES ET DES DIFFÉRENCES ENTRE LES SEXES

En 1960, le Dr Garfield Duncan du Pennsylvania Hospital, à Philadelphie, a décrit son expérience de l'utilisation du jeûne intermittent dans le traitement de 107 sujets obèses. Les sujets avaient été incapables de perdre du poids avec la restriction calorique et, ayant perdu espoir, avaient accepté d'essayer le jeûne.

Un patient, W.H., a commencé à 325 livres (147 kg) et prenait trois comprimés pour la pression artérielle. Pendant les quatorze jours suivants, il a subsisté avec de l'eau, du thé, du café et des multivitamines. Il a trouvé les deux premiers jours difficiles, mais par la suite, à sa grande surprise, sa faim a tout simplement disparu. Après avoir perdu 24 livres (11 kg) dans les quatorze premiers jours, il a continué avec des périodes de jeûne plus courtes et a perdu un total de 81 livres (37 kg) au cours des six mois suivants.

Peut-être que le plus surprenant a été sa vigueur pendant les périodes prolongées de jeûne[22]. Le Dr Duncan a écrit : « Un sentiment de bien-être était associé au jeûne[23]. » Tandis que la plupart des gens s'attendent à ce que la période de jeûne soit extrêmement difficile, les cliniciens ont noté l'opposé. Le Dr E. Drenick a écrit : « L'aspect le plus étonnant de cette étude était la facilité avec laquelle la famine prolongée était tolérée[24]. » D'autres ont décrit une sensation de légère euphorie[25], ce qui contraste grandement avec la faim, la faiblesse et le froid constants ressentis par les gens qui suivent un régime à teneur réduite en calories, comme on l'a méticuleusement détaillé dans la *Minnesota Starvation Experiment.* Ces expériences rappellent notre propre expérience clinique avec des centaines de patients à l'Intensive Dietary Management Clinic.

Les médecins ont préconisé le jeûne dès le milieu des années 1800[26]. Dans la médecine moderne, on peut trouver des références au jeûne datant d'aussi loin que 1915[27], mais par la suite, il semble avoir été laissé de côté. En 1951, le Dr W.L. Bloom du Piedmont Hospital à Atlanta, en Géorgie, a « redécouvert » le jeûne comme traitement pour l'obésité morbide[28]. D'autres ont suivi, y compris le Dr Duncan et le Dr Drenick, qui ont décrit leurs expériences positives dans le *Journal of the American Medical Association.* Dans un cas extrême, en 1973, des médecins ont effectué le suivi d'un homme pendant un jeûne thérapeutique de 382 jours. Pesant 456 livres au début, il a terminé à 180 livres. Aucune anomalie n'a été constatée sur le plan électrolytique pendant cette période et le patient s'est bien senti tout au long du jeûne[29].

On a noté plusieurs différences sur le plan des effets du jeûne chez les hommes et chez les femmes. Le glucose plasmatique a tendance à chuter plus rapidement chez les femmes[30] et la cétose se développe plus rapidement. Plus le poids est élevé, cependant, moins il y a de différences[31]. Plus important encore, le rythme de la perte de poids ne diffère pas énormément chez les hommes et chez les femmes[32]. Mon expérience personnelle avec des centaines d'hommes et de femmes ne suffit pas à me convaincre qu'il existe une différence substantielle entre les hommes et les femmes quand il est question de jeûne.

LE JEÛNE INTERMITTENT ET LA RÉDUCTION DES CALORIES

Un aspect crucial qui différencie le jeûne des autres régimes est sa nature intermittente. Les régimes échouent à cause de leur constance. La caractéristique fondamentale de la vie sur Terre est l'homéostase. Tout stimulus constant se butera à une adaptation qui résiste au changement. Une exposition constante à une réduction calorique cause une adaptation (résistance); le corps réagit en réduisant la dépense d'énergie totale, ce qui mène au plateau tant appréhendé dans la perte de poids et ensuite à un regain de poids.

Dans une étude menée en 2011, on a comparé la stratégie du contrôle des portions à une stratégie de jeûne intermittent[33]. Le groupe suivant la stratégie du contrôle des portions a réduit son apport calorique de 25 %. Par exemple, si une personne mangeait normalement 2 000 calories par jour, elle réduirait son apport à 1 500 calories par jour. Sur une semaine, elle recevrait un total de 10 500 calories d'un régime méditerranéen, qui est généralement reconnu comme sain. Le groupe qui suivait une stratégie de jeûne intermittent recevait 100 % de ses calories cinq jours par semaine, mais les deux autres jours, seulement 25 %. Par exemple, ces personnes recevaient 2 000 calories pendant cinq jours de la semaine, mais pendant les deux autres jours, elles n'en recevaient que 500, une structure très similaire au régime 5:2, soutenu par le Dr Michael Mosley. Sur une semaine, les participants recevraient 11 000 calories, légèrement plus que le groupe qui suivait la stratégie de contrôle des portions.

Après six mois, la perte de poids était similaire dans les deux groupes (14,3 lb ou 6,5 kg), mais comme nous le savons, à court terme, tous les régimes fonctionnent. Cependant, le groupe qui suivait la stratégie de jeûne intermittent avait des taux d'insuline et une résistance à l'insuline beaucoup plus faibles. Les régimes intermittents produisaient bien plus de bienfaits lorsqu'on introduisait des périodes de très faibles taux d'insuline qui aident à briser la résistance. Des études complémentaires[34, 35] confirment que la combinaison du jeûne intermittent et de la restriction des calories est efficace pour la perte de poids. La graisse viscérale, plus dangereuse, semble être préférentiellement éliminée. Les facteurs de risque importants, y compris le cholestérol LDL (lipoprotéines à basse densité), la taille des lipoprotéines à basse densité et les triglycérides, s'étaient aussi améliorés.

L'inverse est également vrai. L'augmentation de la taille et de la fréquence des repas contribue-t-elle à l'obésité? Un essai clinique randomisé récent qui comparait ces deux particularités a démontré que seul le groupe ayant augmenté la fréquence de ses repas de façon significative avait vu son gras intrahépatique augmenter[36]. La stéatose hépatique joue un rôle clé dans le développement de la résistance à l'insuline. L'augmentation de la fréquence des repas a des effets beaucoup plus néfastes à long terme sur le gain de poids. Pourtant, tandis que nous sommes obsédés par la question de quoi manger, nous ignorons pratiquement la question essentielle de quand manger.

Le gain de poids n'est pas un processus stable. Le gain de poids annuel moyen chez les Nord-Américains est d'environ 1,3 livre (0,6 kg), mais cette augmentation n'est pas constante. Les fêtes de fin d'année produisent un énorme 60 % de ce gain de poids annuel en seulement six semaines[37]. Il y a une petite perte de poids après les fêtes, mais elle n'est pas suffisante pour compenser le gain. En d'autres termes, le festin doit être suivi d'un jeûne. Quand nous retirons le jeûne et que nous ne gardons que le festin, nous prenons du poids.

C'est le secret antique. C'est le cycle de la vie. Le jeûne suit le festin. Le festin suit le jeûne. Les régimes doivent être *intermittents* et non constants. La nourriture est une célébration de la vie. Toutes les cultures du monde célèbrent avec de gros festins. C'est normal et c'est bien. Cependant, la religion nous a toujours rappelé que nous devons équilibrer le festin avec des périodes de jeûne: «expiation», «repentir» ou «purification». Ces idées anciennes ont subi l'épreuve du temps. Devriez-vous manger beaucoup le jour de votre fête? Absolument. Devriez-vous manger beaucoup à un mariage? Absolument. Ce sont des occasions de célébrer et de se faire plaisir. Mais il y a également un temps pour jeûner. Nous ne pouvons pas changer ce cycle de la vie. Nous ne pouvons pas toujours festoyer. Nous ne pouvons pas toujours jeûner. Ça ne fonctionnera pas. Ça ne fonctionne pas.

POUVEZ-VOUS LE FAIRE ?

Ceux qui n'ont jamais essayé de jeûner peuvent être intimidés. Cependant, comme avec toute autre chose, le jeûne devient beaucoup plus facile avec la pratique. Voyons voir. Les musulmans fervents jeûnent un mois par année et sont censés jeûner deux jours par semaine. On estime qu'il y a 1,6 milliard de musulmans dans le monde. On estime qu'il y a 14 millions de mormons qui sont censés jeûner une fois par mois. On estime qu'il y a 350 millions de bouddhistes dans le monde, dont un bon nombre jeûne régulièrement. Presque un tiers de la population mondiale est censée jeûner régulièrement durant sa vie. Il ne fait aucun doute que c'est possible. En outre, il est clair qu'il n'y a pas d'effets secondaires négatifs liés au jeûne régulier. Tout au contraire. Il semble avoir des bienfaits extraordinaires sur la santé.

Le jeûne peut être combiné à tous les régimes imaginables. Cela ne fait aucune différence si vous ne mangez pas de viande, de produits laitiers ou de gluten. Vous pouvez toujours jeûner. Manger du bœuf biologique d'animaux nourris à l'herbe est sain, mais peut entraîner des coûts prohibitifs. Avec le jeûne, il n'y a pas de coûts cachés. Vous épargnez plutôt de l'argent. Manger seulement des repas faits maison de A à Z est également sain, mais peut prendre beaucoup de temps dans nos vies mouvementées. Le jeûne n'entraîne aucune contrainte et fait économiser du temps. Pas besoin de temps pour aller à l'épicerie, pour préparer les aliments, pour manger et pour nettoyer.

La vie devient plus simple parce que vous n'avez pas à vous inquiéter du prochain repas. Sur le plan conceptuel, le jeûne est également très simple. Les éléments essentiels du jeûne peuvent être expliqués en deux minutes. Il n'est pas question de : « Puis-je manger un repas complet ? » ou « Combien de calories contient une tranche de pain ? » ou « Combien y a-t-il de glucides dans cette tarte ? » ou même « Les avocats sont-ils sains ? ». Au bout du compte, le jeûne est quelque chose que nous pouvons faire et que nous devrions faire. Pour des conseils pratiques sur comment introduire le jeûne dans votre vie, consultez l'annexe B.

Cela répond donc aux deux questions non posées. Est-ce malsain ? La réponse est non. Les études scientifiques concluent que le jeûne comporte des bienfaits significatifs pour la santé. Le métabolisme s'accélère, l'énergie augmente et la glycémie baisse.

La seule question qui reste est la suivante : pouvez-vous le faire ? J'entends tout le temps cette question. Absolument, oui, à 100 %. En fait, le jeûne fait partie de la culture humaine depuis la nuit des temps.

« SAUTEZ QUELQUES REPAS »

Demandez à un enfant comment perdre du poids et il y a de bonnes chances qu'il ou elle vous réponde : « Sautez quelques repas. » Cette suggestion est probablement la plus simple et la meilleure réponse. À la place, nous concoctons toutes sortes de règles compliquées.

- Mangez six fois par jour.
- Mangez un gros déjeuner.
- Mangez « faible en gras ».
- Tenez un journal alimentaire.
- Comptez vos calories.
- Lisez les étiquettes des aliments.
- Évitez tous les aliments transformés.
- Évitez tous les aliments blancs : sucre blanc, farine blanche, riz blanc.

- Mangez plus de fibres.
- Mangez plus de fruits et de légumes.
- Faites attention à votre microbiome.
- Mangez des aliments simples.
- Mangez des protéines à chaque repas.
- Mangez des aliments crus.
- Mangez des aliments biologiques.
- Comptez vos points Weight Watchers.
- Comptez vos glucides.
- Augmentez votre exercice physique.
- Entraînez-vous en résistance et travaillez votre cardio.
- Mesurez votre métabolisme et mangez moins que celui-ci.

Cette liste de règles compliquées est pratiquement sans fin et il s'en ajoute tous les jours. Il est légèrement ironique que, même en suivant ces listes sans fin, nous sommes plus gros que jamais. La simple vérité est que la perte de poids est basée sur la compréhension des causes hormonales de l'obésité. L'insuline est le facteur principal. L'obésité est un déséquilibre hormonal et non calorique.

Il n'y a pas une, mais deux principales considérations dont il faut tenir compte pour faire de bons choix alimentaires.

1. Quoi manger.
2. Quand manger.

Dans le cas de la première question, il y a quelques règles simples à suivre. Réduisez votre apport en grains raffinés et en sucres, modérez votre consommation de protéines et augmentez votre consommation de graisses naturelles. Maximisez votre consommation de facteurs de protection comme les fibres et le vinaigre. Optez seulement pour les aliments naturels, non transformés.

Dans le cas de la seconde question, équilibrez les périodes de dominance de l'insuline et les périodes de déficit en insuline : équilibrez les périodes d'alimentation et de jeûne. Manger continuellement est la recette idéale pour prendre du poids. Le jeûne intermittent est une façon très efficace de gérer les moments où vous devez manger. En fin de compte, la question est la suivante : si vous ne mangez pas, perdrez-vous du poids ? Oui, bien sûr. Il n'y a donc pas réellement de doute à propos de son efficacité. Ça fonctionnera.

Il y a d'autres facteurs qui affectent l'insuline et la perte de poids, comme le manque de sommeil et le stress (l'effet du cortisol). Si ces derniers sont les causes majeures de l'obésité, ils doivent être réglés, non avec l'alimentation, mais avec des techniques comme une bonne hygiène de sommeil, la méditation, la prière ou le massage thérapeutique.

Pour chacun d'entre nous, il y aura des facteurs qui seront plus importants que d'autres. Pour certains, les sucres peuvent être la cause principale de l'obésité. Pour d'autres, ce sera le manque de sommeil chronique. Pour certains, ce sera l'excès de grains raffinés. Pour d'autres encore, ce sera le moment des repas. Diminuer l'apport en sucre ne sera pas aussi efficace si le problème sous-jacent est un trouble du sommeil chronique. De la même façon, de meilleures habitudes de sommeil n'aideront pas si le problème est un apport en sucre trop élevé.

Ce que nous avons essayé de développer ici est un cadre théorique pour comprendre la complexité du problème de l'obésité chez les humains. Une compréhension approfondie des causes de l'obésité mène à un traitement rationnel et efficace. Un nouvel espoir apparaît. Nous pouvons recommencer à rêver, à rêver d'un monde où le diabète de type 2 est éradiqué, où le syndrome métabolique est aboli. Rêver d'un lendemain plus mince, plus sain.

Ce monde. Cette vision. Ce rêve. Ça commence aujourd'hui.

ANNEXE A – EXEMPLES DE MENUS (AVEC PROTOCOLE DE JEÛNE)

Exemple de plan de repas sur 7 jours

PROTOCOLE DE JEÛNE DE 24 HEURES

	Lundi	Mardi	Mercredi
Déjeuner	**JOUR DE JEÛNE** Eau Café	Omelette western Pomme verte	**JOUR DE JEÛNE** Eau Café
Dîner	**JOUR DE JEÛNE** Eau Thé vert 1 tasse de bouillon de légumes	Salade de roquette avec noix de Grenoble, tranches de poire, fromage de chèvre	**JOUR DE JEÛNE** Eau Thé vert 1 tasse de bouillon de poulet
Souper	Poulet aux fines herbes Haricots verts	Poitrine de porc grillé à l'asiatique Sauté de pak-choï miniature	Flétan frit à la poêle dans du beurre et de l'huile de coco
Dessert	Baies	Aucun	Aucun

Ce ne sont là que des suggestions de repas.
Vous n'êtes pas obligé de suivre ce modèle.

Abstenez-vous de manger des collations.

Jeudi	Vendredi	Samedi	Dimanche
Céréales All-Bran Buds avec du lait Petits fruits	**JOUR DE JEÛNE** Eau Café	Deux œufs Saucisse à déjeuner/bacon Fraises	**JOUR DE JEÛNE** Eau Café
Poulet au gingembre sur lit de laitue Légumes sautés	**JOUR DE JEÛNE** Eau Thé vert 1 tasse de bouillon de bœuf	Bébés épinards et salade de lentilles	**JOUR DE JEÛNE** Eau Thé vert 1 tasse de bouillon de légumes
Poulet au cari indien Chou-fleur Salade verte	Poisson-chat cuit au four Brocoli sauté avec ail et huile d'olive	Steak au poivre Asperges	Salade de poulet grillé
Aucun	Fruits de saison	Aucun	Chocolat noir

Exemple de plan de repas sur 7 jours

PROTOCOLE DE JEÛNE DE 36 HEURES

	Lundi	Mardi	Mercredi
Déjeuner	**JOUR DE JEÛNE** Eau Café	1 tasse de yogourt grec avec ½ tasse de bleuets et de framboises et 1 c. à soupe de graines de lin moulues	**JOUR DE JEÛNE** Eau Café
Dîner	**JOUR DE JEÛNE** Eau Thé vert 1 tasse de bouillon de légumes	Salade César avec poulet grillé	**JOUR DE JEÛNE** Eau Thé vert 1 tasse de bouillon de poulet
Souper	**JOUR DE JEÛNE** Eau Thé vert	Légumes verts mélangés sautés à l'huile d'olive Saumon grillé avec sauce au raifort	**JOUR DE JEÛNE** Eau Thé vert
Dessert	Aucun	Beurre d'arachide sur des branches de céleri	Aucun

Ce ne sont là que des suggestions de repas. Vous n'êtes pas obligé de suivre ce modèle.

Abstenez-vous de manger des collations.

Jeudi	Vendredi	Samedi	Dimanche
2 œufs Bacon Pomme	**JOUR DE JEÛNE** Eau Café	Gruau d'avoine épointée avec baies et 1 c. à soupe de graines de lin moulues	**JOUR DE JEÛNE** Eau Café
Poulet au gingembre sur lit de laitue Légumes sautés	**JOUR DE JEÛNE** Eau Thé vert 1 tasse de bouillon de bœuf	Bifteck de faux-filet Légumes grillés	**JOUR DE JEÛNE** Eau Thé vert 1 tasse de bouillon de légumes
Poulet au cari indien Chou-fleur Salade verte	**JOUR DE JEÛNE** Eau Thé vert	Steak au poivre Sauté de pak-choï miniature	**JOUR DE JEÛNE** Eau Thé vert
Chocolat noir : 1 carré de chocolat noir à 70 % de cacao ou plus	Fruits de saison	2 tranches de melon d'eau	Aucun

ANNEXE B – LE JEÛNE, GUIDE PRATIQUE

Le jeûne est défini comme la privation volontaire de nourriture pour une période spécifique. Les boissons non caloriques comme l'eau ou le thé sont permises. Un jeûne absolu réfère à la privation à la fois de nourriture et de boissons. Ce type de jeûne peut être effectué pour des raisons religieuses, comme le ramadan dans la tradition musulmane, mais il n'est généralement pas recommandé à des fins médicales à cause de la déshydratation qui l'accompagne.

Il n'y a pas de normes quant à la durée du jeûne. Les jeûnes peuvent aller de douze heures à trois mois et plus. Vous pouvez jeûner une fois par semaine ou une fois par mois ou encore une fois par année. Le jeûne intermittent implique de jeûner pour de plus courtes périodes de manière régulière. Les jeûnes plus courts sont généralement effectués plus fréquemment. Certaines personnes préfèrent un jeûne quotidien de seize heures, ce qui signifie qu'ils mangent tous leurs repas dans une fenêtre de huit heures. Les jeûnes plus longs sont habituellement de vingt-quatre à trente-six heures et sont observés de deux à trois fois par semaine. Les jeûnes prolongés peuvent aller d'une semaine à un mois.

Pendant un jeûne de vingt-quatre heures, vous jeûnez du souper (ou du dîner ou du déjeuner) du premier jour jusqu'au souper (ou dîner ou déjeuner) du jour suivant. Sur le plan pratique, cela signifie sauter le déjeuner, le dîner et les collations le jour du jeûne et ne manger qu'un seul repas (souper). Fondamentalement, vous sautez deux repas quand vous jeûnez à partir de 19 heures jusqu'à 19 heures le jour suivant.

Pendant un jeûne de trente-six heures, vous jeûnez à partir du souper le premier jour jusqu'au déjeuner, deux jours plus tard. Vous sautez ainsi le déjeuner, le dîner, le souper et les collations pendant une journée entière. Vous sautez donc trois repas si vous jeûnez de 19 heures le premier jour jusqu'à 7 heures deux jours plus tard. (Voir l'annexe A pour des exemples de plans de repas et des protocoles de jeûne.)

Les jeûnes plus longs entraînent une baisse des taux d'insuline, une plus grande perte de poids et une plus grande réduction de la glycémie chez les diabétiques. À l'Intensive Dietary Management Clinic, nous utilisons habituellement un jeûne de vingt-quatre ou trente-six heures, deux ou trois fois par semaine. Dans les cas de diabète sévère, les patients peuvent jeûner de une à deux semaines, mais seulement sous étroite surveillance médicale. Vous pouvez prendre des multivitamines si la carence en micronutriments vous inquiète.

Que puis-je consommer pendant les jours de jeûne ?

Tous les aliments et toutes les boissons qui contiennent des calories sont évités pendant le jeûne. Cependant, vous devez rester bien hydraté pendant votre jeûne. L'eau, plate et pétillante, est toujours un bon choix. Essayez de boire deux litres d'eau par jour. Pour vous entraîner, commencez chaque jour avec huit onces (240 ml environ) d'eau froide pour assurer une bonne hydratation pour entamer la journée. Ajouter du citron et de la lime donne de la saveur. Sinon, vous pouvez mettre des tranches d'orange ou de concombre dans un pichet d'eau pour une infusion de saveur et boire cette eau au cours de la journée. Vous pouvez diluer du vinaigre de cidre dans de l'eau puis le boire, ce qui peut aider votre glycémie. Cependant, les saveurs artificielles ou les édulcorants sont interdits. Le Kool-Aid, le Crystal Light ou le Tang ne devraient pas être ajoutés à l'eau.

Tous les types de thé sont excellents, y compris le thé vert, le thé noir, le thé oolong et les tisanes. Les thés peuvent souvent être mélangés pour obtenir plus de variété et peuvent être bus chauds ou froids. Vous pouvez utiliser des épices comme de la cannelle ou de la muscade pour ajouter de la saveur à votre thé. Ajouter une petite quantité de crème ou de lait est également acceptable. Le sucre, les édulcorants artificiels et les arômes ne sont pas permis. Le thé vert est particulièrement bon. On croit que les catéchines du thé vert aident à réprimer l'appétit.

Le café, caféiné ou décaféiné, est également permis. Une petite quantité de crème ou de lait est acceptable, même s'ils contiennent des calories. Des épices comme de la cannelle peuvent être ajoutées, mais pas les édulcorants, le sucre et les arômes artificiels. Les journées chaudes, le café glacé est un excellent choix. Le café a un bon nombre de bienfaits pour la santé, comme nous l'avons déjà vu.

Le bouillon d'os maison, fait à partir d'os de bœuf, de porc, de poulet ou de poisson est un bon choix pour les jours de jeûne. Le bouillon de légumes est une solution de remplacement appropriée, même si le bouillon d'os contient plus de nutriments. Ajouter une pincée de sel de mer au bouillon vous aidera à rester hydraté. Les autres liquides, le café, le thé et l'eau, ne contiennent pas de sodium, donc pendant les longues périodes de jeûne, il est possible d'avoir une carence en sel. Bien qu'un bon nombre de personnes craignent le sodium ajouté, il est beaucoup plus dangereux de manquer de sel. Pour les jeûnes plus courts, comme ceux de vingt-quatre ou de trente-six heures, cela fait peu de différence. Tous les légumes, les herbes et les épices sont de bons ajouts pour les bouillons, mais n'ajoutez pas de cubes de bouillon, qui sont remplis d'arômes artificiels et de glutamate monosodique. Méfiez-vous des bouillons en conserve : il s'agit de mauvaises imitations des bouillons faits maison. Voir la page 361 pour une recette de bouillon d'os.

Veillez à briser votre jeûne doucement. Trop manger tout de suite après un jeûne peut créer un inconfort à l'estomac. Bien que ce ne soit pas sérieux, cela peut être assez inconfortable. Essayez plutôt de rompre votre jeûne avec une poignée de noix ou une petite salade pour commencer. Ce problème a tendance à se résorber de lui-même.

J'ai faim quand je jeûne. Que faire ?

Il s'agit probablement de la principale inquiétude des gens qui jeûnent. Ils supposent qu'ils seront envahis par la faim et qu'ils seront incapables de se contrôler. La vérité est que la faim ne persiste pas, mais vient plutôt par vagues. Si vous avez faim, cela passera. Demeurer occupé pendant un jour de jeûne est souvent utile. Jeûner pendant une journée occupée au travail éloigne la faim de vos pensées.

Pendant que le corps s'habitue au jeûne, il commence à brûler les réserves de graisse et votre faim sera réprimée. Beaucoup de personnes notent que, pendant qu'elles jeûnent, leur appétit n'augmente pas, il diminue. Pendant les jeûnes plus longs, nombre de personnes remarquent que leur faim disparaît complètement dès le deuxième ou le troisième jour.

Il existe également des produits naturels qui peuvent aider à réprimer la faim. Voici mes cinq coupe-faim préférés.

1. L'eau : comme mentionné précédemment, commencez votre journée avec un verre d'eau froide. Rester hydraté aide à prévenir la faim. (Boire un verre d'eau avant un repas peut également réduire la faim.) L'eau minérale gazeuse peut aider à calmer les estomacs bruyants et les crampes.
2. Le thé vert : rempli d'antioxydants et de polyphénols, le thé vert aide grandement ceux qui suivent un régime.

Les puissants antioxydants peuvent aider à stimuler le métabolisme et la perte de poids.

3. La cannelle : il a été démontré que la cannelle contribue à ralentir la vidange gastrique et peut aider à réprimer la faim[1]. Elle peut également aider à diminuer la glycémie et est donc utile pour la perte de poids. La cannelle peut être ajoutée à tous les thés et cafés pour obtenir une saveur différente.
4. Le café : bien que plusieurs pensent que la caféine réprime la faim, des études démontrent que cet effet est probablement lié aux antioxydants. Le café décaféiné et le café ordinaire entraînent tous deux une plus grande répression de la faim que de la caféine dans de l'eau[2]. Étant donné ses bienfaits sur la santé (voir le chapitre 19), il n'y a pas de raison de limiter l'apport en café. La caféine contenue dans le café peut également augmenter le métabolisme, ce qui encourage la combustion des graisses.
5. Les graines de chia : les graines de chia sont riches en fibres solubles et en acides gras oméga-3. Ces graines absorbent l'eau et forment un gel quand elles sont trempées dans un liquide pendant trente minutes, ce qui peut aider à réprimer l'appétit. Elles peuvent être mangées sèches ou encore sous forme de gelée ou de pouding.

Puis-je faire de l'exercice pendant mon jeûne ?

Absolument. Il n'y a aucune raison d'arrêter votre routine d'exercice. Tous les types d'exercice, y compris l'entraînement en résistance (poids et haltères) et le cardio sont encouragés. Il y a une fausse idée selon laquelle manger est nécessaire afin de fournir de l'énergie au corps. C'est faux. Le foie fournit l'énergie par l'entremise de la gluconéogenèse. Pendant les jeûnes plus longs, les muscles peuvent utiliser les acides gras directement pour obtenir de l'énergie.

Puisque vos taux d'adrénaline seront plus élevés, le jeûne est le moment idéal pour faire de l'exercice. La hausse de l'hormone de croissance qui vient avec le jeûne peut également promouvoir la croissance musculaire. Ces avantages ont mené un bon nombre de personnes, surtout des gens qui font de la musculation, à s'intéresser à l'activité physique pendant le jeûne. Les diabétiques qui prennent des médicaments, par contre, doivent faire particulièrement attention puisque leur glycémie peut baisser s'ils font de l'exercice physique pendant le jeûne. (Voir « Et si j'ai le diabète ? » pour des recommandations à la page 357.)

Le jeûne me fatiguera-t-il ?

Selon notre expérience à l'Intensive Dietary Management Clinic, l'opposé est vrai. Un bon nombre de personnes trouvent qu'ils ont *plus* d'énergie pendant un jeûne, probablement à cause de la hausse de l'adrénaline. Le métabolisme de base ne chute pas pendant le jeûne, il augmente. Vous noterez que vous pouvez faire toutes les activités normales de la vie quotidienne. La fatigue persistante ne fait pas partie du processus normal de jeûne. Si vous éprouvez une fatigue excessive, vous devriez cesser de jeûner immédiatement et consulter un médecin.

Le jeûne me rendra-t-il confus ou distrait ?

Non. Vous ne devriez pas éprouver de baisse de mémoire ou de concentration. Au contraire, les Grecs antiques croyaient que le jeûne améliorait les habiletés cognitives de façon significative, ce qui aidait les grands penseurs à avoir une plus grande clarté et une meilleure acuité mentale. À long terme, le jeûne peut en fait aider à améliorer la mémoire. Une théorie veut que le jeûne active une forme de purification cellulaire appelée autophagie, qui peut aider à prévenir la perte de mémoire associée au vieillissement.

J'ai le vertige quand je jeûne. Que faire ?

Il est fort probable que vous soyez déshydraté. Afin de prévenir la déshydratation, vous avez besoin de sel et d'eau. Assurez-vous de boire beaucoup de liquides. Cependant, le faible apport en sel les jours de jeûne peut causer des étourdissements. Ajouter du sel au bouillon ou à l'eau minérale aide à soulager les étourdissements.

Une autre possibilité est que votre pression artérielle est trop basse, particulièrement si vous prenez des médicaments pour contrôler l'hypertension artérielle. Parlez à votre médecin afin d'ajuster votre médication.

J'ai des crampes musculaires. Que faire ?

De faibles taux de magnésium, particulièrement fréquents chez les diabétiques, peuvent causer des crampes musculaires. Vous pouvez prendre des suppléments de magnésium en vente libre. Vous pouvez également ajouter des sels d'Epsom à votre bain ; il s'agit de sel de magnésium. Ajoutez-en une tasse à un bain chaud et immergez-vous dans l'eau pendant trente minutes. Le magnésium sera absorbé par votre peau.

J'ai des maux de tête quand je jeûne. Que faire ?

Comme décrit plus haut, essayez d'augmenter votre apport en sel. Les maux de tête sont courants les premières fois que vous essayez de jeûner. On croit qu'ils sont causés par le passage d'une alimentation relativement riche en sel à un apport très faible en sel pendant les jours de jeûne. Les maux de tête sont habituellement passagers, et si vous vous habituez au jeûne, le problème se résout de lui-même. Entre-temps, prenez plus de sel sous forme de bouillon ou d'eau minérale.

Mon estomac ne cesse de gargouiller. Que faire ?

Essayez de boire de l'eau minérale.

Depuis que j'ai commencé à jeûner, je suis constipé. Que faire ?

Augmenter votre apport en fibres, en fruits et en légumes pendant les périodes où vous ne jeûnez pas peut aider à soulager la constipation. Vous pouvez également prendre du Metamucil afin d'augmenter les fibres et le volume des selles. Si le problème persiste, demandez à votre médecin de vous prescrire un laxatif.

J'ai des brûlures d'estomac. Que faire ?

Évitez de prendre de gros repas. Vous constaterez peut-être que vous avez tendance à trop manger après un jeûne, mais essayez de manger normalement. Il est préférable de rompre le jeûne lentement. Évitez de vous coucher immédiatement après un repas et essayez de demeurer en position verticale au moins trente minutes après les repas. Placer des blocs de bois sous la tête de votre lit pour l'élever peut aider à contrer les symptômes nocturnes. Si aucune de ces solutions ne fonctionne pour vous, consultez votre médecin.

Je prends des médicaments avec de la nourriture. Que faire pendant le jeûne ?

Certains médicaments peuvent causer des problèmes si vous les prenez à jeun. L'aspirine peut provoquer des maux d'estomac ou même des ulcères. Les suppléments de fer peuvent provoquer de la nausée et des vomissements. La metformine, utilisée pour le diabète, peut causer de la nausée ou de la diarrhée. Veuillez discuter avec votre médecin pour savoir si vous devez continuer à les prendre. Aussi, vous pouvez essayer de prendre vos médicaments avec une petite portion de légumes à feuilles.

La pression artérielle peut parfois baisser pendant un jeûne. Si vous prenez des médicaments pour la pression artérielle, vous pourriez constater que celle-ci devient trop basse, ce qui peut causer des étourdissements. Parlez à votre médecin afin d'ajuster votre médication.

Et si j'ai le diabète ?

Il convient d'être particulièrement attentif si vous êtes diabétique ou si vous prenez des médicaments pour le diabète. (Certains médicaments, comme la metformine, sont utilisés pour d'autres maladies comme le syndrome des ovaires polykystiques.) Surveillez étroitement votre glycémie et ajustez votre médication en conséquence. *Un suivi médical serré est obligatoire. Si vous ne pouvez pas être suivi de près, ne jeûnez pas.*

Le jeûne cause une baisse de la glycémie. Si vous prenez des médicaments pour le diabète, en particulier de l'insuline, votre glycémie pourrait devenir extrêmement basse, ce qui peut être une situation potentiellement mortelle. Vous *devez* consommer du sucre ou du jus afin de normaliser votre glycémie, même si cela signifie que vous devez arrêter de jeûner pour cette journée. *Un suivi étroit de votre glycémie est obligatoire.*

On s'attend à ce que la glycémie baisse pendant le jeûne. Vous devez donc ajuster votre médication pour le diabète ou votre insuline à la baisse. Si votre glycémie est basse de façon récurrente, cela signifie que vous êtes surmédicamenté et non que le processus de jeûne ne fonctionne pas. Dans l'*Intensive Dietary Management Program*, nous réduisons souvent la médication avant de commencer un jeûne par anticipation de la baisse de la glycémie. Puisque la réponse glycémique est imprévisible, un suivi étroit avec un médecin est essentiel.

Le suivi

Un suivi étroit est essentiel pour tous les patients, mais particulièrement pour les diabétiques. Vous devriez contrôler votre pression artérielle régulièrement, de préférence chaque semaine. Assurez-vous de discuter de tests sanguins, y compris de la mesure des électrolytes, avec votre médecin. Si vous ne vous sentez pas bien, peu importe la raison, arrêtez votre jeûne immédiatement et consultez un médecin. En outre, les diabétiques devraient contrôler leur glycémie au moins deux fois par jour et consigner ces renseignements.

En particulier, une nausée persistante, des vomissements, des étourdissements, de la fatigue, une glycémie élevée ou basse, ou une léthargie ne sont pas des symptômes normaux dans les jeûnes intermittents ou continus. La faim et la constipation sont des symptômes normaux et peuvent être gérés.

Conseils pour le jeûne intermittent

1. Buvez de l'eau : commencez chaque matin avec un verre d'eau de huit onces (240 ml).
2. Restez occupé : ça vous distraira de la nourriture. Il peut être judicieux de choisir une journée occupée au travail pour jeûner.
3. Buvez du café : le café est un léger coupe-faim. Le thé vert, le thé noir et le bouillon d'os peuvent aider.
4. Surfez sur la vague : la faim vient par vagues, elle n'est pas continue. Quand la faim arrive, buvez tranquillement un verre d'eau ou une tasse de café chaud. Souvent, avant que vous l'ayez terminé, la faim sera passée.
5. Ne dites pas à tout le monde que vous jeûnez : la plupart des gens vont tenter de vous décourager parce qu'ils n'en comprennent pas les bienfaits. Un groupe de soutien est bénéfique, mais le dire à tous ceux que vous connaissez n'est pas une bonne idée.
6. Donnez-vous un mois : votre corps prendra du temps à s'habituer au jeûne. Les premières fois peuvent être difficiles, mais soyez préparé. Ne vous découragez pas. Cela deviendra plus facile.
7. Suivez un régime nutritif les jours où vous ne jeûnez pas : le jeûne intermittent n'est pas une excuse pour manger tout ce que vous voulez. Les jours où vous ne jeûnez pas,

maintenez un régime nutritif faible en sucres et en glucides raffinés.

8. Évitez la suralimentation : après un jeûne, faites comme si ce n'était jamais arrivé. Mangez normalement, comme si vous n'aviez jamais jeûné.

Le dernier conseil, et le plus important, est d'adapter le jeûne à votre vie. Ne vous limitez pas sur le plan social parce que vous jeûnez. Planifiez votre horaire de jeûne pour qu'il s'adapte à votre style de vie. Il y aura des moments où il sera impossible de jeûner : les vacances, les fêtes, les mariages. Ne tentez pas de vous forcer à jeûner lors de ces célébrations. Ce sont des occasions pour relaxer et célébrer. Une fois qu'elles sont terminées, par contre, vous pouvez tout simplement augmenter votre jeûne pour compenser. Ou revenir à votre horaire de jeûne habituel. Ajustez votre horaire de jeûne selon ce qui convient à votre style de vie.

À quoi s'attendre

L'importance de la perte de poids varie grandement d'une personne à l'autre. Plus vous avez souffert longtemps d'obésité, plus vous allez trouver difficile de perdre du poids. Certains médicaments rendent la tâche difficile. Vous devez persister et être patient.

Vous allez probablement atteindre un plateau de perte de poids. Changer votre plan de jeûne ou votre régime alimentaire, ou les deux, peut aider. Certains patients augmentent la période de jeûne et passent d'un jeûne de vingt-quatre à trente-six heures ou essaient de jeûner pendant quarante-huit heures. Certains peuvent tenter de ne manger qu'une fois par jour, tous les jours. D'autres peuvent tenter de faire un jeûne continu pendant une semaine. Changer le protocole de jeûne est souvent ce qui est nécessaire pour briser ce plateau.

Le jeûne n'est pas différent des autres habiletés. L'entraînement et le soutien sont essentiels pour bien performer.

Même si le jeûne fait partie de la culture humaine depuis toujours, un bon nombre de personnes en Amérique du Nord n'ont jamais jeûné. Par conséquent, le jeûne a été craint et rejeté par les autorités dans le domaine de l'alimentation parce qu'on croit qu'il est difficile et dangereux. En fait, la vérité est radicalement différente.

Recette de bouillon d'os

Légumes
Os de poulet, de porc ou de bœuf
1 c. à s. de vinaigre
Sel de mer, au goût
Poivre, au goût
Racine de gingembre, au goût

1. Couvrir d'eau.
2. Faire mijoter de deux à trois heures, jusqu'à ce que le bouillon soit prêt.
3. Filtrer et enlever le gras.

ANNEXE C – LA MÉDITATION ET L'HYGIÈNE DU SOMMEIL POUR RÉDUIRE LE CORTISOL

Comme exposé en détail au chapitre 8, le cortisol entraîne une augmentation des taux d'insuline et est une cause majeure du gain de poids. Par conséquent, la réduction des taux de cortisol fait partie intégrante du processus de perte de poids. Réduire le stress, pratiquer la méditation et bien dormir sont des méthodes efficaces pour faire diminuer les taux de cortisol. Voici des conseils utiles.

La réduction du stress

Si le stress excessif et la réponse en cortisol sont les causes de l'obésité, alors le traitement devra être une réduction du stress, mais c'est plus facile à dire qu'à faire. Vous retirer de situations stressantes est important, mais pas toujours possible. Les exigences du travail et de la famille ne disparaîtront pas d'elles-mêmes. Par chance, il y a des méthodes éprouvées qui peuvent nous aider.

Il est faux de croire que l'élimination du stress consiste à s'asseoir devant la télévision et ne rien faire. En fait, vous ne pouvez pas soulager le stress en ne faisant rien. La gestion du stress est un processus actif. La méditation, le tai-chi, le yoga, les pratiques religieuses et le massage sont de bonnes options.

L'exercice régulier est une excellente façon de soulager le stress et d'abaisser les taux de cortisol. Le but visé à l'origine par la réaction de lutte ou de fuite était de mobiliser le corps pour l'effort physique. L'exercice peut également provoquer la sécrétion d'endorphines et améliorer l'humeur. Ce bienfait surpasse grandement la modeste réduction calorique obtenue par l'exercice physique.

La connectivité sociale permet également d'atténuer le stress. Tout le monde se souvient combien il était difficile d'être tenu à l'écart à l'école secondaire. Le sentiment est le même, peu importe l'âge. Faire partie d'un groupe ou d'une communauté relève de l'héritage humain. Pour certains, la religion et l'église peuvent fournir ce sentiment d'appartenance. Le pouvoir du toucher ne doit pas être sous-estimé. Le massage peut être bénéfique pour cette raison.

La méditation de pleine conscience

À l'aide de la méditation de pleine conscience, nous pouvons devenir plus conscients de nos pensées. Le but de la méditation est de prendre du recul par rapport à nos pensées et de nous positionner en observateurs pour devenir conscients de celles-ci. De ce point de vue, nous pouvons porter une attention précise et sans jugement aux détails de nos expériences. La méditation de pleine conscience atténue le stress en nous aidant à être plus présents. Elle implique également de nous remémorer des expériences agréables de notre passé où nous avons eu à surmonter des difficultés pour réussir sur le plan personnel. Il existe plusieurs formes de méditation, mais elles ont toutes les mêmes objectifs généraux. (Le tai-chi et le yoga sont des formes de méditation en mouvement et proviennent de longues traditions.)

Nous ne voulons pas nous débarrasser de nos pensées, seulement en prendre conscience. Nous ne tentons pas de nous changer, mais d'être conscients de nous-mêmes tels que nous sommes dans le moment présent et d'observer nos pensées de façon objective, qu'elles soient bonnes ou mauvaises.

La méditation peut nous aider à composer avec nos pensées, ce qui nous permet de faire face au stress de façon plus efficace. La méditation de pleine conscience est particulièrement utile pour gérer les sentiments de faim ou les envies de nourriture. La méditation ne prend souvent que de vingt à trente minutes et peut être pratiquée n'importe quand. Prenez l'habitude de vous lever le matin, de boire un verre d'eau froide et de commencer votre méditation.

Trois concepts de base sont sollicités par la méditation de pleine conscience : le corps, la respiration et les pensées.

Le corps

Premièrement, vous voulez vous connecter avec votre corps. Trouvez un endroit calme où vous ne serez pas dérangé pendant les vingt prochaines minutes. Asseyez-vous sur le sol, sur un coussin ou sur une chaise. Croisez les jambes si vous êtes sur le sol ou sur un coussin. Si vous êtes assis sur une chaise, assurez-vous que vos pieds soient confortablement au sol, ou appuyez vos pieds sur un oreiller si ceux-ci ne touchent pas le sol. Il est important que vous vous sentiez à l'aise et détendu dans la position que vous avez choisie.

Déposez vos mains sur vos cuisses, paumes vers le bas. Observez le plancher, à environ six pieds devant vous et concentrez-vous sur le bout de votre nez, puis fermez doucement les yeux. Sentez votre cage thoracique s'ouvrir et votre dos devenir solide.

Commencez votre méditation assis dans cette position. Pendant quelques minutes, concentrez-vous sur les sensations dans votre corps et sur votre environnement. Si vos pensées s'éloignent des sensations de votre corps, ramenez-les doucement vers votre corps et votre environnement. Faites cela pendant votre méditation toutes les fois que vos pensées s'égarent.

La respiration

Une fois que vous avez commencé à vous détendre, commencez doucement à vous concentrer sur votre respiration. Inspirez par le nez et comptez jusqu'à six, puis expirez lentement par la bouche en comptant jusqu'à six. Prêtez attention à la sensation ressentie lorsque votre souffle entre et sort de votre corps.

Les pensées

Pendant que vous êtes assis, il peut arriver que vous soyez assailli par les pensées. Prêtez attention à ces pensées. Si elles vous causent des émotions négatives, tentez de penser à un moment où vous avez fait face à des défis semblables et souvenez-vous de comment vous avez réussi à les surpasser. Explorez ces pensées jusqu'à ce que votre corps devienne plus léger.

Si vous remarquez que vous vous êtes perdu dans vos pensées et que vous avez oublié où vous en étiez, ramenez doucement votre attention à votre respiration.

L'hygiène de sommeil

Il y a plusieurs facteurs clés contribuant à une bonne hygiène de sommeil et aucun d'entre eux n'implique l'utilisation de médicaments. (Les médicaments troublent l'architecture normale du sommeil, les périodes de sommeil paradoxal et de sommeil lent.) Voici des moyens simples, mais efficaces d'améliorer son sommeil.

- Dormez dans le noir absolu.
- Dormez dans des vêtements amples.
- Maintenez des heures de sommeil régulières.
- Essayez de dormir de sept à neuf heures par nuit.
- Exposez-vous à la lumière dès que vous vous levez.
- Gardez une température légèrement fraîche dans votre chambre.
- N'installez pas de téléviseur dans votre chambre.

RÉFÉRENCES BIBLIOGRAPHIQUES

Introduction

1 CBC News [Internet]. 3 mars 2014. «Canada's obesity rates triple in less than 30 years». Disponible sur: http://www.cbc.ca/news/health/canada-s-obesity-rates-triple-in-less-than-30-years-1.2558365. Consulté le 27 juillet 2015.

Chapitre 1 – Comment l'obésité est devenue une épidémie

1 Begley S. «America's hatred of fat hurts obesity fight». Reuters [Internet]. 11 mai 2012. Disponible sur: http://www.reuters.com/article/2012/05/11/us-obesity-stigma- idusbre84a0Pa20120511. Consulté le 13 avril 2015.

2 Centers for Disease Control and Prevention [Internet]. «Healthy weight: it's a diet, not a lifestyle!» (Mis à jour le 24 janvier 2014.) Disponible sur: http://www.cdc.gov/healthyweight/calories/index.html. Consulté le 8 avril 2015.

3 National Heart, Lung, and Blood Institute [Internet]. *Maintaining a healthy weight on the go.* Avril 2010. Disponible sur: http://www.nhlbi.nih.gov/health/public/heart/obesity/aim_hwt.pdf. Consulté le 8 avril 2015.

4 Brillat-Savarin J.-A. *La Physiologie du goût.* Trad. Anne Drayton. Penguin Books; 1970, p. 208-9.

5 Banting W. *Letter on Corpulence, Addressed to the Public.* Disponible sur: http://www.proteinpower.com/banting/index.php?page=1. Consulté le 12 avril 2015.

6 Source des données de la figure 1.1: Jones DS, Podolsky SH, Greene JA. «The burden of disease and the changing task of medicine». *N Engl J Med.* 2 juin 2012; 366(25):2333-8.

7 Arias E. Centers for Disease Control and Prevention [Internet]. *National Vital Statistics Reports. United States life tables 2009.* 6 janvier 2014. Disponible sur: http://www.cdc.gov/nchs/data/nvsr/nvsr62/nvsr62_07.pdf. Consulté le 12 avril 2015.

8 «Heart attack». *New York Times* [Internet]. (Recension parue le 30 juin 2014.) Disponible sur : http://www.nytimes.com/health/guides/disease/heart-attack/risk-factors.html. Consulté le 8 avril 2015.

9 Yudkin J. «Diet and coronary thrombosis hypothesis and fact». *Lancet.* 27 juillet 1957 ; 273(6987):155-62.

10 Yudkin J. «The causes and cure of obesity». *Lancet.* 19 décembre 1959 ; 274(7112):1135-8.

11 *USDA Factbook. Chapter 2: Profiling food consumption in America.* Disponible sur : www.usda.gov/factbook/chapter2.pdf. Consulté le 26 avril 2015.

12 Source des données de la figure 1.2 : Centers for Disease Control [Internet], *NCHS Health E-Stat. Prevalence of overweight, obesity, and extreme obesity among adults: United States, trends 1960-1962 through 2007-2008.* Mis à jour le 6 juin 2011. Disponible sur : http://www.cdc.gov/nchs/data/hestat/obesity_adult_07_08/obesity_adult_07_08.htm. Consulté le 26 avril 2015.

Chapitre 2 – L'obésité en héritage

1 Bouchard C. «Obesity in adulthood: the importance of childhood and parental obesity». *N Engl J Med.* 25 septembre 1997 ; 337(13):926-7.

2 Guo SS, Roche AF, Chumlea WC, Gardner JD, Siervogel RM. «The predictive value of childhood body mass index values for overweight at age 35 y». *Am J Clin Nutr.* Avril 1994 ; 59(4):810-9.

3 Stunkard AJ et coll. «An adoption study of human obesity». *N Engl J Med.* 23 janvier 1986 ; 314(4):193-8.

4 Stunkard AJ et coll. «The body-mass index of twins who have been reared apart». *N Engl J Med.* 24 mai 1990 ; 322(21):1483-7.

Chapitre 3 – La réduction calorique : une erreur

1 Wright JD, Kennedy-Stephenson J, Wang CY, McDowell MA, Johnson CL. «Trends in intake of energy and macronutrients: United States, 1971-2000». *CDC MMWR Weekly.* 6 février 2004 ; 53(4):80-2.

2 Ladabaum U et coll. «Obesity, abdominal obesity, physical activity, and caloric intake in U.S. adults: 1988 to 2010». *Am J Med.* Août 2014 ; 127(8):717-27.

3 Griffith R, Lluberas R, Luhrmann M. «Gluttony in England? Long-term change in diet». *The Institute for Fiscal Studies.* 2013. Disponible sur : http://www.ifs.org.uk/bns/bn142.pdf. Consulté le 26 avril 2015.

4 Kolata G. «In dieting, magic isn't a substitute for science». *New York Times* [Internet]. 9 juillet 2012. Disponible sur : http://www.nytimes.com/2012/07/10/health/nutrition/q-and-a-are-high-protein-low-carb-diets-effective.html?_r=0. Consulté le 8 avril 2015.

5 Benedict F. «Human vitality and efficiency under prolonged restricted diet». Carnegie Institute of Washington ; 1919. Disponible sur : https://archive.org/details/humanvitalityeff00beneuoft. Consulté le 26 avril 2015.

6 Keys A, Brožek J, Henschel A, Mickelsen O, Taylor HL. *The biology of human starvation* (deux volumes). Minnesota Ed. St. Paul, MN : University of Minnesota Press ; 1950.

7 Guetzkow HG, Bowman PH. *Men and hunger: a psychological manual for relief workers 1946.* Elgin, IL: Brethren Publishing House ; 1946.

8 Kalm LM, Semba RD. « They starved so that others be better fed: remembering Ancel Keys and the Minnesota Experiment ». *J Nutr.* 1er juin 2005 ; 135(6):1347-52.

9 *Ancestry Weight Loss Registry* [Internet]. Blogue. « They starved, we forgot ». 4 novembre 2012. Disponible sur : http://www.awlr.org/blog/they-starved-we-forgot. Consulté le 8 avril 2015.

10 Pieri J. « Men starve in Minnesota ». *Life.* 30 juillet 1945 ; 19(5):43-6.

11 Rosenbaum et coll. « Long-term persistence of adaptive thermogenesis in subjects who have maintained a reduced body weight ». *Am J Clin Nutr.* Octobre 2008 ; 88(4):906-12.

12 Howard BV et coll. « Low fat dietary pattern and weight change over 7 years: the Women's Health Initiative Dietary Modification Trial ». *JAMA.* 4 janvier 2006 ; 295(1):39-49.

13 Kennedy ET, Bowman SA, Spence JT, Freedman M, King J. « Popular diets: correlation to health, nutrition, and obesity ». *J Am Diet Assoc.* Avril 2001 ; 101(4):411-20.

14 Suminthran p. « Long-term persistence of hormonal adaptations to weight loss ». *N Engl J Med.* 27 octobre 2011 ; 365(17):1597-604.

15 Rosenbaum M, Sy M, Pavlovich K, Leibel R, Hirsch J. « Leptin reverses weight loss-induced changes in regional neural activity responses to visual food stimuli ». *J Clin Invest.* 1er juillet 2008 ; 118(7):2583-91.

16 O'Meara S, Riemsma R, Shirran L, Mather L, Ter Riet G. « A systematic review of the clinical effectiveness of orlistat used for the management of obesity ». *Obes Rev.* Février 2004 ; 5(1):51-68.

17 Torgerson et coll. « Xenical in the Prevention of Diabetes in Obese Subjects (XENDOS) Study ». *Diabetes Care.* Janvier 2004 ; 27(1):155-61.

18 Peale C. « Canadian ban adds to woes for P&G's olestra ». *Cincinnati Enquirer* [Internet]. 23 juin 2000. Disponible sur : http://enquirer.com/editions/2000/06/23/fin_canadian_ban_adds_to.html. Consulté le 6 avril 2015.

19 Chris Gentilvisio. « The 50 Worst Inventions ». *Time Magazine* [Internet]. Disponible sur : http://content.time.com/time/specials/packages/article/0,28804,1991915_1991909_1991785,00.html. Consulté le 15 avril 2015.

Chapitre 4 – Le mythe de l'exercice

1 British Heart Foundation. *Physical activity statistics 2012.* Health Promotion Research Group Department of Public Health, Université d'Oxford. Juillet 2012. Disponible sur : https://www.bhf.org.uk/~/media/files/research/heart-statistics/m130-bhf_physical-activity-supplement_2012.pdf. Consulté le 8 avril 2015.

2 Public Health England [Internet]. Source des données : *OECD. Trends in obesity prevalence.* Disponible sur : http://www.noo.org.uk/noo_about_obesity/trends. Consulté le 8 avril 2015.

3 « Countries that exercise the most include United States, Spain, and France ». *Huffington Post* [Internet]. 31 décembre 2013. Disponible sur : http://www.huffingtonpost.ca/2013/12/31/country-exercise-most-_n_4523537.html. Consulté le 6 avril 2015.

4 Dwyer-Lindgren L, Freedman G, Engell RE, Fleming TD, Lim SS, Murray CJ, Mokdad AH. « Prevalence of physical activity and obesity in U.S. counties, 2001-2011: a road map for action ». *Population Health Metrics.* 10 juillet 2013 ; 11:7. Disponible sur : http://www.biomedcentral.com/content/pdf/1478-7954-11-7.pdf. Consulté le 8 avril 2015.

5 Byun W, Liu J, Pate RR. « Association between objectively measured sedentary behavior and body mass index in preschool children ». *Int J Obes (Lond).* Juillet 2013 ; 37(7):961-5.

6 Pontzer H. « Debunking the hunter-gatherer workout ». *New York Times* [Internet]. 24 août 2012. Disponible sur : http://www.nytimes.com/2012/08/26/opinion/sun-day/debunking-the-hunter-gatherer-workout.html?_r=0. Consulté le 8 avril 2015.

7 Westerterp KR, Speakman JR. « Physical activity energy expenditure has not declined since the 1980s and matches energy expenditure of wild mammals ». *Int J Obes (Lond).* Août 2008 ; 32(8):1256-63.

8 Ross R, Janvierssen I. « Physical activity, total and regional obesity: dose-response considerations ». *Med Sci Sports Exerc.* Juin 2001 ; 33(6 Suppl):s521-27.

9 Church TS, Martin CK, Thompson AM, Earnest CP, Mikus CR et coll. « Changes in weight, waist circumference and compensatory responses with different doses of exercise among sedentary, overweight postmenopausal women ». *PloS One.* 2009 ; 4(2):e4515. doi:10.1371/journal.pone.0004515. Consulté le 6 avril 2015.

10 Donnelly JE, Honas JJ, Smith BK, Mayo MS, Gibson CA, Sullivan DK, Lee J, Herrmann SD, Lambourne K, Washburn RA. « Aerobic exercise alone results in clinically significant weight loss: Midwest Exercise trial 2 ». *Obesity* (Silver Spring). PubMed. Mars 2013 ; 21(3):e219-28. doi: 10.1002/oby.20145. Consulté le 6 avril 2015.

11 Church TS et coll. « Changes in weight, waist circumference and compensatory responses with different doses of exercise among sedentary, overweight postmenopausal women ». *PloS One.* 2009 ; 4(2):e4515. doi:10.1371/journal.pone.0004515. Consulté le 6 avril 2015.

12 McTiernan A et coll. « Exercise effect on weight and body fat in men and women ». *Obesity.* Juin 2007 ; 15(6):1496-512.

13 Janvierssen GM, Graef CJ, Saris WH. « Food intake and body composition in novice athletes during a training period to run a marathon ». *Intr J Sports Med.* Mai 1989 ; 10(1 suppl.):s17-21.

14 Buring et coll. « Physical activity and weight gain prevention, Women's Health Study ». *JAMA.* 24 mars 2010 ; 303(12):1173-9.

15 Sonneville KR, Gortmaker SL. « Total energy intake, adolescent discretionary behaviors and the energy gap ». *Int J Obes (Lond).* Décembre 2008 ; 32 Suppl 6:s19-27.

16 « Child obesity will not be solved by PE classes in schools, say researchers ». *Daily Mail UK* [Internet]. 7 mai 2009 ; Health. Disponible sur : http://www.dailymail.co.uk/health/article-1178232/Child-obesity-NOT-solved-PE-classes-schools-say-researchers.html. Consulté le 8 avril 2015.

17 Williams PT, Thompson PD. « Increased cardiovascular disease mortality associated with excessive exercise in heart attack survivors ». *Mayo Clinic Proceedings* [Internet]. Août 2014. Disponible sur : http://www.mayoclinicproceedings.org/article/s0025-6196%2814%2900437-6/fulltext. Doi: http://dx.doi.org/10.1016/j.mayocp.2014.05.006. Consulté le 8 avril 2015.

Chapitre 5 – Le paradoxe de la suralimentation

1 Sims EA. « Experimental obesity in man ». *J Clin Invest.* Mai 1971 ; 50(5):1005-11.

2 Sims EA et coll. « Endocrine and metabolic effects of experimental obesity in man ». *Recent Prog Horm Res.* 1973 ; 29:457-96.

3 Ruppel Shell E. *The hungry gene: the inside story of the obesity industry.* New York: Grove Press ; 2003.
4 Kolata G. *Rethinking thin: the new science of weight loss—and the myths and realities of dieting.* New York : Farrar, Straus and Giroux ; 2008.
5 Levine JA, Eberhardt NLL, Jensen MD. « Role of nonexercise activity thermogenesis in resistance to fat gain in humans ». *Science.* 8 janvier 1999 ; 283(5399):212-4.
6 Diaz EO. « Metabolic response to experimental overfeeding in lean and overweight healthy volunteers ». *Am J Clin Nutr.* Octobre 1992 ; 56(4):641-55.
7 Kechagias S, Ernersson A, Dahlqvist O, Lundberg P, Lindström T, Nystrom FH. « Fast-food-based hyper-alimentation can induce rapid and profound elevation of serum alanine aminotransferase in healthy subjects ». *Gut.* Mai 2008 ; 57(5):649-54.
8 DeLany JP, Kelley DE, Hames KC, Jakicic JM, Goodpaster BH. « High energy expenditure masks low physical activity in obesity ». *Int J Obes (Lond).* Juillet 2013 ; 37(7):1006-11.
9 Keesey R, Corbett S. « Metabolic defense of the body weight set-point ». *Res Publ Assoc Res Nerv Ment Dis.* 1984 ; 62:87-96.
10 Leibel RL et coll. « Changes in energy expenditure resulting from altered body weight ». *N Engl J Med.* 9 mars 1995 ; 332(10);621-8.
11 Lustig R. « Hypothalamic obesity: causes, consequences, treatment ». *Pediatr Endocrinol Rev.* Décembre 2008 ; 6(2):220-7.
12 Hervey GR. « The effects of lesions in the hypothalamus in parabiotic rat ». *J Physiol.* 3 mars 1959 ; 145(2):336-52.3.
13 Heymsfield SB et coll. « Leptin for weight loss in obese and lean adults: a randomized, controlled, dose-escalation trial ». *JAMA.* 27 octobre 1999 ; 282(16):1568-75.

Chapitre 6 – Un nouvel espoir

1 Tentolouris N, Pavlatos S, Kokkinos A, Perrea D, Pagoni S, Katsilambros N. « Diet-induced thermogenesis and substrate oxidation are not different between lean and obese women after two different isocaloric meals, one rich in protein and one rich in fat ». *Metabolism.* Mars 2008 ; 57(3):313-20.
2 Source des données de la figure 6.1 : *Ibid.*

Chapitre 7 – L'insuline

1 Polonski K, Given B, Van Cauter E. « Twenty-four hour profiles and pulsatile patterns of insulin secretion in normal and obese subjects ». *J Clin Invest.* Février 1988 ; 81(2):442-8.
2 Ferrannini E, Natali A, Bell P, et coll. « Insulin resistance and hypersecretion in obesity ». *J Clin Invest.* 1er septembre 1997 ; 100(5):1166-73.
3 Han TS, Williams K, Sattar N, Hunt KJ, Lean ME, Haffner SM. « Analysis of obesity and hyperinsulinemia in the development of metabolic syndrome: San Antonio Heart Study ». *Obes Res.* Septembre 2002 ; 10(9):923-31.
4 Russell-Jones D, Khan R. « Insulin-associated weight gain in diabetes: causes, effects and coping strategies ». *Diabetes, Obesity and Metabolism.* Novembre 2007 ; 9(6):799-812.
5 White NH et coll. « Influence of intensive diabetes treatment on body weight and composition of adults with type 1 diabetes in the Diabetes Control and Complications Trial ». *Diabetes Care.* 2001 ; 24(10):1711-21.

6 « Intensive blood-glucose control with sulphonylureas or insulin compared with conventional treatment and risk of complications in patients with type 2 diabetes (UKPDS33) ». *Lancet.* 12 septembre 1998 ; 352(9131):837-53.

7 Holman RR et coll. « Addition of biphasic, prandial, or basal insulin to oral therapy in type 2 diabetes ». *N Engl J Med.* 25 octobre 2007 ; 357(17):1716-30.

8 Henry RR, Gumbiner B, Ditzler T, Wallace P, Lyon R, Glauber HS. « Intensive conventional insulin therapy for type II diabetes ». *Diabetes Care.* Janvier 1993 ; 16(1):23-31.

9 Doherty GM, Doppman JL, Shawker TH, Miller DL, Eastman RC, Gorden P, Norton JA. « Results of a prospective strategy to diagnose, localize, and resect insulinomas ». *Surgery.* Décembre 1991 ; 110(6):989-96.

10 Ravnik-Oblak M, Janvierez A, Kocijanicic A. « Insulinoma induced hypoglycemia in a type 2 diabetic patient ». *Wien KlinWochenschr.* 30 avril 2001 ; 113(9):339-41.

11 Sapountzi P et coll. « Case study: diagnosis of insulinoma using continuous glucose monitoring system in a patient with diabetes ». *Clin Diab.* Juillet 2005 ; 23(3):140-3.

12 Smith CJ, Fisher M, McKay GA. « Drugs for diabetes: part 2 sulphonylureas ». *Br J Cardiol.* Novembre 2010; 17(6):279-82.

13 Viollet B, Guigas B, Sanz Garcia N, Leclerc J, Foretz M, Andreelli F. « Cellular and molecular mechanisms of metformin: an overview ». *Clin Sci (Lond).* Mars 2012 ; 122(6):253-70.

14 Klip A, Leiter LA. « Cellular mechanism of action of metformin ». *Diabetes Care.* Juin 1990; 13(6):696-704.

15 King P, Peacock I, Donnelly R. « The UK Prospective Diabetes Study (UKPDS): clinical and therapeutic implications for type 2 diabetes ». *Br J Clin Pharmacol.* Novembre 1999; 48(5):643-8.

16 UK Prospective Diabetes Study (UKPDS) Group. « Effect of intensive blood-glucose control with metformin on complications in overweight patients with type 2 diabetes (UKPDS34) ». *Lancet.* 12 septembre 1998 ; 352(9131):854-65.

17 DeFronzo RA, Ratner RE, Han J, Kim DD, Fineman MS, Baron AD. « Effects of exenatide (exendin-4) on glycemic control and weight over 30 weeks in metformin-treated patients with type 2 diabetes ». *Diabetes Care.* Novembre 2004 ; 27(11):2628-35.

18 Nauck MA, Meininger G, Sheng D, Terranella L, Stein PP. « Efficacy and safety of the dipeptidyl peptidase-4 inhibitor, sitagliptin, compared with the sulfonylurea, glipizide, in patients with type 2 diabetes inadequately controlled on metformin alone: a randomized, double-blind, non-inferiority trial ». *Diabetes Obes Metab.* Mars 2007 ; 9(2): 194-205.

19 Meneilly GS et coll. « Effect of acarbose on insulin sensitivity in elderly patients with diabetes ». *Diabetes Care.* Août 2000 ; 23(8):1162-7.

20 Wolever TM, Chiasson JL, Josse RG, Hunt JA, Palmason C, Rodger NW, Ross SA, Ryan EA, Tan MH. « Small weight loss on long-term acarbose therapy with no change in dietary pattern or nutrient intake of individuals with non-insulin-dependent diabetes ». *Int J Obes Relat Metab Disord.* Septembre 1997 ; 21(9):756-63.

21 Polidori D et coll. « Canagliflozin lowers postprandial glucose and insulin by delaying intestinal glucose absorption in addition to increasing urinary glucose excretion: results of a randomized, placebo-controlled study ». *Diabetes Care.* Août 2013 ; 36(8):2154-6.

22 Bolinder J et coll. « Effects of dapagliflozin on body weight, total fat mass, and regional adipose tissue distribution in patients with type 2 diabetes mellitus with inadequate glycemic control on metformin ». *J Clin Endocrinol Metab.* Mars 2012 ; 97(3):1020-31.
23 Nuack MA et coll. « Dapagliflozin versus glipizide as add-on therapy in patients with type 2 diabetes who have inadequate glycemic control with metformin ». *Diabetes Care.* Septembre 2011 ; 34(9):2015-22.
24 Domecq JP et coll. « Drugs commonly associated with weight change: a systematic review and meta-analysis ». *J Clin Endocrinol Metab.* Février 2015 ; 100(2):363-70.
25 Ebenbichler CF et coll. « Olanzapine induces insulin resistance: results from a prospective study ». *J Clin Psychiatry.* Décembre 2003 ; 64(12):1436-9.
26 Scholl JH, van Eekeren R, van Puijenbroek EP. « Six cases of (severe) hypoglycaemia associated with gabapentin use in both diabetic and non-diabetic patients ». *Br J Clin Pharmacol.* 11 novembre 2014. doi: 10.1111/bcp.12548. [Epub avant publication.] Consulté le 6 avril 2015.
27 Penumalee S, Kissner P, Migdal S. « Gabapentin induced hypoglycemia in a long-term peritoneal dialysis patient ». *Am J Kidney Dis.* Décembre 2003 ; 42(6):e3-5.
28 Suzuki Y et coll. « Quetiapine-induced insulin resistance after switching from blonanserin despite a loss in both bodyweight and waist circumference ». *Psychiatry Clin Neurosci.* Octobre 2012 ; 66(6):534-5.
29 Kong LC et coll. « Insulin resistance and inflammation predict kinetic body weight changes in response to dietary weight loss and maintenance in overweight and obese subjects by using a Bayesian network approach ». *Am J Clin Nutr.* Décembre 2013 ; 98(6):1385-94.
30 Lustig RH et coll. « Obesity, leptin resistance, and the effects of insulin suppression ». *Int J Obesity.* 17 août 2004 ; 28:1344-8.
31 Martin SS, Qasim A, Reilly MP. « Leptin resistance: a possible interface of inflammation and metabolism in obesity-related cardiovascular disease ». *J Am Coll Cardiol.* 7 octobre 2008 ; 52(15):1201-10.
32 Benoit SC, Clegg DJ, Seeley RJ, Woods SC. « Insulin and leptin as adiposity signals ». *Recent Prog Horm Res.* 2004 ; 59:267-85.

Chapitre 8 – Le cortisol

1 Owen OE, Cahill GF Jr. « Metabolic effects of exogenous glucocorticoids in fasted man ». *J Clin Invest.* 1973 octobre ; 52(10):2596–600.
2 Rosmond R et coll. « Stress-related cortisol secretion in men: relationships with abdominal obesity and endocrine, metabolic and hemodynamic abnormalities ». *J Clin Endocrinol Metab.* Juin 1998 ; 83(6):1853-9.
3 Whitworth JA et coll. « Hyperinsulinemia is not a cause of cortisol-induced hypertension ». *Am J Hypertens.* Juin 1994 ; 7(6):562-5
4 Pagano G et coll. « An *in vivo* and *in vitro* study of the mechanism of prednisone-induced insulin resistance in healthy subjects ». *J Clin Invest.* Novembre 1983 ; 72(5):1814-20.
5 Rizza RA, Mandarino LJ, Gerich JE.« Cortisol-induced insulin resistance in man: impaired suppression of glucose production and stimulation of glucose utilization due to a postreceptor detect of insulin action ». *J Clin Endocrinol Metab.* Janvier 1982 ; 54(1):131-8.
6 Ferris HA, Kahn CR. « New mechanisms of glucocorticoid-induced insulin resistance: make no bones about it ». *J Clin Invest.* Novembre 2012 ; 122(11):3854-7.

7 Stolk RP et coll. « Gender differences in the associations between cortisol and insulin in healthy subjects ». *J Endocrinol.* Mai 1996 ; 149(2):313-8.

8 Jindal RM et coll. « Posttransplant diabetes mellitus: a review ». *Transplantation.* 27 décembre 1994 ; 58(12):1289-98.

9 Pagano G et coll. « An *in vivo* and *in vitro* study of the mechanism of prednisone-induced insulin resistance in healthy subjects ». *J Clin Invest.* Novembre 1983 ; 72(5):1814-20.

10 Rizza RA, Mandarino LJ, Gerich JE. « Cortisol-induced insulin resistance in man: impaired suppression of glucose production and stimulation of glucose utilization due to a postreceptor defect of insulin action ». *J Clin Endocrinol Metab.* Janvier 1982 ; 54(1):131-8.

11 Dinneen S, Alzaid A, Miles J, Rizza RA. « Metabolic effects of the nocturnal rise in cortisol on carbohydrate metabolism in normal humans ». *J Clin Invest.* Novembre 1993 ; 92(5):2283-90.

12 Lemieux I et coll. « Effects of prednisone withdrawal on the new metabolic triad in cyclosporine-treated kidney transplant patients ». *Kidney International.* Novembre 2002 ; 62(5):1839-47.

13 Fauci A et coll., directeurs de la publication. *Harrison's principles of internal medicine. 17th ed.* McGraw-Hill Professional ; 2008, p. 2255.

14 Tauchmanova L et coll. « Patients with subclinical Cushing's syndrome due to adrenal adenoma have increased cardiovascular risk ». *J Clin Endocrinol Metab.* Novembre 2002 ; 87(11):4872-8.

15 Fraser R et coll. « Cortisol effects on body mass, blood pressure, and cholesterol in the general population ». *Hypertension.* Juin 1999 ; 33(6):1364-8.

16 Marin P et coll. « Cortisol secretion in relation to body fat distribution in obese pre-menopausal women ». *Metabolism.* Août 1992 ; 41(8):882-6.

17 Wallerius S et coll. « Rise in morning saliva cortisol is associated with abdominal obesity in men: a preliminary report ». *J Endocrinol Invest.* Juillet 2003 ; 26(7):616-9.

18 Wester VL et coll. « Long-term cortisol levels measured in scalp hair of obese patients ». *Obesity* (Silver Spring). Septembre 2014 ; 22(9):1956-8. Doi: 10.1002/oby.20795. Consulté le 6 avril 2015.

19 Fauci A et coll., directeurs de la publication. *Harrison's principles of internal medicine. 17th ed.* McGraw-Hill Professional ; 2008, p. 2263.

20 Daubenmier J et coll. « Mindfulness intervention for stress eating to reduce cortisol and abdominal fat among overweight and obese women ». *Journal of Obesity.* 2011 ; article iD 651936. Consulté le 6 avril 2015.

21 Knutson KL, Spiegel K, Penev P, Van Cauter E. « The metabolic consequences of sleep deprivation ». *Sleep Med Rev.* Juin 2007 ; 11(3):163-78.

22 Webb WB, Agnew HW. « Are we chronically sleep deprived? » *Bull Psychon Soc.* 1975 ; 6(1):47-8.

23 Bliwise DL. « Historical change in the report of daytime fatigue ». *Sleep.* Juillet 1996 ; 19(6):462-4.

24 Watanabe M et coll. « Association of short sleep duration with weight gain and obesity at 1-year follow-up: a large-scale prospective study ». *Sleep.* Février 2010 ; 33(2):161-7.

25 Hasler G, Buysse D, Klaghofer R, Gamma A, Ajdacic V et coll. « The association between short sleep duration and obesity in young adults: A 13-year prospective study ». *Sleep.* 15 juin 2004 ; 27(4):661-6.

26 Cappuccio FP et coll. « Meta-analysis of short sleep duration and obesity in children and adults ». *Sleep.* Mai 2008 ; 31(5):619-26.

27 Joo EY et coll. « Adverse effects of 24 hours of sleep deprivation on cognition and stress hormones ». *J Clin Neurol.* Juin 2012 ; 8(2):146-50.

28 Leproult R et coll. « Sleep loss results in an elevation of cortisol levels the next evening ». *Sleep.* Octobre 1997 ; 20(10):865-70.

29 Spiegel K, Knutson K, Leproult R, Tasali E, Van Cauter E. « Sleep loss: a novel risk factor for insulin resistance and Type 2 diabetes ». *J Appl Physiol.* Novembre 2005 ; 99(5):2008-19.

30 VanHelder T, Symons JD, Radomski MW. « Effects of sleep deprivation and exercise on glucose tolerance ». *Aviat Space Environ Med.* Juin 1993 ; 64(6):487-92.

31 « Sub-chronic sleep restriction causes tissue specific insulin resistance ». *J Clin Endocrinol Metab.* 6 février 2015 ; jc20143911. [Epub avant publication] Consulté le 6 avril 2015.

32 Kawakami N, Takatsuka N, Shimizu H. « Sleep disturbance and onset of type 2 diabetes ». *Diabetes Care.* Janvier 2004 ; 27(1):282-3.

33 Taheri S, Lin L, Austin D, Young T, Mignot E. « Short sleep duration is associated with reduced leptin, elevated ghrelin, and increased body mass index ». *PloS Medicine.* Décembre 2004 ; 1(3):e62.

34 Nedeltcheva AV et coll. « Insufficient sleep undermines dietary efforts to reduce adiposity ». *Ann Int Med.* 5 octobre 2010 ; 153(7):435-41.

35 Pejovic S et coll. « Leptin and hunger levels in young healthy adults after one night of sleep loss ». *J. Sleep Res.* Décembre 2010 ; 19(4):552-8.

Chapitre 9 – L'offensive Atkins

1 Pennington AW. « A reorientation on obesity ». *N Engl J Med.* 4 juin 1953 ; 248(23):959-64.

2 Bloom WL, Azar G, Clark J, MacKay JH. « Comparison of metabolic changes in fasting obese and lean patients ». *Ann NY Acad Sci.* 8 octobre 1965 ; 131(1):623-31.

3 Stillman I. *The doctor's quick weight loss diet.* Ishi Press ; 2011.

4 Kolata G. *Rethinking thin: the new science of weight loss—and the myths and realities of dieting.* Picador ; 2008.

5 Samaha FF et coll. « A low-carbohydrate as compared with a low-fat diet in severe obesity ». *N Engl J Med.* 22 mai 2003 ; 348(21):2074-81.

6 Gardner CD et coll. « Comparison of the Atkins, Zone, Ornish, and learn diets for change in weight and related risk factors among overweight premenopausal women ». *JAMA.* 7 mars 2007 ; 297(9):969-77.

7 Shai I et coll. « Weight loss with a low-carbohydrate, Mediterranean, or low-fat diet ». *N Engl J Med.* 17 juillet 2008 ; 359(3):229-41.

8 Larsen TM et coll. « Diets with high or low protein content and glycemic index for weight-loss maintenance ». *N Engl J Med.* 25 novembre 2010 ; 363(22):2102-13.

9 Ebbeling C et coll. « Effects of dietary composition on energy expenditure during weight-loss maintenance ». *JAMA.* 27 juin 2012 ; 307(24):2627-34.

10 Boden G et coll. « Effect of a low-carbohydrate diet on appetite, blood glucose levels, and insulin resistance in obese patients with type 2 diabetes ». *Ann Intern Med.* 15 mars 2005 ; 142(6):403-11.

11 Foster G et coll. « Weight and metabolic outcomes after 2 years on a low-carbohydrate versus low-fat diet ». *Ann Int Med.* 3 août 2010 ; 153(3):147-57.

12 Shai I et coll. « Four-year follow-up after two-year dietary interventions ». *N Engl J Med.* 4 octobre 2012 ; 367(14):1373-4.
13 Hession M et coll. « Systematic review of randomized controlled trials of low-carbohydrate vs. low-fat/low calorie diets in the management of obesity and its comorbidities ». *Obes Rev.* Janvier 2009 ; 10(1):36-50.
14 Zhou BG et coll. « Nutrient intakes of middle-aged men and women in China, Japan, United Kingdom, and United States in the late 1990s: The INTERMAP Study ». *J Hum Hypertens.* Septembre 2003 ; 17(9):623-30.
15 Source des données de la figure 9.1 : *Ibid.*
16 Lindeberg S et coll. « Low serum insulin in traditional Pacific Islanders: the Kitava Study ». *Metabolism.* Octobre 1999 ; 48(10):1216-9.

Chapitre 10 – La résistance à l'insuline : l'acteur principal

1 Tirosh A et coll. « Adolescent BMI trajectory and risk of diabetes versus coronary disease ». *N Engl J Med.* 7 avril 2011 ; 364(14):1315-25.
2 Alexander Fleming. « Penicillin ». *Nobel Lecture December 11 1945.* Disponible sur : http://www.nobelprize.org/nobel_prizes/medicine/laureates/1945/fleming-lecture.pdf. Consulté le 15 avril 2015.
3 Pontiroli AE, Alberetto M, Pozza G. « Patients with insulinoma show insulin resistance in the absence of arterial hypertension ». *Diabetologia.* Mars 1992 ; 35(3):294-5.
4 Pontiroli AE, Alberetto M, Capra F, Pozza G. « The glucose clamp technique for the study of patients with hypoglycemia: insulin resistance as a feature of insulinoma ». *J Endocrinol Invest.* Mars 1990 ; 13(3):241-5.
5 Ghosh S et coll. « Clearance of acanthosis nigricans associated with insulinoma following surgical resection ». *QJM.* Novembre 2008 ; 101(11):899-900. doi: 10.1093/qjmed/hcn098. Epub 31 juillet 2008. Consulté le 8 avril 2015.
6 Rizza RA et coll. « Production of insulin resistance by hyperinsulinemia in man ». *Diabetologia.* Février 1985 ; 28(2):70-5.
7 Del Prato S et coll. « Effect of sustained physiologic hyperinsulinemia and hyperglycemia on insulin secretion and insulin sensitivity in man ». *Diabetologia.* Octobre 1994 ; 37(10):1025-35.
8 Henry RR et coll. « Intensive conventional insulin therapy for type II diabetes ». *Diabetes Care.* Janvier 1993 ; 16(1):23-31.
9 Le Stunff C, Bougneres p. « Early changes in postprandial insulin secretion, not in insulin sensitivity characterize juvenile obesity ». *Diabetes.* Mai 1994 ; 43(5):696-702.
10 Popkin BM, Duffey KJ. « Does hunger and satiety drive eating anymore? » *Am J Clin Nutr.* Mai 2010 ; 91(5):1342-7.
11 Duffey KJ, Popkin BM. « Energy density, portion size, and eating occasions: contributions to increased energy intake in the United States, 1977-2006 ». *PloS Med.* Juin 2011 ; 8(6): e1001050. doi:10.1371/journal.pmed.1001050. Consulté le 8 avril 2015.
12 Bellisle F, McDevitt R, Prentice AM. « Meal frequency and energy balance ». *Br J Nutr.* Avril 1997 ; 77 Suppl 1:s57-70.
13 Cameron JD, Cyr MJ, Doucet E. « Increased meal frequency does not promote greater weight loss in subjects who were prescribed an 8-week equi-energetic energy-restricted diet ». *Br J Nutr.* Avril 2010 ; 103(8):1098-101.
14 Leidy JH et coll. « The influence of higher protein intake and greater eating frequency on appetite control in overweight and obese men ». *Obesity* (Silver Spring). Septembre 2010 ; 18(9):1725-32.

15 Stewart WK, Fleming LW. « Features of a successful therapeutic fast of 382 days' duration ». *Postgrad Med J.* Mars 1973 ; 49(569):203-09.

Chapitre 11 – « Big Food » et la nouvelle science de la diabésité

1 Center for Science in the Public Interest [Internet]. *Non-profit organizations receiving corporate funding.* Disponible sur : http://www.cspinet.org/integrity/nonprofits/american_heart_association.html. Consulté le 8 avril 2015.

2 Freedhoff, Y. *Weighty Matters* blogue [Internet]. Heart and Stroke Foundation Health « Check on 10 teaspoons of sugar in a glass ». 9 avril 2012. Disponible sur : http://www.weightymatters.ca/2012/04/heart-and-stroke-foundation-health.html. Consulté le 8 avril 2015.

3 Lesser LI, Ebbeling CB, Goozner M, Wypij D, Ludwig D. « Relationship between funding source and conclusion among nutrition-related scientific articles ». *PloS Med.* 9 janvier 2007 ; 4(1): e5. doi:10.1371/journal.pmed.0040005. Consulté le 8 avril 2015.

4 Nestle M. « Food company sponsorship of nutrition research and professional activities: A conflict of interest? » *Public Health Nutr.* Octobre 2001 ; 4(5):1015-22.

5 Stubbs RJ, Mazlan N, Whybrow S. « Carbohydrates, appetite and feeding behavior in humans ». *J Nutr.* 1er octobre 2001 ; 131(10):2775-81s.

6 Cameron JD, Cyr MJ, Doucet E. « Increased meal frequency does not promote greater weight loss in subjects who were prescribed an 8-week equi-energetic energy-restricted diet ». *Br J Nutr.* Avril 2010 ; 103(8):1098-101.

7 Wyatt HR et coll. « Long-term weight loss and breakfast in subjects in the National Weight Control Registry ». *Obes Res.* Février 2002 ; 10(2):78-82.

8 Wing RR, Phelan S. « Long term weight loss maintenance ». *Am J Clin Nutr.* Juillet 2005 ; 82(1 Suppl):222s-5s.

9 Brown AW et coll. « Belief beyond the evidence: using the proposed effect of breakfast on obesity to show 2 practices that distort scientific evidence ». *Am J Clin Nutr.* Novembre 2013 ; 98(5):1298-308.

10 Schusdziarra V et coll. « Impact of breakfast on daily energy intake ». *Nutr J.* 17 janvier 2011 ; 10:5. doi: 10.1186/1475-2891-10-5. Consulté le 8 avril 2015.

11 Reeves S et coll. « Experimental manipulation of breakfast in normal and overweight/obese participants is associated with changes to nutrient and energy intake consumption patterns ». *Physiol Behav.* 22 juin 2014 ; 133:130–5. doi: 10.1016/j.phys-beh.2014.05.015. Consulté le 8 avril 2015.

12 Dhurandhar E et coll. « The effectiveness of breakfast recommendations on weight loss: a randomized controlled trial ». *Am J Clin Nutr.* 4 juin 2014. doi: 10.3945/ajcn.114.089573. Consulté le 8 avril 2015.

13 Betts JA et coll. « The causal role of breakfast in energy balance and health: a randomized controlled trial in lean adults ». *Am J Clin Nutr.* Août 2014 ; 100(2): 539-47.

14 *Diet, nutrition and the prevention of chronic disease: report of a joint Who/Fao expert consultation.* Geneva : World Health Organization ; 2003, p. 68. Disponible sur : http://whqlibdoc.who.int/trs/who_trs_916.pdf. Consulté le 9 avril 2015.

15 Kaiser KA et coll. « Increased fruit and vegetable intake has no discernible effect on weight loss: a systematic review and meta-analysis ». *Am J Clin Nutr.* Août 2014 ; 100(2):567-76.

16 Muraki I et coll. « Fruit consumption and the risk of type 2 Diabetes ». *BMJ.* 28 août 2013 ; 347:f5001. doi: 10.1136/bmj.f5001. Consulté le 8 avril 2015.

Chapitre 12 – Pauvreté et obésité

1 Centers for Disease Control and Prevention. *Obesity trends among U.S. adults between 1985 and 2010.* Disponible sur : www.cdc.gov/obesity/downloads/obesity_trends_2010.ppt. Consulté le 26 avril 2015.
2 United States Census Bureau [Internet]. *State and country quick facts.* Mis à jour le 24 mars 2015. Disponible sur : http://quickfacts.census.gov/qfd/states/28000.html. Consulté le 8 avril 2015.
3 Levy J. « Mississippians most obese, Montanans least obese ». Gallup [Internet]. Disponible sur : http://www.gallup.com/poll/167642/mississippians-obese-montanans-least-obese.aspx. Consulté le 8 avril 2015.
4 Moss M. *Salt Sugar Fat: How the Food Giants Hooked Us.* Toronto : Signal Publishing ; 2014.
5 Kessler D. *The End of Overeating: Taking Control of the Insatiable American Appetite.* Toronto : McClelland & Stewart ; 2010.
6 Source des données de la figure 12.2 : Environmental Working Group (EWG). *EWG farm subsidies.* Disponible sur : http://farm.ewg.org/. Consulté le 26 avril 2015.
7 Russo M. *Apples to Twinkies: comparing federal subsidies of fresh produce and junk food.* U.S. Pirg Education Fund. Septembre 2011. Disponible sur : http://www.foodsafetynews.com/files/2011/09/Apples-to-Twinkies-usPirg.pdf. Consulté le 26 avril 2015.
8 Source des données de la figure 12.3 : *Ibid.*
9 Mills CA. « Diabetes mellitus: is climate a responsible factor in the etiology? » *Arch Inten Med.* Octobre 1930 ; 46(4):569-81.
10 Marchand LH. *The Pima Indians: Obesity and diabetes.* National Diabetes Information Clearinghouse (NDICH) [Internet]. Disponible sur : https://web.archive.org/web/20150610193111. Consulté le 8 avril 2015.
11 U.S. PIRG [Internet]. *Report: 21st century transportation.* 14 mai 2013. Disponible sur : http://uspirg.org/reports/usp/new-direction. Consulté le 8 avril 2015.
12 Davies A. « The age of the car in America is over ». *Business Insider* [Internet]. 20 mai 2013. http://www.businessinsider.com/the-us-driving-boom-is-over-2013-5. Consulté le 8 avril 2015.

Chapitre 13 – L'obésité infantile

1 Foster GD et coll. « The Healthy Study Group. A school-based intervention for diabetes risk reduction ». *N Engl J Med.* 29 juillet 2010 ; 363(5):443-53.
2 Must A, Jacques PF, Dallal GE, Bajema CJ, Dietz WH. « Long-term morbidity and mortality of overweight adolescents: a follow-up of the Harvard Growth Study of 1922 to 1935 ». *N Engl J Med.* Novembre 1992 ; 327(19):1350-5.
3 Deshmukh-Taskar P, Nicklas TA, Morales M, Yang SJ, Zakeri I, Berenson GS. « Tracking of overweight status from childhood to young adulthood: the Bogalusa Heart Study ». *Eur J Clin Nutr.* Janvier 2006 ; 60(1):48-57.
4 Baker JL, Olsen LW, Sørensen TI. « Childhood body-mass index and the risk of coronary heart disease in adulthood ». *N Engl J Med.* Décembre 2007 ; 357(23):2329-37.
5 Juonala M et coll. « Childhood adiposity, adult adiposity, and cardiovascular risk factors ». *N Engl J Med.* 17 novembre 2011 ; 365(20):1876-85.
6 Kim J et coll. « Trends in overweight from 1980 through 2001 among preschool-aged children enrolled in a health maintenance organization ». *Obesity* (Silver Spring). Juillet 2006 ; 14(7):1107-12.

7 Bergmann RL et coll. « Secular trends in neonatal macrosomia in Berlin: influences of potential determinants ». *Paediatr Perinat Epidemiol.* Juillet 2003 ; 17(3):244-9.

8 Holtcamp W. « Obesogens: an environmental link to obesity ». *Environ Health Perspect.* Février 2012 ; 120(2):a62-a68.

9 Ludwig DS, Currie J. « The association between pregnancy weight gain and birth weight ». *Lancet.* 18 septembre 2010 ; 376(9745):984-90.

10 Whitaker RC et coll. « Predicting obesity in young adulthood from childhood and parental obesity ». *N Engl J Med.* 25 septembre 1997 ; 337(13):869-73.

11 Caballero B et coll. « Pathways: A school-based randomized controlled trial for the prevention of obesity in American Indian schoolchildren ». *Am J Clin Nutr.* Novembre 2003 ; 78(5):1030-8.

12 Nader PR et coll. « Three-year maintenance of improved diet and physical activity: the CATCH cohort ». *Arch Pediatr Adoles Med.* Juillet 1999 ; 153(7):695-705.

13 Klesges RC et coll. « The Memphis Girls Health Enrichment Multi-site Studies (GEMS) ». *Arch Pediatr Adolesc Med.* Novembre 2010 ; 164(11):1007-14.

14 De Silva-Sanigorski AM et coll. « Reducing obesity in early childhood: results from Romp & Chomp, an Australian community-wide intervention program ». *Am J Clin Nutr.* Avril 2010 ; 91(4):831-40.

15 James J et coll. « Preventing childhood obesity by reducing consumption of carbonated drinks: cluster randomised controlled trial ». *BMJ.* 22 mai 2004 ; 328(7450):1237.

16 Ogden CL et coll. « Prevalence of childhood and adult obesity in the United States, 2011–2012 ». *JAMA.* 26 février 2014 ; 311(8):806-14.

17 Spock B. *Doctor Spock's Baby and Child Care.* Pocket Books ; 1987, p. 536.

Chapitre 14 – Les effets meurtriers du fructose

1 Suddath C, Stanford D. « Coke confronts its big fat problem ». *Bloomberg Businessweek* [Internet]. 31 juillet 2014. Disponible sur : http://www.bloomberg.com/bw/articles/2014-07-31/coca-cola-sales-decline-health-concerns-spur-relaunch. Consulté le 8 avril 2015.

2 *Ibid.*

3 S&D (Groupe sucres et denrées) [Internet]. *World sugar consumption.* Disponible sur : http://www.sucden.com/statistics/4_world-sugar-consumption. Consulté le 9 avril 2015.

4 Xu Y et coll. « Prevalence and control of diabetes in Chinese adults ». *JAMA.* 4 septembre 2013 ; 310(9):948-59.

5 Loo D. « China "catastrophe" hits 114 million as diabetes spreads ». *Bloomberg News* [Internet]. 3 septembre 2013. Disponible sur : http://www.bloomberg.com/news/articles/2013-09-03/china-catastrophe-hits-114-million-as-diabetes-spreads. Consulté le 8 avril 2015.

6 Huang Y. « China's looming diabetes epidemic ». *The Atlantic* [Internet]. 13 septembre 2013. Disponible sur : http://www.theatlantic.com/china/archive/2013/09/chinas-looming-diabetes-epidemic/279670/. Consulté le 8 avril 2015.

7 Schulze MB et coll. « Sugar-sweetened beverages, weight gain and incidence of type 2 diabetes in young and middle aged women ». *JAMA.* 25 août 2004 ; 292(8):927-34.

8 Basu S, Yoffe P, Hills N, Lustig RH. « The relationship of sugar to population-level diabetes prevalence: an econometric analysis of repeated cross-sectional data ». *PLoS One* [Internet]. 2013 ; 8(2):e57873 doi: 10.1371/journal.pone.0057873. Consulté le 8 avril 2015.

9 Lyons RD. « Study insists diabetics can have some sugar ». *New York Times* [Internet]. 7 juillet 1983. Disponible sur : http://www.nytimes.com/1983/07/07/us/study-insists-diabetics-can-have-some-sugar.html. Consulté le 8 avril 2015.

10 Glinsmann WH et coll. « Evaluation of health aspects of sugars contained in carbohydrate sweeteners ». *J Nutr.* Novembre 1986 ; 116(11S):S1-s216.

11 National Research Council (US) Committee on Diet and Health. *Diet and health: implications for reducing chronic disease risk.* Washington (DC) : National Academies Press (US) ; 1989, p. 7.

12 American Diabetes Association [Internet]. *Sugar and desserts.* Mis à jour le 27 janvier 2015. Disponible sur : http://www.diabetes.org/food-and-fitness/food/what-can-i-eat/understanding-carbohydrates/sugar-and-desserts.html. Consulté le 8 avril 2015.

13 Zhou BF et coll. « Nutrient intakes of middle-aged men and women in China, Japan, United Kingdom, and United States in the late 1990s ». *J Hum Hypertens.* Septembre 2003 ; 17(9):623-30.

14 Duffey KJ, Popkin BM. « High-Fructose Corn syrup: Is this what's for dinner? » *Am J Clin Nutr.* 2008 ; 88(suppl):1722s-32s.

15 Bray GA, Nielsen SJ, Popkin BM. « Consumption of high-fructose corn syrup in beverages may play a role in the epidemic of obesity ». *Am J Clin Nutr.* Avril 2004 ; 79(4):537-43.

16 Beck-Nielsen H et coll. « Impaired cellular insulin binding and insulin sensitivity induced by high-fructose feeding in normal subjects ». *Am J Clin Nutr.* Février 1980 ; 33(2):273-8.

17 Stanhope KL et coll. « Consuming fructose-sweetened, not glucose-sweetened, beverages increases visceral adiposity and lipids and decreases insulin sensitivity in overweight/obese humans ». *JCI.* 1er mai 2009 ; 119(5):1322-34.

18 Sievenpiper JL et coll. « Effect of fructose on body weight in controlled feeding trials: a systematic review and meta-analysis ». *Ann Intern Med.* 21 février 2012 ; 156(4):291-304.

19 Ogden CL et coll. « Prevalence of childhood and adult obesity in the United States, 2011-2012 ». *JAMA.* 26 février 2014 ; 311(8):806-14.

20 Geiss LS et coll. « Prevalence and incidence trends for diagnosed diabetes among adults aged 20 to 79 years, United States, 1980-2012 ». *JAMA.* 24 septembre 2014 ; 312(12):1218-26.

Chapitre 15 – L'illusion des boissons diète

1 Yang Q. « Gain weight by "going diet?" Artificial sweeteners and the neurobiology of sugar cravings ». *Yale J Biol Med.* Juin 2010 ; 83(2):101-8.

2 Mattes RD, Popkin BM. « Nonnutritive sweetener consumption in humans: effects on appetite and food intake and their putative mechanisms ». *Am J Clin Nutr.* Janvier 2009 ; 89(1):1-14. (N.B. Les données de la figure 15.1 proviennent également de cet article.)

3 Gardner C et coll. « Nonnutritive sweeteners: current use and health perspectives: a scientific statement from the American Heart Association and the American Diabetes Association ». *Circulation.* 24 juillet 2012 ; 126(4):509-19.

4 Oz M. « Agave: why we were wrong ». *The Oz Blog.* 27 février 2014. Disponible sur : http://blog.doctoroz.com/dr-oz-blog/agave-why-we-were-wrong. Consulté le 9 avril 2015.

5 Gardner C et coll. « Nonnutritive sweeteners: current use and health perspectives: a scientific statement from the American Heart Association and the American Diabetes Association ». *Circulation.* 24 juillet 2012 ; 126(4):509-19.

6 American Diabetes Association [Internet]. *Low calorie sweeteners.* Mis à jour le 16 décembre 2014. Disponible sur : http://www.diabetes.org/food-and-fitness/food/what-can-i-eat/understanding-carbohydrates/artificial-sweeteners. Consulté le 12 avril 2015.

7 Stellman SD, Garfinkel L. « Artificial sweetener use and one-year weight change among women ». *Prev Med.* Mars 1986 ; 15(2);195-202.

8 Fowler SP et coll. « Fueling the obesity epidemic? Artificially sweetened beverage use and long-term weight gain ». *Obesity.* Août 2008 ; 16(8):1894-900.

9 Gardener H et coll. « Diet soft drink consumption is associated with an increased risk of vascular events in the Northern Manhattan Study ». *J Gen Intern Med.* Septembre 2012 ; 27(9):1120-6.

10 Lutsey PL, Steffen LM, Stevens J. « Dietary intake and the development of the metabolic syndrome: the Atherosclerosis Risk in Communities Study ». *Circulation.* 12 février 2008 ; 117(6):754-61.

11 Dhingra R, Sullivan L, Jacques PF, Wang TJ, Fox CS, Meigs JB, D'Agostino RB, Gaziano JM, Vasan RS. « Soft drink consumption and risk of developing cardiometabolic risk factors and the metabolic syndrome in middle-aged adults in the community ». *Circulation.* 31 juillet 2007 ; 116(5):480-8.

12 American College of Cardiology. « Too many diet drinks may spell heart trouble for older women, study suggests ». *ScienceDaily* [Internet]. 29 mars 2014. Disponible sur : htp://www.sciencedaily.com/releases/2014/03/140329175110.htm. Consulté le 9 avril 2015.

13 Pepino MY et coll. « Sucralose affects glycemic and hormonal responses to an oral glucose load ». *Diabetes Care.* Septembre 2013 ; 36(9):2530-5.

14 Anton SD et coll. « Effects of stevia, aspartame, and sucrose on food intake, satiety, and postprandial glucose and insulin levels ». *Appetite.* Août 2010 ; 55(1):37-43.

15 Yang Q. « Gain weight by "going diet?" Artificial sweeteners and the neurobiology of sugar cravings ». *Yale J Biol Med.* Juin 2010 ; 83(2):101-8.

16 Smeets PA et coll. « Functional magnetic resonance imaging of human hypothalamic responses to sweet taste and calories ». *Am J Clin Nutr.* Novembre 2005 ; 82(5):1011-6.

17 Bellisle F, Drewnowski A. « Intense sweeteners, energy intake and the control of body weight ». *Eur J Clin Nutr.* Juin 2007 ; 61(6):691-700.

18 Ebbeling CB et coll. « A randomized trial of sugar-sweetened beverages and adolescent body weight ». *N Engl J Med.* 11 octobre 2012 ; 367(15):1407-16.

19 Blackburn GL et coll. « The effect of aspartame as part of a multidisciplinary weight-control program on short- and long-term control of body weight ». *Am J Clin Nutr.* Février 1997 ; 65(2):409-18.

20 De Ruyter JC et coll. « A trial of sugar-free or sugar sweetened beverages and body weight in children ». *N Engl J Med.* 11 octobre 2012 ; 367(15):1397-406.

21 Bes-Rastrollo M et coll. « Financial conflicts of interest and reporting bias regarding the association between sugar-sweetened beverages and weight gain: a systematic review of systematic reviews ». *PloS Med.* Décembre 2013 ; 10(12) e1001578 doi: 10.1371/journal.pmed.1001578. Consulté le 8 avril 2015.

Chapitre 16 – Les glucides et les fibres protectrices

1 Source des données de la figure 16.1 : Cordain L, Eades MR, Eades MD. « Hyperinsulinemic diseases of civilization: more than just Syndrome X ». *Comparative Biochemistry and Physiology: Part A.* 2003 ; 136:95-112. Disponible sur : http://www.direct-ms.org/sites/default/files/Hyperinsulinemia.pdf. Consulté le 15 avril 2015.

2 Fan MS et coll. « Evidence of decreasing mineral density in wheat grain over the last 160 years ». *J Trace Elem Med Biol.* 2008 ; 22(4):315-24. Doi: 10.1016/j.jtemb.2008.07.002. Consulté le 8 avril 2015.

3 Rubio-Tapia A et coll. « Increased prevalence and mortality in undiagnosed celiac disease ». *Gastroenterology.* Juillet 2009 ; 137(1):88-93.

4 Thornburn A, Muir J, Proietto J. « Carbohydrate fermentation decreases hepatic glucose output in healthy subjects ». *Metabolism.* Juin 1993 ; 42(6):780-5.

5 Trout DL, Behall KM, Osilesi O. « Prediction of glycemic index for starchy foods ». *Am J Clin Nutr.* Décembre 1993 ; 58(6):873-8.

6 Jeraci JL. « Interaction between human gut bacteria and fibrous substrates ». Dans Spiller GA, directeur de la publication. *CRC Handbook of dietary fiber in human nutrition.* Boca Raton, FL: CRC Press ; 1993, p. 648.

7 Wisker E, Maltz A, Feldheim W. « Metabolizable energy of diets low or high in dietary fiber from cereals when eaten by humans ». *J Nutr.* Août 1988 ; 118(8):945-52.

8 Eaton SB, Eaton SB 3rd, Konner MJ, Shostak M. « An evolutionary perspective enhances understanding of human nutritional requirements ». *J Nutr.* Juin 1996 ; 126(6):1732-40.

9 Trowell H. *Obesity in the Western world. Plant foods for man.* 1975 ; 1:157-68.

10 U.S. Department of Agriculture. *CSFII/DHKS data set and documentation: the 1994 Continuing Survey of Food Intakes by Individuals and the 1994-1996 Diet and Health Knowledge Survey.* Springfield, VA: National Technical Information Service ; 1998.

11 Krauss RM et coll. « Dietary guidelines for healthy American adults ». *Circulation.* 1er octobre 1996 ; 94(7):1795-1899.

12 Fuchs CS et coll. « Dietary fiber and the risk of colorectal cancer and adenoma in women ». *N Engl J Med.* 21 janvier 1999 ; 340(3):169-76.

13 Alberts DS et coll. « Lack of effect of a high-fiber cereal supplement on the recurrence of colorectal adenomas ». *N Engl J Med.* 20 avril 2000 ; 342(16):1156-62.

14 Burr ML et coll. « Effects of changes in fat, fish and fibre intakes on death and myocardial reinfarction: diet and reinfarction trial (DART). » *Lancet.* 30 septembre 1989 ; 2(8666):757-61.

15 Estruch R. « Primary prevention of cardiovascular disease with a Mediterranean diet ». *N Engl J Med.* 4 avril 2013 ; 368(14):1279-90.

16 Miller WC et coll. « Dietary fat, sugar, and fiber predict body fat content ». *J Am Diet Assoc.* Juin 1994 ; 94(6):612-5.

17 Nelson LH, Tucker LA. « Diet composition related to body fat in a multivariate study of 203 men ». *J Am Diet Assoc.* Août 1996 ; 96(8):771-7.

18 Gittelsohn J et coll. « Specific patterns of food consumption and preparation are associated with diabetes and obesity in a native Canadian community ». *J Nutr.* Mars 1998 ; 128(3):541-7.

19 Ludwig DS et coll. « Dietary fiber, weight gain, and cardiovascular disease risk factors in young adults ». *JAMA.* 27 octobre 1999 ; 282(16):1539-46.

20 Pereira MA, Ludwig DS. « Dietary fiber and body-weight regulation ». *Pediatric Clin North America.* Août 2001 ; 48(4):969-80.

21 Chandalia M et coll. « Beneficial effects of high fibre intake in patients with type 2 diabetes mellitus ». *N Engl J Med.* 11 mai 2000 ; 342(19):1392-8.
22 Liese AD et coll. « Dietary glycemic index and glycemic load, carbohydrate and fiber intake, and measure of insulin sensitivity, secretion and adiposity in the Insulin Resistance Atherosclerosis Study ». *Diab. Care.* Décembre 2005 ; 28(12):2832-8.
23 Schulze MB et coll. « Glycemic index, glycemic load, and dietary fiber intake and incidence of type 2 diabetes in younger and middle-aged women ». *Am J Clin Nutr.* Août 2004 ; 80(2):348-56.
24 Salmerón J et coll. « Dietary fiber, glycemic load, and risk of non-insulin- dependent diabetes mellitus in women ». *JAMA.* 12 février 1997 ; 277(6):472-7.
25 Salmerón J et coll. « Dietary fiber, glycemic load, and risk of NIDDM in men ». *Diabetes Care.* Avril 1997 ; 20(4):545-50.
26 Kolata G. *Rethinking thin: the new science of weight loss—and the myths and realities of dieting.* New York : Picador ; 2007.
27 Johnston CS, Kim CM, Buller AJ. « Vinegar improves insulin sensitivity to a high-carbohydrate meal in subjects with insulin resistance or type 2 diabetes ». *Diabetes Care.* Janvier 2004 ; 27(1):281-2.
28 Johnston CS et coll. « Examination of the antiglycemic properties of vinegar in healthy adults ». *Ann Nutr Metab.* 2010 ; 56(1):74-9. doi 10.1159/0002722133. Consulté le 8 avril 2015.
29 Sugiyama M et coll. « Glycemic index of single and mixed meal foods among common Japanese foods with white rice as a reference food ». *European Journal of Clinical Nutrition.* Juin 2003 ; 57(6):743-752.
30 Ostman EM et coll. « Inconsistency between glycemic and insulinemic responses to regular and fermented milk products ». *Am J Clin Nutr.* Juillet 2001 ; 74(1):96-100.
31 Leeman M et coll. « Vinegar dressing and cold storage of potatoes lowers post- prandial glycaemic and insulinaemic responses in healthy subjects ». *Eur J Clin Nutr.* Novembre 2005 ; 59(11):1266-71.
32 White AM, Johnston CS. « Vinegar ingestion at bedtime moderates waking glucose concentrations in adults with well-controlled type 2 diabetes ». *Diabetes Care.* Novembre 2007 ; 30(11):2814-5.
33 Johnston CS, Buller AJ. « Vinegar and peanut products as complementary foods to reduce postprandial glycemia ». *J Am Diet Assoc.* Décembre 2005 ; 105(12):1939-42.
34 Brighenti F et coll. « Effect of neutralized and native vinegar on blood glucose and acetate responses to a mixed meal in healthy subjects ». *Eur J Clin Nutr.* Avril 1995 ; 49(4):242-7.
35 Hu FB et coll. « Dietary intake of a-linolenic acid and risk of fatal ischemic heart disease among women ». *Am J Clin Nutr.* Mai 1999 ; 69(5):890-7.

Chapitre 17 – Les protéines

1 Friedman AN et coll. « Comparative effects of low-carbohydrate high-protein versus low-fat diets on the kidney ». *Clin J Am Soc Nephrol.* Juillet 2012 ; 7(7):1103-11.
2 Holt SH et coll. « An insulin index of foods: the insulin demand generated by 1000-kJ portions of common foods ». *Am J Clin Nutr.* Novembre 1997 ; 66(5):1264-76.
3 Floyd JC Jr. « Insulin secretion in response to protein ingestion ». *J Clin Invest.* Septembre 1966 ; 45(9):1479-86.
4 Nuttall FQ, Gannon MC. « Plasma glucose and insulin response to macronutrients in non diabetic and NIDDM subjects ». *Diabetes Care.* Septembre 1991 ; 14(9):824-38.

5 Nauck M et coll. « Reduced incretin effect in type 2 (non-insulin-dependent) diabetes ». *Diabetologia*. Janvier 1986 ; 29(1):46-52.

6 Pepino MY et coll. « Sucralose affects glycemic and hormonal responses to an oral glucose load ». *Diabetes Care*. Septembre 2013 ; 36(9):2530-5.

7 Just T et coll. « Cephalic phase insulin release in healthy humans after taste stimulation? » *Appetite*. Novembre 2008 ; 51(3):622-7.

8 Nilsson M et coll. « Glycemia and insulinemia in healthy subjects after lactose-equivalent meals of milk and other food proteins ». *Am J Clin Nutr*. Novembre 2004 ; 80(5):1246-53.

9 Liljeberg EH, Bjorck I. « Milk as a supplement to mixed meals may elevate postprandial insulinaemia ». *Eur J Clin Nutr*. Novembre 2001 ; 55(11):994-9.

10 Nilsson M et coll. « Glycemia and insulinemia in healthy subjects after lactose-equivalent meals of milk and other food proteins: the role of plasma amino acids and incretins ». *Am J Clin Nutr*. Novembre 2004; 80(5):1246-53.

11 Jakubowicz D, Froy O, Ahrén B, Boaz M, Landau Z, Bar-Dayan Y, Ganz T, Barnea M, Wainstein J. « Incretin, insulinotropic and glucose-lowering effects of whey protein pre-load in type 2 diabetes: a randomized clinical trial ». *Diabetologia*. Septembre 2014; 57(9):1807-11.

12 Pal S, Ellis V. « The acute effects of four protein meals on insulin, glucose, appetite and energy intake in lean men ». *Br J Nutr*. Octobre 2010; 104(8):1241-48.

13 Source des données de la figure 17.1 : *Ibid.*

14 Bes-Rastrollo M, Sanchez-Villegas A, Gomez-Gracia E, Martinez JA, Pajares RM, Martinez-Gonzalez MA. « Predictors of weight gain in a Mediterranean cohort: the Seguimiento Universidad de Navarra Study 1 ». *Am J Clin Nutr*. Février 2006 ; 83(2):362-70.

15 Vergnaud AC et coll.« Meat consumption and prospective weight change in participants of the EPIC-Panacea study ». *Am J Clin Nutr*. Août 2010 ; 92(2):398-407.

16 Rosell M et coll. « Weight gain over 5 years in 21,966 meat-eating, fish-eating, vegetarian, and vegan men and women in EPIC-Oxford ». *Int J Obes (Lond)*. Septembre 2006 ; 30(9):1389-96.

17 Mozaffarian D et coll. « Changes in diet and lifestyle and long-term weight gain in women and men ». *N Engl J Med*. 23 juin 2011 ; 364(25):2392-404.

18 Cordain L et coll. « Fatty acid analysis of wild ruminant tissues: evolutionary implications for reducing diet-related chronic disease ». *Eur J Clin Nutr*. Mars 2002 ; 56(3):181-91.

19 Rosell M et coll. « Association between dairy food consumption and weight change over 9 y in 19,352 perimenopausal women ». *Am J Clin Nutr*. Décembre 2006 ; 84(6):1481-8.

20 Pereira MA et coll. « Dairy consumption, obesity, and the insulin resistance syndrome in young adults: the CARDIA Study ». *JAMA*. 24 avril 2002 ; 287(16):2081-9.

21 Choi HK et coll. « Dairy consumption and risk of type 2 diabetes mellitus in men: a prospective study ». *Arch Intern Med*. 9 mai 2005 ; 165(9):997-1003.

22 Azadbakht L et coll. « Dairy consumption is inversely associated with the prevalence of the metabolic syndrome in Tehranian adults ». *Am J Clin Nutr*. Septembre 2005 ; 82(3):523-30.

23 Mozaffarian D et coll. « Changes in diet and lifestyle and long-term weight gain in women and men ». *N Engl J Med*. 23 juin 2011 ; 364(25):2392-404.

24 Burke LE et coll. « A randomized clinical trial testing treatment preference and two dietary options in behavioral weight management: preliminary results of the impact of diet at 6 months—PREFER study ». *Obesity* (Silver Spring). Novembre 2006 ; 14(11):2007-17.

Chapitre 18 – La phobie du gras

1 Keys A. « Mediterranean diet and public health: personal reflections ». *Am J Clin Nutr.* Juin 1995 ; 61(6 Suppl):1321s-3s.

2 Nestle M. « Mediterranean diets: historical and research overview ». *Am J Clin Nutr.* Juin 1995; 61(6 suppl):1313s-20s.

3 Keys A, Keys M. *Eat well and stay well.* New York : Doubleday & Company ; 1959, p. 40.

4 U.S. Department of Agriculture, U.S. Department of Health and Human Services. *Nutrition and your health: dietary guidelines for Americans. 3rd edition.* Washington, DC : U.S. Government Printing Office ; 1990.

5 *The Seven Countries Study.* Disponible sur : www.sevencountriesstudy.com. Consulté le 12 avril 2015.

6 Howard BV et coll. « Low fat dietary pattern and risk of cardiovascular disease: the Womens' Health Initiative Randomized Controlled Dietary Modification Trial ». *JAMA.* 8 février 2006 ; 295(6):655-66.

7 Yerushalmy J, Hilleboe HE. « Fat in the diet and mortality from heart disease: a methodologic note ». *NY State J Med.* 15 juillet 1957 ; 57(14):2343-54.

8 Pollan M. « Unhappy meals ». *New York Times* [Internet]. 28 janvier 2007. Disponible sur : http://www.nytimes.com/2007/01/28/magazine/28nutritionism.t.html?-pagewanted=all. Consulté le 6 septembre 2015.

9 Simopoulos AP. « Omega-3 fatty acids in health and disease and in growth and development ». *Am J Clin Nutr.* Septembre 1991 ; 54(3):438-63.

10 Eades M. « Framingham follies ». *The Blog of Michael R. Eades, M.D.* [Internet]. 28 septembre 2006. Disponible sur : http://www.proteinpower.com/drmike/cardiovascular-disease/framingham-follies/. Consulté le 12 avril 2015.

11 Nichols AB et coll. « Daily nutritional intake and serum lipid levels. The Tecumseh study ». *Am J Clin Nutr.* Décembre 1976 ; 29(12):1384-92.

12 Garcia-Pamieri MR et coll. « Relationship of dietary intake to subsequent coronary heart disease incidence: The Puerto Rico Heart Health Program ». *Am J Clin Nutr.* Août 1980 ; 33(8):1818-27.

13 Shekelle RB et coll. « Diet, serum cholesterol, and death from coronary disease: the Western Electric Study ». *N Engl J Med.* 8 janvier 1981 ; 304(2):65-70.

14 Aro A et coll. « Transfatty acids in dairy and meat products from 14 European countries: the TransFair Study ». *Journal of Food Composition and Analysis.* Juin 1998 ; 11(2):150-160. doi: 10.1006/jfca.1998.0570. Consulté le 12 avril 2015.

15 Mensink RP, Katan MB. « Effect of dietary trans fatty acids on high-density and low-density lipoprotein cholesterol levels in healthy subjects ». *N Engl J Med.* 16 août 1990 ; 323(7):439-45.

16 Mozaffarian D et coll. « Trans fatty acids and cardiovascular disease ». *N Engl J Med.* 13 avril 2006 ; 354(15):1601-13.

17 Mente A et coll. « A systematic review of the evidence supporting a causal link between dietary factors and coronary heart disease ». *Arch Intern Med.* 13 avril 2009 ; 169(7):659-69.

18 Hu Frank B et coll. « Dietary fat intake and the risk of coronary heart disease in women ». *N Engl J Med.* 20 novembre 1997 ; 337(21):1491-9.

19 Leosdottir M et coll. « Dietary fat intake and early mortality patterns: data from the Malmo Diet and Cancer Study ». *J Intern Med.* Août 2005 ; 258(2):153-65.

20 Chowdhury R et coll. « Association of dietary, circulating, and supplement fatty acids with coronary risk: a systematic review and meta-analysis ». *Ann Intern Med.* 18 mars 2014; 160(6):398-406.

21 Siri-Tarino PW et coll. « Meta-analysis of prospective cohort studies evaluating the association of saturated fat with cardiovascular disease ». *Am J Clin Nutr.* Mars 2010 ; 91(3):535-46.

22 Yamagishi K et coll. « Dietary intake of saturated fatty acids and mortality from cardiovascular disease in Japanese ». *Am J Clin Nutr.* Paru le 4 août 2010. doi:10.3945/ajcn.2009.29146. Consulté le 12 avril 2015.

23 Wakai K et coll. « Dietary intakes of fat and total mortality among Japanese populations with a low fat intake: the Japan Collaborative Cohort (JACC) Study ». *Nutr Metab (Lond).* 6 mars 2014; 11(1):12.

24 Ascherio A et coll. « Dietary fat and risk of coronary heart disease in men: cohort follow up study in the United States ». *BMJ.* 13 juillet 1996 ; 313(7049):84-90.

25 Gillman MW et coll. « Margarine intake and subsequent heart disease in men ». *Epidemiology.* Mars 1997 ; 8(2):144-9.

26 Mozaffarian D et coll. « Dietary fats, carbohydrate, and progression of coronary atherosclerosis in postmenopausal women ». *Am J Clin Nutr.* Novembre 2004 ; 80(5):1175-84.

27 Kagan A et coll. « Dietary and other risk factors for stroke in Hawaiian Japanese men ». *Stroke.* Mai-juin 1985 ; 16(3):390-6.

28 Gillman MW et coll. « Inverse association of dietary fat with development of ischemic stroke in men ». *JAMA.* 24-31 décembre 1997 ; 278(24):2145-50.

29 National Heart, Lung, and Blood Institute. *National Cholesterol Education Program Expert Panel on Detection, Evaluation, and Treatment of High Blood Cholesterol in Adults (Adult Treatment Panel iii).* National Institutes of Health ; Septembre 2002. Disponible sur : http://www.nhlbi.nih.gov/files/docs/resources/heart/atp3full.pdf. Consulté le 12 avril 2015.

30 Kratz M et coll. « The relationship between high-fat dairy consumption and obesity, cardiovascular, and metabolic disease ». *Eur J Nutr.* Février 2013 ; 52(1):1-24.

31 Rosell M et coll. « Association between dairy food consumption and weight change over 9 y in 19,352 perimenopausal women ». *Am J Clin Nutr.* Décembre 2006 ; 84(6):1481-8.

32 Collier G, O'Dea K. « The effect of co-ingestion of fat on the glucose, insulin and gastric inhibitory polypeptide responses to carbohydrate and protein ». *Am J Clin Nutr.* Juin 1983 ; 37(6):941-4.

33 Willett WC. « Dietary fat plays a major role in obesity: no ». *Obes Rev.* Mai 2002 ; 3(2):59-68.

34 Howard BV et coll. « Low fat dietary pattern and risk of cardiovascular disease ». *JAMA.* 8 février 2006 ; 295(6):655-66.

Chapitre 19 – Quoi manger

1 Knowler WC et coll. « 10-year follow-up of diabetes incidence and weight loss in the Diabetes Prevention Program Outcomes Study ». *Lancet.* 14 novembre 2009 ; 374(9702):1677-86.

2 Leibel RL, Hirsch J. « Diminished energy requirements in reduced-obese patients ». *Metabolism.* Février 1984 ; 33(2):164-70.

3 Sacks FM et coll. « Comparison of weight-loss diets with different compositions of fat, protein, and carbohydrates ». *N Engl J Med.* 26 février 2009 ; 360(9):859-73.

4 Johnston BC et coll. « Comparison of weight loss among named diet programs in overweight and obese adults: a meta-analysis ». *JAMA.* 3 septembre 2014 ; 312(9):923-33.

5 Grassi D, Necozione S, Lippi C, Croce G, Valeri L, Pasqualetti P, Desideri G, Blumberg JB, Ferri C. « Cocoa reduces blood pressure and insulin resistance and improves endothelium-dependent vasodilation in hypertensives ». *Hypertension.* Août 2005 ; 46(2):398-405.

6 Grassi D et coll. « Blood pressure is reduced and insulin sensitivity increased in glucose-intolerant, hypertensive subjects after 15 days of consuming high-polyphenol dark chocolate ». *J. Nutr.* Septembre 2008 ; 138(9):1671-6.

7 Djousse L et coll. « Chocolate consumption is inversely associated with prevalent coronary heart disease: the National Heart, Lung, and Blood Institute Family Heart Study ». *Clin Nutr.* Avril 2011 ; 30(2):182-7. doi: 10.1016/j.clnu.2010.08.005. Epub 19 septembre 2010. Consulté le 6 avril 2015.

8 Sabate J, Wien M. « Nuts, blood lipids and cardiovascular disease ». *Asia Pac J Clin Nutr.* 2010 ; 19(1):131-6.

9 Jenkins DJ et coll. « Possible benefit of nuts in type 2 diabetes ». *J. Nutr.* Septembre 2008 ; 138(9):1752's-1756s.

10 Hernandez-Alonso P et coll. « Beneficial effect of pistachio consumption on glucose metabolism, insulin resistance, inflammation, and related metabolic risk markers: a randomized clinical trial ». 14 août 2014. doi: 10.2337/dc14-1431. [Epub avant publication] Consulté le 6 avril 2015.

11 Walton AG. « All sugared up: the best and worst breakfast cereals for kids ». *Forbes* [Internet]. 15 mai 2014. Disponible sur : http://www.forbes.com/sites/alicegwalton/2014/05/15/all-sugared-up-the-best-and-worst-breakfast-cereals-for-kids/. Consulté le 12 avril 2015.

12 Fernandez ML. « Dietary cholesterol provided by eggs and plasma lipoproteins in healthy populations ». *Curr Opin Clin Nutr Metab Care.* Janvier 2006 ; 9(1):8-12.

13 Mutungi G et coll. « Eggs distinctly modulate plasma carotenoid and lipoprotein subclasses in adult men following a carbohydrate-restricted diet ». *J Nutr Biochem.* Avril 2010 ; 21(4):261-7. doi: 10.1016/j.jnutbio.2008.12.011. Epub 14 avril 2009.

14 Shin JY, Xun P, Nakamura Y, He K. « Egg consumption in relation to risk of cardiovascular disease and diabetes: a systematic review and meta-analysis ». *Am J Clin Nutr.* Juillet 2013 ; 98(1):146-59.

15 Rong Y et coll. « Egg consumption and risk of coronary heart disease and stroke: dose-response meta-analysis of prospective cohort studies ». *BMJ.* 2013 ; 346:e8539. doi: 10.1136/bmj.e8539. Consulté le 6 avril 2015.

16 Cordain L et coll. « Influence of moderate chronic wine consumption on insulin sensitivity and other correlates of syndrome X in moderately obese women ». *Metabolism.* Novembre 2000 ; 49(11):1473-8.

17 Cordain L et coll. « Influence of moderate daily wine consumption on body weight regulation and metabolism in healthy free-living males ». *J Am Coll Nutr.* Avril 1997 ; 16(2):134-9.

18 Napoli R et coll. « Red wine consumption improves insulin resistance but not endothelial function in type 2 diabetic patients ». *Metabolism.* Mars 2005 ; 54(3):306-13.

19 Huxley R et coll.« Coffee, decaffeinated coffee, and tea consumption in relation to incident type 2 diabetes mellitus: a systematic review with meta-analysis ». *Arch Intern Med.* 14 décembre 2009 ; 169(22):2053-63.

20 Gómez-Ruiz JA, Leake DS, Ames JM. « *In vitro* antioxidant activity of coffee compounds and their metabolites ». *J Agric Food Chem.* 22 août 2007 ; 55(17):6962-9.

21 Milder IEJ, Arts ICW, van de Putte B, Venema DP, Hollman PCH. « Lignan contents of Dutch plant foods: a database including lariciresinol, pinoresinol, secoisolariciresinol and metairesinol ». *Br J Nutr.* Mars 2005 ; 93(3):393-402.

22 Clifford MN. « Chlorogenic acids and other cinnamates: nature, occurrence and dietary burden ». *J Sci Food Agric.* 1999 ; 79(5):362-72.

23 Huxley R et coll. « Coffee, decaffeinated coffee, and tea consumption in relation to incident type 2 diabetes mellitus: a systematic review with meta-analysis ». *Arch Intern Med.* 14 décembre 2009 ; 169(22):2053-63.

24 Van Dieren S et coll. « Coffee and tea consumption and risk of type 2 diabetes ». *Diabetologia.* Décembre 2009 ; 52(12):2561-9.

25 Odegaard AO et coll. « Coffee, tea, and incident type 2 diabetes: the Singapore Chinese Health Study ». *Am J Clin Nutr.* Octobre 2008 ; 88(4):979-85.

26 Freedman ND, Park Y, Abnet CC, Hollenbeck AR, Sinha R. « Association of coffee drinking with total and cause-specific mortality ». *N Engl J Med.* 17 mai 2012 ; 366(20):1891-904.

27 Lopez-Garcia E, van Dam RM, Li TY, Rodriguez-Artalejo F, Hu FB. « The relationship of coffee consumption with mortality ». *Ann Intern Med.* 17 juin 2008 ; 148(2):904-14.

28 Eskelinen MH, Kivipelto M. « Caffeine as a protective factor in dementia and Alzheimer's disease ». *J Alzheimers Dis.* 2010 ; 20 Suppl 1:167-74.

29 Santos C et coll. « Caffeine intake and dementia: systematic review and meta-analysis ». *J Alzheimers Dis.* 2010 ; 20 Suppl 1:s187–204. doi: 10.3233/JaD-2010-091387. Consulté le 6 avril 2015.

30 Hernan MA et coll. « A meta-analysis of coffee drinking, cigarette smoking, and the risk of Parkinson's disease ». *Ann Neurol.* Septembre 2002 ; 52(3):276-84.

31 Ross GW et coll. « Association of coffee and caffeine intake with the risk of Parkinson disease ». *JAMA.* Mai 2000 ; 283(20):2674-9.

32 Klatsky AL et coll. « Coffee, cirrhosis, and transaminase enzymes ». *Arch Intern Med.* 12 juin 2006 ; 166(11):1190-5.

33 Larrson SC, Wolk A. « Coffee consumption and risk of liver cancer: a meta-analysis ». *Gastroenterology.* Mai 2007 ; 132 (5):1740-5.

34 Kobayashi Y, Suzuki M, Satsu H et coll. « Green tea polyphenols inhibit the sodium-dependent glucose transporter of intestinal epithelial cells by a competitive mechanism ». *J Agric Food Chem.* Novembre 2000 ; 48(11):5618-23.

35 Crespy V, Williamson GA. « A review of the health effects of green tea catechins in *in vivo* animal models ». *J Nutr.* Décembre 2004 ; 134(12 suppl):3431s-3440s.

36 Cabrera C et coll. « Beneficial effects of green tea: a review ». *J Am Coll Nutr.* Avril 2006 ; 25(2):79-99.

37 Hursel, R, Westerterp-Plantenga MS. « Catechin- and caffeine-rich teas for control of body weight in humans ». *Am J Clin Nutr.* Décembre 2013 ; 98(6):1682s-93s.

38 Dulloo AG et coll. « Green tea and thermogenesis: interactions between catechin-polyphenols, caffeine and sympathetic activity ». *Inter J Obesity.* Février 2000 ; 24(2):252-8.

39 Venables MC et coll. « Green tea extract ingestion, fat oxidation, and glucose tolerance in healthy humans ». *Am J Clin Nutr.* Mars 2008 ; 87(3):778-84.

40 Dulloo AG et coll. « Efficacy of a green tea extract rich in catechin polyphenols and caffeine in increasing 24-h energy expenditure and fat oxidation in humans ». *Am J Clin Nutr.* Décembre 1999 ; 70(6):1040-5.

41 Koo MWL, Cho CH. « Pharmacological effects of green tea on the gastrointestinal system ». *Eur J Pharmacol.* 1er octobre 2004 ; 500(1-3):177-85.

42 Hursel R, Viechtbauer W, Westerterp-Plantenga, MS. « The effects of green tea on weight loss and weight maintenance: a meta-analysis ». *Int J Obes (Lond).* Septembre 2009 ; 33(9):956-61. doi: 10.1038/ijo.2009.135. Epub 14 juillet 2009. Consulté le 6 avril 2015.

43 Van Dieren S et coll. « Coffee and tea consumption and risk of type 2 diabetes ». *Diabetologia.* Décembre 2009 ; 52(12):2561-9.

44 Odegaard AO et coll. « Coffee, tea, and incident type 2 diabetes: the Singapore Chinese Health Study ». *Am J Clin Nutr.* Octobre 2008 ; 88(4):979-85.

45 Patrick L, Uzick M. « Cardiovascular disease: C-reactive protein and the inflammatory disease paradigm: hMg-CoA reductase inhibitors, alpha-tocopherol, red yeast rice, and olive oil polyphenols. A review of the literature ». *Alternative Medicine Review.* Juin 2001 ; 6(3):248-71.

46 Aviram M, Eias K. « Dietary olive oil reduces low-density lipoprotein uptake by macrophages and decreases the susceptibility of the lipoprotein to undergo lipid peroxidation ». *Ann Nutr Metab.* 1993 ; 37(2):75-84.

47 Smith RD et coll. « Long-term monounsaturated fatty acid diets reduce platelet aggregation in healthy young subjects ». *Br J Nutr.* Septembre 2003 ; 90(3):597-606.

48 Ferrara LA et coll. « Olive oil and reduced need for antihypertensive medications ». *Arch Intern Med.* 27 mars 2000 ; 160(6):837-42.

49 Martínez-González MA et coll. « Olive oil consumption and risk of CHD and/or stroke: a meta-analysis of case-control, cohort and intervention studies ». *Br J Nutr.* Juillet 2014 ; 112(2):248-59.

50 Chen M, Pan A, Malik VS, Hu FB. « Effects of dairy intake on body weight and fat: a meta-analysis of randomized controlled trials ». *Am J Clin Nutr.* Octobre 2012 ; 96(4):735-47.

51 Mozaffarian D et coll. « Trans-palmitoleic acid, metabolic risk factors, and new-onset diabetes in U.S. adults: a cohort study ». *Ann Intern Med.* 21 décembre 2010 ; 153(12):790-9.

52 Hyman M. « The super fiber that controls your appetite and blood sugar ». *Huffington Post* [Internet]. 29 mai 2010 (mis à jour le 11 novembre 2013). Disponible sur : http://www. huffingtonpost.com/dr-mark-hyman/fiber-health-the-super-fi_b_594153.html. Consulté le 6 avril 2015.

53 Sugiyama M et coll. « Glycemic index of single and mixed meal foods among common Japanese foods with white rice as a reference food ». *Euro J Clin Nutr.* Juin 2003 ; 57(6):743-52. doi:10.1038/sj.ejcn.1601606. Consulté le 6 avril 2015.

Chapitre 20 – Quand manger

1 Arbesmann R. « Fasting and prophecy in pagan and Christian antiquity ». *Traditio.* 1951 ; 7:1-71.

2 Lamine F et coll. « Food intake and high density lipoprotein cholesterol levels changes during Ramadan fasting in healthy young subjects ». *Tunis Med.* Octobre 2006 ; 84(10):647-650.

3 Felig p. « Starvation ». Dans : DeGroot LJ, Cahill GF Jr et coll., directeurs de la publication. *Endocrinology.* Vol. 3. New York : Grune & Stratton ; 1979, p. 1927-40.

4 Coffee CJ, *Quick look: metabolism.* Hayes Barton Press ; 2004, p. 169.

5 Owen OE, Felig p. « Liver and kidney metabolism during prolonged starvation ». *J Clin Invest.* Mars 1969 ; 48:574-83.

6 Merimee TJ, Tyson JE. « Stabilization of plasma glucose during fasting: normal variation in two separate studies ». *N Engl J Med.* 12 décembre 1974 ; 291(24):1275-8.

7 Heilbronn LK. « Alternate-day fasting in nonobese subjects: effects on body weight, body composition, and energy metabolism ». *Am J Clin Nutr.* 2005; 81:69-73.

8 Halberg N. « Effect of intermittent fasting and refeeding on insulin action in healthy men ». *J Appl Physiol.* Décembre 1985 ; 99(6):2128-36.

9 Rudman D et coll. Effects of human growth hormone in men over 60 years old. *N Engl J Med.* 5 juillet 1990 ; 323(1):1-6.

10 Ho KY et coll. « Fasting enhances growth hormone secretion and amplifies the complex rhythms of growth hormone secretion in man ». *J Clin Invest.* Avril 1988 ; 81(4):968-75.

11 Drenick EJ. « The effects of acute and prolonged fasting and refeeding on water, electrolyte, and acid-base metabolism ». Dans : Maxwell MH, Kleeman CR, directeurs de la publication. *Clinical disorders of fluid and electrolyte metabolism. 3rd edition.* New York : McGraw-Hill ; 1979.

12 Zauner C. « Resting energy expenditure in short-term starvation is increased as a result of an increase in serum norepinephrine ». *Am J Clin Nutr.* Juin 2000 ; 71(6):1511-5.

13 Stewart WK, Fleming LW. « Features of a successful therapeutic fast of 382 days' duration ». *Postgrad Med J.* Mars 1973 ; 49(569):203-9.

14 Kerndt PR et coll. « Fasting: the history, pathophysiology and complications ». *West J Med.* Novembre 1982 ; 137(5):379-99.

15 Stewart WK, Fleming LW. « Features of a successful therapeutic fast of 382 days' duration », *op. cit.* ; Drenick EJ et coll. « Prolonged starvation as treatment for severe obesity ». *JAMA.* 11 janvier 1964 ; 187:100-5.

16 Lennox WG. « Increase of uric acid in the blood during prolonged starvation ». *JAMA.* 23 février 1924 ; 82(8):602-4 ; Felig p. « Starvation ». Dans : DeGroot LJ, Cahill GF Jr et coll., directeurs de la publication. *Endocrinology.* Vol. 3. New York : Grune & Stratton ; 1979, p. 1927-40.

17 Bhutani S et coll. « Improvements in coronary heart disease risk indicators by alternate-day fasting involve adipose tissue modulations ». *Obesity.* Novembre 2010 ; 18(11):2152-9.

18 Stote KS et coll. « A controlled trial of reduced meal frequency without caloric restriction in healthy, normal-weight, middle-aged adults ». *Am J Clin Nutr.* Avril 2007 ; 85(4):981-8.

19 Heilbronn LK. « Alternate-day fasting in nonobese subjects: effects on body weight, body composition, and energy metabolism », *op. cit.*

20 Zauner C. « Resting energy expenditure in short-term starvation is increased as a result of an increase in serum norepinephrine », *op. cit.*
21 Stubbs RJ et coll. « Effect of an acute fast on energy compensation and feeding behaviour in lean men and women ». *Int J Obesity.* Décembre 2002 ; 26(12):1623-8.
22 Duncan GG. « Intermittent fasts in the correction and control of intractable obesity ». *Trans Am Clin Climatol Assoc.* 1963 ; 74:121-9.
23 Duncan GG et coll. « Correction and control of intractable obesity. Practical application of Intermittent Periods of Total Fasting ». *JAMA.* 1962; 181(4):309-12.
24 Drenick E. « Prolonged starvation as treatment for severe obesity ». *JAMA.* 11 janvier 1964; 187:100-5.
25 Thomson TJ et coll. « Treatment of obesity by total fasting for up to 249 days ». *Lancet.* 5 novembre 1966 ; 2(7471):992-6.
26 Kerndt PR et coll. « Fasting: the history, pathophysiology and complications ». *West J Med.* Novembre 1982 ; 137(5):379-99.
27 Folin O, Denis W. « On starvation and obesity, with special reference to acidosis ». *J Biol Chem.* 1915 ; 21:183-92.
28 Bloom WL. « Fasting as an introduction to the treatment of obesity ». *Metabolism.* Mai 1959 ; 8(3):214-20.
29 Stewart WK, Fleming LW. « Features of a successful therapeutic fast of 382 days' duration ». *Postgrad Med J.* Mars 1973 ; 49(569):203-9.
30 Merimee TJ, Tyson JE. « Stabilization of plasma glucose during fasting: Normal variation in two separate studies ». *N Engl J Med.* 12 décembre 1974; 291(24):1275-8.
31 Bloom WL. « Fasting ketosis in obese men and women ». *J Lab Clin Med.* Avril 1962 ; 59:605-12.
32 Forbes GB. « Weight loss during fasting: implications for the obese ». *Am J Clin Nutr.* Septembre 1970 ; 23:1212-19.
33 Harvie MN et coll. « The effects of intermittent or continuous energy restriction on weight loss and metabolic disease risk markers ». *Int J Obes (Lond).* Mai 2011; 35(5):714-27.
34 Klempel MC et coll. « Intermittent fasting combined with calorie restriction is effective for weight loss and cardio-protection in obese women ». *Nutr J.* 2012 ; 11:98. doi: 10.1186/1475-2891-11-98. Consulté le 8 avril 2015.
35 Williams KV et coll. « The effect of short periods of caloric restriction on weight loss and glycemic control in type 2 diabetes ». *Diabetes Care.* Janvier 1998 ; 21(1):2-8.
36 Koopman KE et coll. « Hypercaloric diets with increased meal frequency, but not meal size, increase intrahepatic triglycerides: A randomized controlled trial ». *Hepatology.* Août 2014; 60(2); 545-55.
37 Yanovski JA, Yanovski SZ, Sovik KN, Nguyen TT, O'Neil PM, Sebring NG. « A prospective study of holiday weight gain ». *N Engl J Med.* 23 mars 2000 ; 342(12):861-7.

Annexe B

1 Hiebowicz J et coll. « Effect of cinnamon on post prandial blood glucose, gastric emptying and satiety in healthy subjects ». *Am J Clin Nutr.* Juin 2007 ; 85(6):1552-6.
2 Greenberg JA, Geliebter A. « Coffee, hunger, and peptide YY ». *J Am Coll Nutr.* Juin 2012 ; 31(3):160-6.

INDEX

N

O

P

V

W

Y